dtv
premium

Rosamund Lupton

Lautlose Nacht

Roman

Deutsch von Christine Blum

dtv

Von Rosamund Lupton
sind bei dtv außerdem erschienen:
Liebste Tess (21401)
Außer sich (21479)

Deutsche Erstausgabe 2016
dtv Verlagsgesellschaft mbH & Co. KG, München

Titel der englischen Originalausgabe:
›The Quality of Silence‹ (Little, Brown, London 2015)

Umschlaggestaltung: Lisa Höfner unter Verwendung
eines Fotos von gettyimages/Piriya Photography
Satz: Fotosatz Amann, Memmingen
Gesetzt aus der Arno Pro Regular 11,5/14˙
Druck und Bindung: CPI – Ebner & Spiegel, Ulm
Gedruckt auf säurefreiem, chlorfrei gebleichtem Papier
Printed in Germany · ISBN 978-3-423-26121-0

Für Tora Orde-Powlett

Es ist tiefer Januar. Der Himmel hart.
Die Halme fest verwurzelt in Eis.

In dieser Ödnis, aus diesem ungelenken
Flirren heraus lässt eine Silbe

Ihr einsames Selbst erklingen,
Der Winterklänge grausamste Leere.

Wallace Stevens

Mein Name ist eine Form, kein Laut. Ich bin Daumen und Finger, nicht Zunge und Lippen. Ich bin 10 ausgestreckte Finger alt – ich bin ein Mädchen aus Buchstaben.

R – u – b – y

Und das ist meine Stimme.

1

@Words_No_Sounds
650 *Follower*
AUFREGUNG: Schmeckt wie bitzelndes Brausepulver, fühlt sich an wie das Hups-Rumms, wenn ein Flugzeug aufsetzt, und sieht aus wie die große flauschige Kapuze von Dads Iñupiaq-Parka.

Es ist eisig kalt. Als würde die Luft aus Glassplittern bestehen. Unsere englische Kälte, das sind moppelige Schneemänner und: »Juhu, es hat geschneit!«, eine nette Kälte irgendwie. Aber die Kälte hier ist fies.

Dad hat gesagt, man muss zwei Dinge über Alaska wissen:

1. ist es wahnsinnig kalt, und

2. ist es superstill, weil es über Tausende von Kilometern nur Schnee und fast keine Menschen gibt.

Aber damit hat er wahrscheinlich den Norden von Alaska gemeint, nicht den Flughafen von Fairbanks, wo die Straße von Autoreifen vibriert, die Rollkoffer der Leute über den Asphalt rumpeln und wo Flugzeuge in den Himmel schießen. Dad findet Stille ganz toll. Er sagt von mir, dass ich nicht taub bin, sondern dass ich Stille hören kann.

Mum bleibt ganz dicht neben mir, als wollte sie eine

weitere wärmende Schicht um mich bilden, und ich schmiege mich an sie. Sie glaubt, Dads Schneemobil ist kaputtgegangen und er hat deshalb seinen Taxiflieger nicht erwischt. Und sie sagt, dass der Akku von seinem Satellitenhandy leer sein muss, sonst hätte er uns auf jeden Fall angerufen.

Eigentlich sollte Dad uns am Flughafen abholen. Stattdessen stand da diese Polizistin und sagte: »Tut mir leid, ich kann Ihnen noch nichts Konkretes sagen.« Jetzt marschiert sie vor uns her, als wären wir auf einem Schulausflug und das Museum macht gleich zu und die coole Mädelsclique schreit: »Bitte nur ganz kurz noch in den Museumsshop, Miss!«, aber wenn eine Frau so losmarschiert, dann weiß man genau, die wartet nicht auf einen.

Ich habe eine Schneebrille und eine Gesichtsmaske auf. Dad hat uns total streng diktiert, was wir alles mitbringen müssen (*Echte Polarausrüstung, Puggle!*), und jetzt in dieser Glassplitterluft bin ich froh darüber. Weinen tue ich nie, zumindest nicht, wenn mich jemand sieht, denn wenn man damit erst mal anfängt, kann man sich auch gleich ein rosa Ballettröckchen anziehen. Aber mit Schneebrille weinen ist was anderes, weil ich nicht glaube, dass jemand das bemerkt. Dad sagt, oben im Norden von Alaska können Tränen zu Eis gefrieren.

Mit ihrer Tochter an der Hand blieb Yasmin stehen. Die junge Polizistin, die vor ihnen zum Gebäude der Flughafenpolizei lief, runzelte die Stirn, aber Yasmin musste das, was hier geschah, für einen Moment anhalten. Der Schnee hatte alles um sie herum in seine monotone Farbe und Konsistenz gehüllt – es war eine Szenerie wie aus Pappmaché. Zu ihren Füßen sah sie die zarten Spuren eines

Vogels im Schnee und wurde sich bewusst, dass sie den Kopf gesenkt hatte. Sie zwang sich aufzusehen, Rubys wegen, und staunte, wie klar es plötzlich war. Es hatte aufgehört zu schneien. Die Luft war gleißend hell, kristallin und unfassbar durchsichtig. Noch einen Tick klarer, und man hätte jedes einzelne Luftmolekül sehen können. Als wäre die ganze Szene zu rein und zu scharf, um wahr zu sein.

Die Polizistin hat eine Zeitung vom Tisch geräumt, als wäre ich ein kleines Kind, das noch keine Zeitung lesen darf, also halte ich alle meine Finger hoch, um ihr zu zeigen, dass ich zehn bin, aber sie versteht mich nicht.

»Ein Kollege wird Sie gleich ins Bild setzen«, sagt sie zu Mum.

»Hilfe, er will mich in ein Foto einsperren!«, gebärdet Mum mir. Oft merken es die Leute gar nicht, wenn Mum witzig ist, als könnte jemand, der aussieht wie ein Filmstar, nicht auch komisch sein. Das finde ich ganz schön unfair. Eigentlich gebärdet sie mir fast nie, sie will immer, dass ich von ihren Lippen lese, deshalb lächle ich zurück, aber innen drin ist mir gar nicht nach Lächeln zumute. Und ihr auch nicht, das sehe ich.

Mum sagt, sie ist gleich zurück, ich soll zu ihr kommen, wenn ich was brauche. Ich sage »Okay«, indem ich die Daumen hebe. Diese Gebärde benutzen auch die Hörenden, vielleicht ermahnt mich Mum deshalb nicht wie sonst: »Benutz deine Stimme, Ruby.«

Wenn ich sage: »Ich sage«, dann meine ich, dass ich gebärde, das heißt, ich rede mit den Händen, oder ich buchstabiere, das ist eine andere Art, mit den Händen zu reden. Manchmal benutze ich eine amerikanische Gebärde, das ist ungefähr so, als würde jemand, der mit dem Mund redet, ein amerikanisches Wort benutzen.

Ich habe Handyempfang, und natürlich habe ich schon nachgeschaut, aber es ist keine Mail von Dad gekommen. Blöd von mir, überhaupt zu *hoffen*, dass eine da wäre, denn:

1. ist sein Notebook seit zwei Wochen kaputt, und

2. angenommen, er hat sich eins ausgeborgt, dann nützt ihm das nichts, denn wenn sein Schneemobil kaputtgegangen ist, muss er noch im Norden sein, und da gibt es weder Handynetz noch WLAN, also müsste er mir von seinem Satellitenterminal aus eine Mail schicken, und das ist total schwierig, wenn es so eisig ist.

Ein Puggle ist nicht nur eine Hunderasse, sondern auch ein Baby-Schnabeltier. Dad ist Naturfilmer, und Schnabeltiere liebt er heiß und innig. Aber ein Schnabeltier, vor allem ein Baby, würde in Alaska keine zwei Minuten überleben. Dazu braucht man ein Fell wie der Polarfuchs, das einen warm hält, und Pfoten wie der Schneeschuhhase, die nicht im Schnee einsinken, oder große Hufe wie ein Moschusochse, damit man das Eis aufbrechen und darunter Futter und Wasser finden kann. Und als Mensch braucht man eine Schneebrille und Polarhandschuhe und Spezialkleidung und einen Polarschlafsack. Dad hat das alles. Deshalb geht es ihm sicher gut, selbst wenn er dort oben im Norden, wo die Tränen gefrieren, eine Panne hatte. Er kommt schon klar, genau wie der Polarfuchs und der Moschusochse und der Schneeschuhhase.

Davon bin ich überzeugt.

Und er wird kommen und uns abholen. Das weiß ich.

Auf dem Flug von England hierher, der Ewigkeiten gedauert hat, habe ich mir die ganze Zeit ausgemalt, was

Dad gerade macht. Ich habe gedacht: Jetzt verlässt Dad das Dorf. Jetzt sitzt Dad auf dem Schneemobil. Jetzt kommt er an die Landebahn.

Die liegt mitten im Nirgendwo, Puggle, und weißt du was? Mitten im Nirgendwo ist es wunderschön und völlig leer, weil fast niemand je dorthinkommt.

Jetzt wartet Dad auf den Taxiflieger.

Genau wie ein Brief, der auf den Postboten wartet – man muss rechtzeitig da sein, sonst wird man nicht eingesammelt.

Im Flieger habe ich ziemlich lange geschlafen, und als ich aufgewacht bin, habe ich gedacht: Jetzt ist Daddy am Flughafen von Fairbanks und wartet auf uns! Da habe ich diesen Tweet geschrieben, dass Aufregung sich anfühlt wie Daddys Iñupiaq-Parka-Kapuze und das Ruckeln beim Aufsetzen eines Flugzeugs, auch wenn wir noch gar nicht gelandet waren, aber ich dachte mir schon, es wird bestimmt das supercoolste Gefühl überhaupt, mit einem Ruckeln aufzukommen und zu wissen, dass Dad ganz in der Nähe ist.

Dann ist der Flugbegleiter megawichtig auf mich zugekommen, und mir war klar, was er wollte, nämlich dass ich das Notebook ausschalte. Das hätte Mum gefreut, weil sie das »blöde Notebook« überhaupt nicht leiden kann. Ich hab Mum gebeten, ihm zu sagen, dass das Notebook im Flugmodus ist – auch wenn ich mir nicht sicher war, ob sie es tun würde, weil sie eigentlich froh gewesen wäre, wenn ich es hätte ausschalten müssen. Aber der Flugbegleiter hat gesehen, wie ich gebärdet habe, und er hat kapiert, dass ich gehörlos bin, und da ist er ganz rührselig geworden, wie die meisten Leute. Dad glaubt, das liegt an der Kombination wunderschöne Mutter und kleines taubes Mädchen, wie in einem kitschigen Sonntagnachmittagsfilm. Der rührselige Flugbegleiter hat nicht mal überprüft, ob ich auch wirklich den Flugmodus eingeschaltet hatte, sondern hat mir ein Twix gebracht. Ich hoffe bloß, es gibt keine zehnjährigen gehörlosen Terroristinnen.

Ich bin kein bisschen wie die kleinen Mädchen in Sonntagnachmittagsfilmen, und Mum ist auch überhaupt nicht wie ein Filmstar, dazu ist sie zu witzig und klug, aber Dad ist genau wie Harrison Ford. Also wie einer, der, wenn es sein muss, mal schnell einen Terroristen überwältigt, dir aber trotzdem eine Gutenachtgeschichte vorliest. Wenn ich ihm das sage, findet er es jedes Mal total lustig. Er musste zwar noch nie wirklich einen Terroristen überwältigen – haha! –, aber wenn er zu Hause ist, liest er mir immer eine Gutenachtgeschichte vor, auch wenn ich jetzt schon zehneinhalb bin. Es ist superschön, einzuschlafen, während seine Finger Worte vor meinen Augenlidern formen.

Dann sind wir gelandet – dabei habe ich dieses Hups-Rumms der Räder gespürt und war aufgeregt ohne Ende –, und ich habe mich ins kostenlose WLAN eingeloggt und meinen Tweet abgeschickt. Wir haben unsere Koffer vom Gepäckkarussell geholt, und unsere Beine waren noch ein bisschen wacklig von dem langen Flug. In der Ankunftshalle hat statt Dad die Polizistin auf uns gewartet, die »noch nichts Konkretes« sagen konnte und die uns hierhergebracht hat.

Der angekündigte Kollege verspätete sich, also schaute Yasmin noch einmal nach Ruby. Sie hatten eigentlich erst in vier Wochen herkommen wollen, um Weihnachten mit Matt zu verbringen, aber nach ihrem Telefonat mit ihm vor einer Woche hatte sie das Gefühl gehabt, ihn sofort sehen zu müssen – oder so schnell, wie es eben ging, wenn man ein Schulkind hatte, einen Hund und eine Katze, die versorgt werden mussten, und außerdem erst noch Polarkleidung kaufen musste. Sie hatte Ruby eigentlich nicht so lange aus der Schule nehmen wollen, aber seit Matts Vater gestorben war, gab es niemanden mehr, bei dem Ruby problemlos geblieben wäre.

Durch das Glas in der Tür betrachtete sie Ruby, die glänzenden, chaotisch geschnittenen Haare, die ihr ins Gesicht fielen, während sie sich über ihr Notebook beugte. Sie hatte sich vergangenen Mittwoch in einem Moment des Aufbegehrens die Haare selbst geschnitten. Zu Hause hätte Yasmin sie jetzt aufgefordert, das Notebook auszuschalten und *sich auf die echte Welt einzulassen*. Aber für den Moment ließ sie sie gewähren.

Manchmal, wenn Yasmin ihre Tochter ansah, hatte sie den Eindruck, als würde ihre persönliche Zeit auf ein Hindernis prallen und stillstehen, während die der anderen Leute ohne sie weiterlief. Sie hatte schon ganze Unterhaltungen verpasst. Es kam ihr so vor, als dauerten die Wehen von Rubys Geburt noch immer an – in verwandelter Form, aber nicht weniger heftig. Sie fragte sich, ob dieses Gefühl jemals aufhören würde. Würde sie immer noch so empfinden, wenn Ruby zwanzig war? Vierzig? Hätte ihre eigene Mutter jetzt auch noch so für sie empfunden? Und Yasmin fragte sich, ob jemals der Tag kommen würde, an dem sie die bedingungslose Liebe ihrer eigenen Mutter nicht mehr vermisste.

Die junge Polizistin kam im Sturmschritt auf sie zu – sie schien sich nie langsam fortzubewegen – und teilte ihr mit, Lieutenant Reeve erwarte sie und ihr Gepäck stehe sicher verwahrt in einem Büro. Als wäre die Gepäckfrage nicht völlig belanglos im Vergleich zu dem, was Lieutenant Reeve ihr zu sagen hatte.

Sie folgte der Polizistin zum Büro des Kollegen.

Lieutenant Reeve stand zur Begrüßung auf und streckte ihr die Hand hin. Sie nahm sie nicht.

»Was ist passiert? Wo ist Matt?«

Ihre Stimme klang wütend, als mache sie Matt Vorwürfe, weil er nicht aufgetaucht war. In der Tat war sie so heillos wütend auf ihn gewesen, dass ihre Stimme sich noch nicht der neuen Situation angepasst hatte – worin die auch immer bestehen mochte.

»Dürfte ich Sie bitten, mir ein paar Dinge zu bestätigen?«, erwiderte Lieutenant Reeve. »Wir haben hier Akten über alle ausländischen Staatsangehörigen, die in Alaska arbeiten.«

Seit Ruby als vollständig gehörlos diagnostiziert worden war (das sei sehr selten, hatte man ihr gesagt, als wäre die Taubheit ihres Babys eine exotische Orchideenart), stellte sich Yasmin Geräusche als Wellen vor. Als Physikerin hätte sie das eigentlich schon früher tun sollen, aber erst durch Ruby war ihr bewusst geworden, dass Schall tatsächlich etwas Physisches war. Manchmal, wenn jemand etwas zu ihr sagte, was sie nicht hören wollte – Fachärzte für Pädaudiologie etwa oder gedankenlose Freunde –, stellte sie sich vor, über die Oberfläche der Wörter hinwegzusurfen oder durch sie hindurchzutauchen, statt sie an ihre Trommelfelle branden und zu entzifferbaren Worten werden zu lassen. Aber jetzt musste sie zuhören. Das spürte sie. Sie musste.

»Diesen Akten zufolge«, fuhr Lieutenant Reeve fort, »hat sich Ihr Mann zuletzt in Anaktue aufgehalten. Aber zunächst hat er doch in Kanati gewohnt, oder?«

»Ja, er war im Sommer acht Wochen dort auf einer Forschungsstation, um einen Tierfilm zu drehen. Dabei hat er zwei Leute aus Anaktue kennengelernt, und die haben ihn in ihr Dorf eingeladen. Im Oktober ist er dann wieder nach Alaska gereist und wohnt jetzt bei ihnen.«

Eine unnötig detaillierte Antwort, als wollte sie irgendetwas hinauszögern, aber auch Lieutenant Reeve schien mit seiner Antwort keine Eile zu haben. Sie hatte fast den Eindruck, er wolle das Gespräch nur ungern weiterführen.

»Leider hat es in Anaktue eine verheerende Brandkatastrophe gegeben«, sagte er schließlich.

Katastrophe. Ein Wort für immense Zerstörung, für Vulkanausbrüche und Erdbeben und Meteoriteneinschläge, aber doch nicht für das winzige Anaktue, das man kaum als Dorf bezeichnen konnte.

Das Idiotische daran war, dass sie hergekommen war, um Matt die Hölle heißzumachen, um ihm ein Ultimatum zu stellen, von dem sie nicht abzuweichen gedachte. Sie war um die halbe Erde gereist, um ihm zu sagen, dass er gefälligst heimzukommen hatte, und zwar sofort. Sie wollte ihm erklären, dass sie ihm nicht glaubte, dass mit dieser Iñupiaq-Frau nichts mehr lief, und dass sie nicht untätig auf der anderen Seite der Welt herumsitzen würde, während diese Person ihre Familie zerstörte. Nur hatte all das – wie die andere Frau und sie über seine Loyalität und seine Zukunft bestimmten – ihn so weich, so schwach erscheinen lassen, dass sie noch wütender geworden war und kein einziges Kleidungsstück ordentlich gefaltet, sondern alles wild durcheinander in ihren und Rubys Koffer gestopft hatte. Nun wartete der Inhalt nur darauf, beim Öffnen des Gepäcks als Flut von Daunen und Gore-Tex herauszuquellen.

»Allem Anschein nach sind in einem der Häuser die Gasflaschen für einen Herd oder Kocher explodiert«, fuhr Lieutenant Reeve fort. »Das Feuer hat dann die Tanks für Schneemobiltreibstoff und Generatordiesel erfasst, was zu einer zweiten, weitaus größeren Explosion und einem Brand von katastrophalen Ausmaßen geführt hat. Niemand in Anaktue hat überlebt. Es tut mir leid.«

Liebe durchbohrte sie – so schneidend, dass es ihr den Atem verschlug. Ein seltsam vertrautes Gefühl, eine heftigere Version dessen, was sie in der Anfangszeit empfunden hatte, lange vor ihrer Heirat und dem Kind, vor jeder greifbaren Sicherheit, dass er am nächsten Tag noch bei ihr sein würde. Und plötzlich war die Zeit keine gerade Linie mehr, sondern faltete sich rückwärts und zersplitterte, bis der junge Mann, den sie so leidenschaftlich geliebt hatte, ihr ebenso lebendig und gegenwärtig erschien wie der Ehemann, mit dem sie sich vor acht Tagen so heftig gestritten hatte.

Sie erinnerte sich an die tief stehende Wintersonne, die in schmalen Streifen durch die Fenster fiel, an die leise, gemessene Stimme des Philosophieprofessors, an die dicken Wände des Hörsaals, die sie vom Gezwitscher der Vögel draußen abschirmten. Später hatte er sie darüber aufgeklärt, dass es Stare und Heckenbraunellen gewesen waren. Er saß ein paar leere Plätze weiter. Sie hatte ihn schon ein paarmal an der Uni bemerkt. Ihr gefielen seine kantige Gestalt, seine scharf gezeichneten Gesichtszüge und seine rasche Gangart, wobei er immer ein wenig abwesend wirkte, als gäbe ihm sein Gehirn das Tempo vor. Als ihre Stricknadeln zu klappern begannen, sah er zu ihr herüber, und als sich ihre Blicke begegneten, spürten sie es beide: ein irrationales Wiedererkennen. Dann hatte er sich rasch abgewandt, als hätte ein längerer Blick wie ein Vorwurf wegen des Geklappers gewirkt. Als die Vorlesung zu Ende war und sie ihr Strickzeug wegpackte, kam er mit fragender Miene zu ihr herüber. »Soll das eine Hülle für eine Schlange werden?«

»Nein, für eine Leitplanke.«

Später gestand er ihr, dass er sie für etwas bekloppt gehalten hatte, ihr aber noch eine Chance geben wollte.

»Du bist ein bisschen gaga, was?«, hatte er gesagt.

Das war deine Vorstellung davon, mir noch eine Chance zu geben?

»Nein, Astrophysikerin.«

Er hatte gedacht, sie habe einen Witz gemacht – bis er ihr Gesicht sah.

»Eine strickende Astrophysikerin, die in Philosophievorlesungen geht?«

»Ein bisschen Metaphysik gehört auch zur Physik. In Oxford kann man das zusammen studieren. Und du?«

»Zoologie.«

»Und was machst *du* dann in Philosophie? Außer mir blöde Fragen zu stellen?«

»Philosophie ist wichtig.«

»Für Tiere?«

»Für die Frage, was wir über Tiere denken. Und über uns. Über unsere Umwelt und unseren Platz darin.« Er unterbrach sich und wirkte verlegen. »Normalerweise komme ich nicht gleich zu so schwierigen Fragen.«

»Ich hab noch nie ein Problem mit schwierigen Fragen gehabt.«

Das Niveau ihrer Schule war erbärmlich gewesen. Sie hatte überlebt, indem sie sich klein und unauffällig gemacht hatte. Zum Glück standen pubertierende Jungs nicht auf

Mädchen mit hohen Wangenknochen und kleinen Brüsten. Ihre Intelligenz hatte sie als sorgsam gehütetes Geheimnis mit sich herumgetragen und sich absichtlich nicht weiter hervorgetan, bis sie im Abitur vier spektakuläre Bestnoten aus dem Ärmel geschüttelt hatte, der nach allgemeiner Ansicht höchstens eine Auswahl mittelmäßiger Zensuren enthielt. Jahrelang hatte sie ihr Strebertum verstecken müssen, jetzt zelebrierte sie es.

Sie steckte das lange dünne Etwas weg, an dem sie strickte. »Heute Abend um acht draußen vor der UB. Dann zeig ich's dir.«

Lieutenant Reeve lehnte sich vor. Ihr wurde bewusst, dass sie beide an einem Tisch saßen, einander gegenüber. Sie erinnerte sich nicht, sich hingesetzt zu haben. Er reichte ihr etwas.

»Ein Kollege von den State Troopers aus Prudhoe hat das hier vor Ort gefunden und uns gebracht, damit wir es Ihnen zeigen. Von den Initialen her könnte er Matthew gehören.«

Sie strich über das glatte, handwarme Metall seines Eherings. Innen waren ihre und Matts Initialen eingraviert und die erste Hälfte eines Versprechens. Die zweite Hälfte spürte sie auf ihrem Ringfinger, als hätte ihr eigener Ring sie ihr in die Haut eingeprägt.

»Ja, es ist seiner«, sagte sie.

Sie streifte ihren Ehering ab und ersetzte ihn durch Matts, der viel zu groß für ihren Finger war. Dann steckte sie den eigenen darüber, der den von Matt sicher an ihrem Finger halten würde. Vielleicht würde er ihn ja eines Tages wieder tragen wollen. Er konnte unmöglich tot sein, nicht mit dieser messerscharfen Liebe in ihr, nicht, während

Ruby nebenan wartete. Das konnte, das würde sie nicht glauben.

Sie bemerkte, wie Lieutenant Reeve ihre Hände betrachtete.

»Wenn er arbeitet, nimmt er seinen Ehering ab und legt ihn an einen sicheren Ort.« Die Erklärung, die Matt ihr vor Wochen gegeben hatte, als sie auf einem Foto, das für Ruby bestimmt war, seinen nackten Finger bemerkt hatte. Zum Glück war es Ruby gar nicht aufgefallen.

Sie sagte Lieutenant Reeve nicht, dass sie Matt nicht geglaubt hatte.

Ein paar Stunden nach der Philosophievorlesung, es war schon dunkel, waren sie von der historischen, mit Studenten und Touristen bevölkerten Altstadt zu einem Einkaufszentrum am Rand einer Sozialsiedlung gelaufen. Unpersönlicher Asphalt und Beton, abweisende Schatten. Dann bemerkte er gestrickte schlauchartige Gebilde um Straßenschilder, Geländer und einen Fahrradständer. Er verfiel nicht nur leuchtenden Augen, langen Gliedern und diesem verschwenderischen Lächeln, sondern auch der weichen Wolle um hartes Metall, dem bunten Garn, das Aluminium und Stahl mit Streifen und Mustern verzierte.

Sie erzählte ihm, dass sie mit ein paar Freunden Guerilla-Gardening betrieb, heimlich mitten in der Nacht kahle Kreisverkehre in kleine Blumenwiesen verwandelte, es aber schon eine Weile nicht mehr gemacht hatte.

»Keine Kreisverkehre mehr übrig?«, fragte er.

»Falsche Jahreszeit zum Pflanzen. Und während der Vorlesung kann man auch nicht gärtnern.«

»Und das hier ist deine wahre geheime Leidenschaft?«

»Schals für Leitplanken stricken? Zum Glück nicht.«

»Was dann?«

Aber um ihm das zu zeigen, vertraute sie ihm noch nicht genug.

Lieutenant Reeve wusste nicht recht, ob er tröstend eine Hand auf ihre legen sollte, aber schon der Anfang der Bewegung war ihm peinlich. Die Frau wirkte so würdevoll, nichts von der Hysterie, die er erwartet hatte. Nein, Hysterie, das war unfair. Emotionalität, mit der er nicht umgehen könnte. Trauer.

»Gestern Nachmittag hat ein Flugzeug den Brand bemerkt«, erzählte er, weil sie sicher Einzelheiten wissen wollte. Er an ihrer Stelle hätte es jedenfalls gewollt. »Kurz nachdem der Pilot die Meldung gemacht hatte, kam ein Sturm auf. Trotz der extrem schlechten Flugbedingungen haben die Kollegen vom North Slope Borough eine Such- und Rettungsaktion gestartet. Sie haben bis heute in den frühen Morgenstunden gesucht, aber tragischerweise gab es keine Überlebenden.«

»Gestern Nachmittag?«, fragte sie.

»Ja. Tut mir leid, mehr weiß ich nicht. Vor Ort waren nur die Staatspolizei aus Prudhoe und die Hilfspolizisten.«

»Er hat mich gestern noch angerufen. Gestern, um fünf Uhr nachmittags Ortszeit. Da hat Matt mich noch angerufen.«

Sie hatte es ja gleich gewusst, aber jetzt hatte sie die Bestätigung. Während der Polizist einen Anruf tätigte, dachte sie daran zurück, wie sie und Matt sich unterhalten hatten, als sie zusammen zu ihren Colleges zurückgegangen waren, und wie die ganze Zeit noch eine andere Art Kommunikation stattgefunden hatte – wie er immer dichter neben ihr hergegangen war, wie sie unbewusst ihren Schritt dem seinen angepasst hatte und wie sie seinen ausgeblichenen karierten Kragen bemerkt hatte und den hervorstehenden Adamsapfel, als wäre er noch dabei, geformt zu werden, dieser Noch-nicht-ganz-Mann.

Er sah ihre Stirn, ihre Wangen, ihren Mund im grellen Licht der Straßenlampen, sah die Frau, die sie in zehn Jahren sein würde, und das war der entscheidende Moment, hatte er ihr später erzählt. *Peng! Wie Hexerei. Wie ein Wunder. Die Frau, mit der ich zusammen sein will.*

Sie hatte weniger Vertrauen in seine Zukunftsvision gehabt. Aber während dieses gemeinsamen Spaziergangs hatte sie gespürt, wie die Einsamkeit ihres bisherigen Lebens, in dem sie die Normabweichung gewesen war, die Einzige aus ihrer Familie, ihrer Schule und ihrem Wohnblock, die zur Universität ging, wie diese Einsamkeit ein wenig von ihr wich.

2

In der entlegenen Gemeinde Prudhoe Bay weit im Norden saß Captain David Grayling hundemüde vor seinem Schreibtisch. Das elektrische Licht strahlte unerbittlich grell, und er sehnte sich nach der Sanftheit des Tageslichts. Erst in zwei Monaten würde es hier wieder einen Morgen geben. Er dachte an Timothy. Lag es an Timothy, dass er seine jungen Untergebenen plötzlich väterlich behandelte, wie alle fanden? Er hatte sich immer eher als Hundeschlittenführer gesehen, der ein Team junger, enthusiastischer Huskys mit den Zügeln in die richtige Richtung lenkte. Auf dem Schlitten hatte er eine Hundetransportbox aus Segeltuch dabei, falls einer sich mal verletzte und an einen Ort gebracht werden musste, wo man sich um ihn kümmern konnte.

Aber in Anaktue war er weder Schlittenführer noch Vaterfigur gewesen. Seine Leute hatten mit ansehen müssen, wie er sich erbrach, wieder und wieder, bei jeder Leiche war ihm der Ekel aufs Neue hochgestiegen. Über dem rußgeschwärzten Dorf hatte der Sturm getobt, ihr kleiner Hubschrauber hatte kaum landen können, die Kälte des Winds verbiss sich in ihre Gesichter wie ein halb verhungertes Tier. *Blast, Winde, sprengt die Backen!* Sie hatten ihre gleißenden Flutlichtscheinwerfer herausgeholt und damit in die geschwärzten Ruinen geleuchtet. Die verkohlten

Überreste der Männer, Frauen und Kinder waren kaum noch als solche zu erkennen gewesen. Die Finsternis jenseits der Lichtkegel war ihm unermesslich erschienen.

Schweigend hatten sie gearbeitet, das ganze Team, die meisten fast noch Jungen, wortlos und ohne sich mit Flapsigkeit zu wappnen, während sie fotografierten, dokumentierten, in Säcke packten. *Ihr schweflichten, gedankenschnellen Blitze* – König Lears Worte kamen ihm in den Sinn, aber ein Blitzschlag war harmlos gegen das, was hier geschehen war, und gedankenschnell war das Feuer nur über die gekommen, die gestorben waren. Diejenigen hingegen, die damit betraut waren, die Überreste zu sortieren, würden nur allzu viel Zeit zum Nachdenken haben.

Vor vielen Jahren – einem ganzen Arbeitsleben – hätte Grayling gern Literatur studiert. Aber sein Vater hatte verlangt, er solle etwas *tun*, statt »in lyrischem Geschwurbel zu versumpfen«. Die Kritik hatte gefruchtet, und so hatte er beschlossen, wenn er schon etwas *tun* werde, dann etwas, was seinem geliebten Alaska nützte. Kurze Zeit hatte er auf Medizin gesetzt, war dann aber am Chemiekurs gescheitert, und so wurde er State Trooper. In seinem Jahrgang war er der Einzige, für den das nur zweite Wahl war. Nach drei Wochen erkannte er, dass sein Gehirn nicht zum Polizistenhirn taugte, so voll unnützer Informationen und Ideen, wie es war. Also räumte er darin auf, warf alles hinaus, was er nicht mehr brauchte (die Frage war, ob er es überhaupt je gebraucht hatte). Daher hatte er seit vielen Jahren nicht mehr an König Lears sturmumtoste Heide gedacht. Aber Anaktue war anders. Anaktue drang in die tiefen Bereiche seiner Seele, die nicht einfach ausgeräumt werden konnten.

Nachdem sie die Ausmaße der Katastrophe erkannt

hatten und der Sturm nachgelassen hatte, waren weitere State Troopers und Hilfskräfte angerückt. Grayling selbst hatte die Suche nach Überlebenden geleitet. Mit eingeschaltetem Suchscheinwerfer waren sie in immer größeren Kreisen um das Dorf herumgeflogen, aber sie hatten niemanden gefunden. Nach Graylings Informationen hatten sich dreiundzwanzig Menschen im Dorf aufgehalten. Er hatte die Suche erst beendet, als die Kollegen im Dorf vierundzwanzig Leichen gezählt hatten. Die Identität des vierundzwanzigsten Opfers würde Grayling herausfinden müssen.

Endlich war die zermürbende Arbeit getan. Er ging als Letzter, trug das Flutlicht eigenhändig zurück in den Hubschrauber. Hinter ihm versank Anaktue in Finsternis.

Später am Nachmittag waren einige Interviewtermine mit Journalisten in gut beheizten, angenehm beleuchteten Fernseh- und Radiostudios angesetzt. Die Journalisten würden heute Nacht keine Albträume haben.

Sein Telefon klingelte. Es war Lieutenant Reeve aus Fairbanks. Es ging um Matthew Alfredson, das vierundzwanzigste Opfer, den sie anhand von computerisierten Visaeinträgen identifiziert hatten, den Tierfilmer, dessen Ehering Grayling mitten im Ruß hatte glitzern sehen. Alles andere war unkenntlich gewesen, das übrige Metall zu hässlichen Gebilden zerschmolzen, nur dieser eine Ring ein perfekter, unantastbarer Kreis. Aus seinem kurzen Ausflug in die Chemie wusste Grayling, dass Platin selbst größter Hitze widerstand, trotzdem hatte der unversehrte Ring etwas von einem Wunder. Er war nicht in der Nähe einer der Leichen gefunden worden, und Grayling fragte sich, ob die Ehe, die er symbolisierte, vielleicht weniger unverwüstlich gewesen war als er selbst. Hoffentlich war es so – das mochte die Trauer etwas mindern.

Aber um fünf Uhr am gestrigen Nachmittag, als sie dabei gewesen waren, die verkohlten Überreste von Anaktue zu sichten, hatte dieser Mann seine Frau angerufen. Wie war das möglich? Mein Gott, war der Kerl etwa immer noch irgendwo da draußen, lebendig? Grayling musste mit der Ehefrau reden.

Yasmin fand, Captain Grayling klang wie der Archetyp eines State Troopers. Seine Stimme war tief und selbstsicher, sie stellte ihn sich breitschultrig und wettergegerbt vor.

»Hat Ihr Mann Ihnen gesagt, wo er sich gerade aufhielt?«, wollte Grayling wissen.

»Nein. Aber wahrscheinlich war er an der Landebahn und wartete auf einen Taxiflieger. Lieutenant Reeve meinte, gestern Nachmittag habe es gestürmt, und die Flugbedingungen seien schlecht gewesen, vielleicht ist das Flugzeug deshalb nicht gekommen. Vielleicht ist er immer noch dort.«

»Wir haben in sehr weitem Umkreis gesucht, auch an der Landebahn.«

»Aber es war doch dunkel und stürmisch, oder? Da haben Sie ihn vielleicht übersehen?«

Er hörte ihrer Stimme die Hoffnung an, dieses Klammern an eine andere Lösung. Ein Stich des Mitgefühls durchbohrte ihn. »Die Landebahn ist flach und gut einsehbar«, sagte er. »Wir hatten starke Scheinwerfer und sind sie sehr gründlich abgeflogen.« Er verschwieg, dass er selbst darüber gekreist war, immer und immer wieder. »Hatte er ein

Schneemobil?« Anaktue lag meilenweit im Nirgendwo, mitten in eigentlich unpassierbarem Terrain, also wäre das die einzige Option, aber er musste ganz sichergehen.

»Ja.«

Er hatte seinen Leuten befohlen, die geschmolzenen Fragmente der Schneemobile wie Puzzlestücke zusammenzufügen. Inzwischen waren sie vermutlich aneinandergefroren.

Matt hatte Yasmin und Ruby erzählt, dass er das Schneemobil einem Dorfbewohner abgekauft hatte, der sich ein besseres leisten wollte. Yasmin war es seltsam vorgekommen, dass die Iñupiat mit Schneemobilen auf Karibujagd gingen, aber Matt fand daran nichts Besonderes.

»Wissen Sie, wie viele Schneemobile es im Dorf gab?«, fragte Captain Grayling.

»Drei.« Das von Matt, das neue des Vorbesitzers und eines, das einem Mann gehörte, der an den Ölquellen in Prudhoe Bay arbeitete. Sie und Matt hatten sich darüber unterhalten – ein gutes, neutrales Gesprächsthema, solange Ruby dabei war.

In der Stille, die auch Captain Grayling nicht unterbrach, begriff sie, dass man drei gefunden hatte – oder ihre Überreste. Also saß er nicht auf dem Schneemobil, gesund und munter und schon fast in Fairbanks. Er würde nicht gleich hereinplatzen, Ruby umarmen und Yasmin die Möglichkeit geben, ihm zu sagen, dass sie ihn liebte. Es war ohnehin absurd zu glauben, dass er per Schneemobil den ganzen Weg nach Fairbanks schaffen würde. Sie wünschte sich nur so sehr, ihn zu sehen.

»Vielleicht war er mit dem Hundeschlitten unterwegs«, schlug sie vor.

Vor ein paar Wochen hatte er Ruby in einer Mail beschrieben, wie er mit einem Iñupiat einen Ausflug auf dessen Schlitten gemacht hatte. Yasmin hatte ihm den enthusiastischen Ton nicht ganz abgenommen, es war ihr unbegreiflich, warum jemand in arktischer Kälte auf einem Schlitten unterwegs sein wollte. Aber vielleicht war seine Begeisterung echt gewesen.

»Die Zwinger sind auch niedergebrannt.«

»Waren die Hunde denn darin? Vielleicht war er mit ihnen unterwegs, um zu filmen.«

»Filmen? Mitten im Winter? Im Dunkeln?«

»Er macht gerade einen Film über die Tierwelt Alaskas im Winter. Anaktue war nur seine Ausgangsbasis.« Sie verschwieg ihm, wie fadenscheinig ihr diese Begründung dafür, dass Matt nach Anaktue wollte, vorgekommen war und dass sie versäumt hatte, ihn zur Rede zu stellen. Aber vielleicht hatte er ja die Wahrheit gesagt.

»Selbst wenn er zum Filmen draußen gewesen wäre«, erwiderte Captain Grayling, »wäre er doch gestern nach Anaktue oder zur Landebahn zurückgekommen, um nach Fairbanks zu fliegen und Sie abzuholen, oder?«

»Vielleicht gab es ein Problem mit dem Schlitten oder mit einem der Hunde.«

»Sie sagten vorhin, Ihr Mann habe Ihnen nicht erzählt, wo er sich befand?«

»Genau.«

»Haben Sie irgendeine Idee, wo er gewesen sein könnte?«

»Nein.«

»Darf ich fragen, was er zu Ihnen gesagt hat?«

»Gar nichts.«

»Wie bitte?«

»Er konnte nichts sagen, weil die Verbindung gleich wieder weg war.«

»Also haben Sie ihn gar nicht sprechen hören?«

»Nein. Wie gesagt ...«

»Woher wissen Sie dann, dass er es war?«

»Bei uns in England war es zwei Uhr morgens. Er ist der Einzige, der um diese Zeit anruft. Und die Verbindung bricht öfter mal ab. Er hat ein Satellitentelefon und braucht klare Sicht zum Himmel. Oder sein Akku war einfach leer. Das ist am wahrscheinlichsten, weil er es danach nicht noch mal probiert hat.«

»Könnte es nicht jemand anders gewesen sein? Jemand, der sich verwählt hat?«

»Nein. Das war Matt.« Sie verschwieg ihm, wie überrascht sie gewesen war, als er anrief. Abgesehen von jenem desaströsen Anruf acht Tage zuvor hatte er sie so gut wie gar nicht mehr angerufen – nur Ruby schickte er regelmäßig Mails. In einem ihrer seltenen Telefonate, vor etwa einem Monat, hatte sie ihm vorgeworfen, sie sei ihm egal. Er hatte erklärt, er könne von Anaktue aus überhaupt keine Satellitenverbindung herstellen, sondern nur von einem drei Kilometer entfernten vereisten Hügel aus. Und außerdem sei es Winter und stockfinster, und momentan herrschten bei ihm dreißig Grad minus. Sie hatte ihn nicht darauf hingewiesen, dass er die Wanderung doch ohnehin jedes Mal machen musste, wenn er Ruby eine Mail schrieb – denn sie war froh, dass er wenigstens das tat. Gestern hatte ein Sturm getobt. Da wäre die Wanderung noch mühsamer gewesen.

Sie wünschte, sie könnte glauben, es hätte sich, von ihr unbemerkt, etwas in ihrer Beziehung verändert, was ihn dazu gebracht hätte, drei Kilometer in arktischer Kälte und

Sturm zurückzulegen, um mit ihr zu reden, aber sie wusste, dass dies eine Illusion war. Sie hatte keine Ahnung, warum er sie angerufen hatte, vor allem, da sie ja wenige Stunden später mit Ruby ins Flugzeug steigen wollte und sie sich bald von Angesicht zu Angesicht gegenübergestanden hätten.

»Bei welchem Satellitentelefonanbieter ist Ihr Mann denn?«, fragte Captain Grayling.

Offenbar wollte er bei der Telefongesellschaft nachfragen. Sie nannte ihm den Namen und hoffte, dass sich die Suche dadurch nicht verzögern würde.

Sie wartete auf so etwas wie Erleichterung, aber es kam nichts. Möglich, dass sie nach all der Angst erst in dem Moment Erleichterung verspüren würde, wenn Matt leibhaftig vor ihr stand.

Sie hatte weder Lieutenant Reeve noch Captain Grayling gefragt, ob Corazon auch dem Feuer zum Opfer gefallen war. Sie hatte den Namen nicht aussprechen wollen.

@Words_No_Sounds
650 *Follower*
ANGST: Sieht aus wie ein Schachbrett mit hin und her springenden Feldern, fühlt sich zitternd und schweißig an, schmeckt wie Prickel-Eis.

Mit Sprachtherapeuten komme ich normalerweise nicht so gut klar, aber einen gab es, ich glaube, er war noch in der Ausbildung, der hat mich gefragt, ob ich Wörter sehen könne – denn hören kann ich sie ja nicht. Wenn ich sage: »Kein Scheiß, Sherlock?«, findet Dad das lustig. Mum nicht. Aber der junge Doktor-oder-so fand es auch lustig. Deshalb erzählte ich ihm, was ich bisher niemandem gesagt hatte:

»Ja, ich kann Wörter sehen und sie berühren und sogar schmecken.« Ich weiß, das ist komisch, aber der junge Doktor-oder-so fand das gar nicht. Er meinte, ich könnte darüber doch twittern, und ich sagte: »Cooler Plan, Batman« (weil er es mochte, wenn ich Figuren aus Büchern erwähnte). Er war mein erster Follower, aber inzwischen hab ich schon Hunderte, was total verrückt ist. (VERRÜCKT: Sieht psychedelisch aus und schmeckt wie ein Lolli mit Brause drin.)

Der Tweet, den ich zum Thema Aufregung geschrieben hatte, als ich noch dachte, Dad würde am Flughafen auf uns warten, ist ein bisschen komisch geworden, weil ich darin behauptet habe, das Wort Aufregung sieht aus wie die flauschige Pelzkapuze von Dads Iñupiaq-Parka, aber im Oktober, als er nach Alaska abgereist ist, hab ich über Traurigkeit getwittert, und Traurigkeit sah auch aus wie seine Parka-Kapuze. Also glaube ich, wie man ein Wort sieht, hängt genau wie seine Bedeutung im Satz vom Kontext und vom Zeitpunkt ab. In der Schule würde ich ein Wort wie »Kontext« nicht benutzen, weil die Leute es schon verrückt genug finden, dass ich erstens in der Gehörlosenförderung und zweitens in der Begabtenförderung bin – total verrückt, und zwar nicht so wie ein Lolli mit Brause.

Meistens hilft es, ein Gefühlswort zu twittern.

Diesmal nicht.

Während die Polizistin Yasmins Kontaktdaten aufnahm, kam Lieutenant Reeve wieder herein und erklärte, Captain Grayling wolle sie noch einmal sprechen. Sie ging mit ihm in sein Büro und nahm den Hörer.

»Es tut mir leid«, sagte Captain Grayling. »Wir haben einen schlimmen Fehler gemacht.«

Er klang einfühlsam. Sie korrigierte sein Gesicht in Richtung weich und seine Figur in nicht ganz so imposant.

»Ein unerfahrener Kollege hat neben einem der niedergebrannten Häuser ein Handy gefunden. Er hat einfach die letzte Nummer aus der Liste der ausgehenden Anrufe gewählt, in der Hoffnung, die würde ihn zu jemandem führen, der noch lebt, vielleicht einem Verletzten.«

»Ich verstehe nicht.«

»Wer Sie angerufen hat, war nicht Ihr Mann, sondern ein Sicherheitsbeamter. Er hatte ein paar Sekunden lang eine Verbindung. Es tut mir leid. Die Situation war chaotisch, und er ist jung und unerfahren. Er hätte mir das sofort melden müssen. Natürlich werde ich ein ernstes Wort mit ihm reden.«

»Matt ist am Leben«, sagte sie. »Egal ob er selber angerufen hat oder nicht.«

»Mrs. Alfredson ... «

»Er muss sich vor dem Feuer gerettet und dabei das Handy verloren haben.«

»Aber er war nicht da. Wir haben alles abgesucht.«

»Er ist bestimmt losgegangen, um Hilfe zu holen. Das würde zu ihm passen. Er hätte versucht, selbst etwas zu unternehmen, und wenn das aussichtslos gewesen wäre, hätte er alles getan, um Hilfe zu organisieren. Er hat sicher nicht gemerkt, dass er das Handy verloren hat. Die nächste Stelle, wo man eine vernünftige Verbindung hat, ist meilenweit entfernt, und ... «

»Es tut mir leid, Mrs. Alfredson, aber ... «

»Oder er war doch filmen, wie ich schon sagte. Er hat das Handy beim Aufbruch fallen lassen, und ... «

Captain Grayling unterbrach sie. Gott, wie er das hasste. »Vor Ort waren vierundzwanzig Tote. Das Dorf hatte zur

Zeit des Brands dreiundzwanzig Einwohner. So wurde mir das gestern gesagt, und ich habe mich heute noch einmal vergewissert.«

»Aber Sie können doch nicht hundertprozentig davon ausgehen, dass genau diese Leute da waren und niemand sonst!« Sie hörte das Gehetzte, Verzweifelte in ihrer eigenen Stimme und die ruhige Sicherheit in seiner.

»In Anaktue sollten neue Generatoren installiert werden, deshalb hatte man erst kürzlich genaue Daten für jeden Haushalt erhoben. Außerdem gab es eine Befragung wegen einer möglichen neuen Iñupiaq-Schule. Dabei wurde detailliert darauf eingegangen, wie viele Dorfbewohner sich zu welcher Zeit im Jahr vor Ort aufhalten.«

Captain Grayling klang so vernünftig, so freundlich. Sie sah, wie Lieutenant Reeve sie beobachtete. Grayling musste ihn schon vorgewarnt haben. In der Hand hielt er ein Glas Wasser, das er für sie geholt hatte. Captain Grayling fuhr fort, unerbittlich schlugen die Schallwellen an ihre Trommelfelle und verwandelten sich in Worte.

»Von den siebenundzwanzig Dorfbewohnern arbeiteten vier junge Männer wie jeden Winter bei den Ölquellen in Prudhoe Bay, das heißt, es bleiben dreiundzwanzig. Und wie gesagt, wir haben vierundzwanzig Leichen gefunden.«

»Aber identifiziert haben Sie sie noch nicht, oder?«

»Sie haben Lieutenant Reeve gegenüber bestätigt, dass der Ehering Ihrem Mann gehört.«

»Er hat ihn doch nicht getragen. Und eine richtige forensische Identifizierung haben Sie noch nicht vorgenommen, das hätten Sie mir doch gesagt.«

Das Mitgefühl, das Grayling für diese Frau empfand, drohte den dumpfen Trauerklumpen tief in ihm zu lockern, der ihn ständig begleitete und sich in einem gefährlich labilen Gleichgewicht befand. Er wünschte, es gäbe eine Art, es ihr zu sagen, die nicht brutal klang.

»Das Feuer war sehr heiß«, sagte er. Manche Leichen waren kaum noch als Menschen zu erkennen gewesen, geschweige denn als Personen mit einem Namen und Angehörigen. Bei manchen war es sogar fraglich, ob man sie anhand des Gebisses würde identifizieren können. »Ich wünschte, ich müsste Ihnen das nicht sagen, aber Ihr Mann ist tot. Es tut mir sehr, sehr leid. Lieutenant Reeve wird sich um Sie kümmern.«

Er legte auf.

Matts Anruf war nur ein zusätzlicher Beweis für das gewesen, was Yasmin schon gewusst hatte – zuerst nur ganz vage und nicht greifbar, aber jetzt tief in ihrem Herzen: dass er am Leben war.

Tatsächlich war sie nicht überrascht, dass nicht er sie angerufen hatte – ganz im Gegenteil, sie war überrascht gewesen, als sie noch davon ausging, dass er es gewesen war. Aber sie wünschte sich, er hätte es getan, weniger als Zeichen, dass er sie doch liebte, sondern weil die Polizei ihr dann glauben müsste. Dann säße sie jetzt nicht ohne eine Ahnung, was sie tun sollte, auf der Polizeistation eines Flughafens in Alaska.

Jetzt ist Mum reingekommen. Sie hockt sich so vor mich hin, dass ihr Gesicht dicht vor meinem ist und ich ihre Lippen gut lesen kann. Sie sagt, Dad geht es gut. Es wäre ein Irrtum passiert, aber sie würde das klären. Sie sieht total angespannt aus.

Ich tue so, als würde ich es nicht bemerken, und lächle sie an.

Sie sagt, Dad hat sein Handy verloren, deshalb konnte er uns nicht anrufen oder simsen. Ein älterer Polizist kommt herein und bittet Mum, mit ihm zu kommen. Sie sagt, sie ist bald zurück. Im Gehen hebt der Polizist den Arm, als wollte er ihn um ihre Schulter legen, aber dann lässt er ihn wieder fallen. Viele Leute wissen nicht, wie sie sich Mum gegenüber verhalten sollen. Es schreckt sie ab, dass sie so toll aussieht, aber im Moment bräuchte sie einen Arm, den jemand um sie legt, das spüre ich.

In seinem Büro versuchte Lieutenant Reeve, Yasmin Alfredson dazu zu bringen, sich zu setzen, aber sie weigerte sich.

»Matt ist nicht tot«, sagte sie. »Dieser Captain Grayling muss vor Ort nach ihm suchen.«

Lieutenant Reeve hatte einmal gelernt, dass es vier Stadien der Trauer gab. Die erste davon war das Leugnen. »Es tut mir leid, aber er glaubt nicht, dass das irgendeinen Sinn hat.«

»Also gibt er einfach auf? Wie schwer kann das denn sein, da hinzufahren und noch mal zu suchen?«

Ihre Stimme hörte sich an, als könnte sie jederzeit in Schreien oder Schluchzen übergehen, daher achtete er sehr darauf, ruhig zu bleiben. »Wenn Captain Grayling auch nur die leiseste Chance sähe, würde er noch mal hinfahren. Er hat trotz des Sturms eigenhändig den Hubschrauber nach Anaktue geflogen. Und das, obwohl er zu der Zeit nicht einmal Dienst hatte. Und er ist als Letzter gegangen. Er hat fast zwölf Stunden lang bei minus dreißig Grad nach Überlebenden gesucht.«

In Fairbanks galt Grayling als Querkopf, der da oben im Norden sein Ding machte, oft ohne sonderlich auf die

Regeln zu achten – ganz so, als gehörte ihm die Gegend. Aber er scheute keine Mühe, warf bei einer Suchaktion nie das Handtuch, solange noch irgendeine Hoffnung bestand. So sei er, hieß es, seit sein Sohn im Irak gefallen war.

Yasmin war verstummt. Ohne noch etwas zu sagen, drehte sie sich um und verließ das Zimmer.

Mein Armband vibriert, was bedeutet, dass in der Nähe ein lautes Geräusch ist. Das ist so eine Art James-Bond-Spielerei für Gehörlose, damit ich weiß, wenn jemand auf mich schießt (das hatte der Mann in dem Spezialgeschäft gesagt, ich fand's ziemlich witzig). Na ja, eigentlich ist es dazu da, um einen zu warnen, wenn ein Auto kommt, falls man mal vergisst, nach beiden Seiten zu schauen.

Mum kommt mit unseren Koffern herein. Das laute Geräusch muss die Tür sein, die hinter ihr zugeschlagen ist. Sie lächelt nicht. Sonst lächelt sie immer, wenn sie mich sieht, selbst wenn wir uns fünf Minuten vorher zuletzt gesehen haben – als wäre sie jedes Mal total glücklich darüber, mich schon wieder zu sehen. Manche Leute halten sie für abweisend. Ich hab schon lippengelesen, dass sie das gesagt haben – gemeine Sachen sind leichter zu lesen, als wenn Leute was Nettes sagen. Ich glaube, sie würden eher merken, wie sie wirklich ist, wenn sie nicht so gut aussehen würde.

Sie sagt mir, dass es Dad gut geht, dass in Anaktue aber ein schlimmes Feuer gewütet hat. Sie sagt, die Polizisten sind Idioten und Schlafmützen, und deshalb müssen wir selber hinfahren und ihn finden.

Sie verließen die Polizeistation und zerrten ihre Koffer über den festgetretenen Schnee. Die Kälte kam Yasmin jetzt beißender vor. Sie trugen Innenhandschuhe aus Vlies in ihren Polarhandschuhen und hatten die Gesichtsmasken hochgezogen.

Wo war er?

Sie musste es nüchtern und in Ruhe durchdenken, so wie sie es einst als Naturwissenschaftlerin gelernt hatte.

Captain Grayling hatte die Landebahn gründlich abgesucht. Vermutlich lag sie in ebenem, übersichtlichem Gelände. Es wäre ein Leichtes gewesen, da einen Menschen zu bemerken, also hatte er wohl recht, Matt war nicht dort gewesen.

Aber wo dann? Logisch denken. Nicht von der Kälte und von Ruby ablenken lassen, die zu ihr hochblickte. Konzentration.

Wenn Matt bei Ausbruch des Brandes in Anaktue gewesen war, was hätte er getan? Er hätte versucht zu helfen und, als er das nicht konnte, per Funk Hilfe zu holen. Sie stellte sich vor, wie ihm in der Eile das Handy aus der Tasche fiel und geräuschlos im Schnee landete. Ohne den Verlust zu bemerken, war er drei Kilometer durch den Sturm gewandert und auf den vereisten Hügelkamm gestiegen, um eine Verbindung zu bekommen. Und dann? Hatte er in der Tasche nach dem Handy getastet und es nicht gefunden. Vielleicht war er ganz langsam zurückgegangen, hatte seine Spur abgesucht, weil er nicht wusste, wo er es verloren hatte. Wie lange mochte das gedauert haben? Vielleicht hatte er dann beschlossen, sich zu Fuß auf den Weg zu machen, um Hilfe zu holen. Verzweifelt genug war er sicher gewesen. Im Dorf gab es Kinder. Und Corazon. Wenn er zu schnell ging, würde er anfangen zu schwitzen, und der Schweiß würde auf der Haut verdunsten und zu Unterkühlung führen. Aber diese Gefahr kannte er. Es würde ihm nicht helfen, wenn sie sich deswegen Sorgen machte. Konzentration. Sie sah sein Gesicht vor sich, als er sich bewusst machte, dass es in erreichbarer Nähe kein anderes Dorf, keine Stadt, nicht eine einzige menschliche Behausung gab, nicht in hundertfünfzig Kilometern Umkreis. Trotzdem war er weitergegangen, bis ihm schließlich die Sinnlosigkeit seines Unternehmens klar geworden war. Sie hätte gern ihre warme Hand an seine Wange gelegt. Konzentration. Und währenddessen hatte die Polizei Anaktue und die Landebahn abgesucht, es war dunkel und stürmisch gewesen, ihre Scheinwerfer hatten ihn nicht gefunden, weil er nicht da war. Wie lange war er gegangen, bis er nach Anaktue zurückgekehrt war und es tot und verlassen vorgefunden hatte, von der Polizei bereits aufgegeben?

Ruby berührte ihren Arm. Ihr Koffer war im gefrorenen Schneematsch an der Bordsteinkante stecken geblieben. Yasmin half ihr, ihn wieder aufzurichten.

Es gab eine noch bessere Erklärung. Matt war, genau wie sie zu Captain Grayling gesagt hatte, unterwegs gewesen, um zu filmen. Ja, es gab eine Menge Tiere, die man jetzt filmen konnte, selbst im Winter war die Wildnis Alaskas voll von ihnen. Es war falsch von ihr gewesen, ihm nicht zu glauben. Und dann hatte er sich aus irgendeinem Grund verspätet: Ein Hund hatte sich verletzt, der Schlitten war beschädigt – egal. Wichtig war nur, dass er beim Ausbruch des Feuers meilenweit von Anaktue entfernt gewesen war. Und, ebenso wichtig: Er hatte seine Notausrüstung dabei. Und das Handy? Das war ihm schon beim Aufbruch zu seinem Filmausflug unbemerkt aus der Tasche gefallen. Der Schnee schluckte jeden Laut, und Gegenstände, die man fallen ließ, protestierten schließlich nicht. Falls er den Hundeschlitten genommen hatte, war die Fahrt damit womöglich ungewohnt und schwierig gewesen. Vielleicht war es ihm schwergefallen, die Zügel zu sortieren und an alles zu denken, so etwas lenkte von einem verlorenen Handy ab. Und dann? Dann war er nach dem Brand, nachdem die Polizei schon da gewesen war, ins Dorf zurückgekommen, vielleicht in der vergangenen Nacht oder gar heute Morgen, und hatte nur verkohlte Ruinen vorgefunden.

Sie hatte nicht Medizin, sondern Physik und Astrophysik studiert. Sie hatte keine Ahnung, wie lange er überleben konnte.

Auf Captain Graylings Leichenanzahl verließ sie sich nicht. Die Aussage war bisher nicht verifiziert worden und stimmte vielleicht gar nicht. Sie *konnte* nicht stimmen. Ihre ganze stichhaltige Hypothese gründete auf folgender irrationaler Basis: Er musste am Leben sein, weil sie ihn liebte. Eine emotionale Wahrheit, so tiefempfunden und absolut, dass kein rationales Argument sie entkräften konnte.

Sie nahm Kurs auf das Flughafenterminal. Auf dem Weg dorthin musste sie Ruby immer wieder mit dem Koffer helfen. Sie würden eine Maschine in den Norden Alaskas nehmen. Und ihn finden.

Am Terminal fiel ihr auf, dass das Tageslicht drastisch geschwunden war, seit sie angekommen waren – vorbei der Zauber dieser fantastischen Helligkeit. Sie wusste, dass es hierzulande genau abgemessene Begriffe für Dämmerung und Nachteinbruch gab. Matt hatte am Telefon davon gesprochen, damals, als er das erste Mal in Alaska war – ein gutes Gespräch, eines der wenigen. Dieses Licht hier, wenn die Sonne zwischen sechs und zwölf Grad unter dem Horizont stand, nannte man »nautische Dämmerung«. Bald würde sie auf zwölf bis achtzehn Grad sinken, was der »astronomischen Dämmerung« entsprach. Und danach war es einfach schwarz.

3

@Words_No_Sounds
650 *Follower*
LÄRM: Sieht aus wie eine blinkende Neonwerbung, fühlt sich an wie herunterrieselnder Schutt, schmeckt wie die ausgeatmete Luft anderer Leute.

Es ist schrecklich hier. Tausende von Leuten mit Koffern und Rollkoffern. Ich schreibe Mums Handynummer und Mailadresse auf kleine Kärtchen und werde dauernd angerempelt. Auf der Rückseite der Kärtchen steht eine Taxigesellschaft, aber Mum sagt, die ist nur im Sommer in Betrieb. Sie sagt, sie will diese Kärtchen allen geben, die vielleicht helfen können.

Ich hatte mir ein bisschen Sorgen gemacht, weil die Polizei hier so schlafmützig ist, aber jetzt finde ich das sogar gut, weil Mum deshalb selbst Dad abholen wird, dann sieht er endlich, wie sehr sie ihn liebt. Vielleicht weiß er das nicht, weil sie es unter so viel Verärgerung verborgen hat.

Yasmin fragte die fünf Leute, die am Schalter von Northern Airways anstanden, ob sie so nett wären, sie vorzulassen. Vielleicht sah man ihr ihre Verzweiflung an, denn alle machten ihr freundlich Platz. Die Frau am Schalter blickte sie finster an.

»Wissen Sie, wie ich nach Anaktue komme?«

»Sie wissen schon, dass man hier anstehen muss, Ma'am?«

»Aber …«

»Warten Sie, bis Sie an der Reihe sind.«

Yasmin trat beiseite. Es war klar, dass die Frau sich nur versöhnen lassen würde, wenn sie sich wieder einreihte. Mit Gebärden fragte sie Ruby, ob sie gut mit den Karten zurechtkomme. Ruby antwortete, sie sei fertig – eine stumme Unterhaltung, unberührt vom Lärm der Abflughalle. Sie hatte Ruby diese Aufgabe gegeben, um ihr das Gefühl zu vermitteln, etwas Nützliches zu tun. Es bestand aber auch die Möglichkeit, dass jemand, der eine Karte nahm, etwas über Anaktue und Matt wusste.

Da bemerkte sie ein Werbeplakat für Touren zum Polarkreis, um Polarlichter zu beobachten. Ein paar Sekunden lang war ihr Interesse geweckt, doch dann erinnerte sie sich, dass Anaktue noch viel, viel weiter nördlich lag, außerdem wurden die Touren im Winter sowieso nicht angeboten.

To: Matthew.Alfredson@mac.com
Subject: Wir kommen!
From: Ruby.Alfredson@hotmail.co.uk

Hi Dad,

Mum kommt dich suchen, und ich komme mit. Wir sind gerade am Flughafen, Mum kauft uns Flugtickets. Mum will dich echt total dringend sehen. Und ich kann's auch kaum erwarten.

Alles, alles, alles Liebe

Puggle

Dass Dads Notebook kaputt ist, weiß ich, aber sein Satellitenterminal funktioniert ja noch, also müsste er sich nur ein Notebook von jemand anderem ausleihen. Wenn es Dad gut geht, dann gilt das sicher auch für ein paar von seinen Freunden im Dorf, und die werden eins haben. Die Iñupiat sind nicht so rückständig, wie viele Leute glauben. Sie jagen zwar Karibus und bauen Iglus, aber sie haben auch Schneemobile und Notebooks – das muss sich nicht ausschließen! Und irgendwer hat bestimmt sein Notebook mitgenommen, als er sich vor dem Feuer gerettet hat. Ich hätte das jedenfalls getan. Das wäre nach unserem Hund Bosley und unserem Kater Tripod das Nächste gewesen, was ich mitgenommen hätte. Also wird Dad seine Mails irgendwann checken.

Dad und ich finden, Puggle ist ein Babyname, für den ich zu erwachsen sein werde, wenn ich auf die weiterführende Schule komme. Aber er stimmt mir zu, dass ich dann auch kein erwachsenes Puggle bin und Schnabeltier heißen kann. Also sind wir noch am Überlegen, wie er mich dann nennt.

Als ich Dad schrieb, hab ich gesehen, dass ich Mails von Leuten aus der Schule bekommen habe, aber wenn ich *in* der Schule bin, redet fast niemand mit mir. Anscheinend ist es total uncool, mit »dem tauben Mädchen« zu reden, was sie in so einem Tempo sagen, dass es wie ein einziges Wort klingt. Als wäre das mein Name.

Tanya, die Coolste aus der coolen Mädelsclique, ist am gemeinsten. (»Schaut mal, da kommt das taube Mädchen und will hier mit ablästern.«) Ihre Lippen sind total leicht zu lesen, und seit Neuestem trägt sie pinken Labello, den starre ich an, während die Clique lacht. Und dann sage ich: »Ich will gar nicht mit euch ablästern. Jeder Toaster hat mehr Charakter als ihr. Außerdem ist Lästern gemein.«

Sie lachen weiter, weil sie keine Gebärden verstehen und es lustig finden, wenn »die so komische Sachen mit ihren Händen macht«. Aber Jimmy versteht Gebärden, und er hat gelacht, weil das mit dem Toaster witzig war.

(GEMEIN: fühlt sich an wie Stacheldraht, sieht aus wie ein Kaninchen mit einem Bein in einer Falle, schmeckt wie Glitzerlabello.)

Wenn ich maile oder auf Facebook schreibe, verstehen mich auch Leute, die nicht gebärden können, sofort und kapieren meine Witze. Und wenn sie mir Witze erzählen, kapiere ich sie sofort, was bei einem Witz wichtig ist. (Also, nicht Leute wie Tanya, sondern Leute, mit denen ich Mailkontakt habe oder auf Facebook befreundet bin.) Und die Leute erzählen mir dann auch private Sachen. Max, den ich seit der Einschulung kenne, findet es schlimm, dass wir nur noch bis nächsten Sommer in der Grundschule sind. Er macht sich schon ganz schön viele Sorgen wegen der weiterführenden Schule, genau wie ich. Aber in der Schule haben wir noch nie miteinander geredet. Es ist, als gäbe es zwei Welten: die getippte, wie Facebook und Twitter und Blogs, und die »echte«. Deshalb habe ich auch zwei Ichs. Ich würde mir wünschen, dass die getippte Welt die echte wäre, denn darin könnte ich so sein, wie ich wirklich bin.

Das Notebook hat Dad mir geschenkt. Mum hasst es und hat es von Anfang an das »blöde Notebook« genannt. Sie starrt es immer nur finster an, als könnte es zurückstarren und sie würde den Finsterstarr-Wettbewerb gewinnen.

Mum glaubt, wenn ich mit dem Mund reden würde, wäre alles besser. Das sagt sie fast jedes Mal, wenn wir von der Schule nach Hause laufen. Statt mich mit ihr zu streiten, halte ich sie einfach nur an der Hand. Aber manchmal streite ich mich doch mit ihr – mit den Händen, und dann kann ich sie nicht mehr an der Hand halten – und sage: »Nein, werde ich nicht!« Oder: »Du verstehst das nicht!« Denn

1. werde ich sowieso nie wie die anderen klingen, und
2. bin ich dann »das taube Mädchen, das so komisch redet«, und es ist schon schlimm genug, »das taube Mädchen« zu sein, ohne irgendwelche Zusätze.

Ich wäre lieber so was wie »die blöde Angeberin« oder »die peinliche Streberin«, denn das kann man ändern, wenn man will. Oder auch nicht. Das liegt an einem selber.

Gehörlos zu sein kann man nicht ändern. Mum versteht das nicht, aber ich weiß nicht, ob ich das überhaupt wollen würde. Ich lebe in meiner Ruby-Welt, einer stillen Welt, die ich sehen und anfassen und manchmal schmecken kann, aber nicht hören. Dad sagt, Stille ist wunderschön. Vielleicht ist meine Welt ja schöner als die von anderen Leuten. Und vielleicht würde es meine Welt verderben, wenn ich darin Töne von mir geben müsste, die ich nicht höre.

Max macht sich furchtbare Sorgen wegen des Schulwechsels, hat Bauchweh deswegen und überhaupt. Ich mache mir auch Sorgen, aber meinem Bauch geht es bisher gut.

Yasmin stand jetzt an der Spitze der Warteschlange, direkt vor der feindseligen Frau.

»Ich muss nach Anaktue.«

»Ich weiß nicht, wo das ist, Ma'am.«

»Etwa achthundert Kilometer nördlich von hier.«

»Das fliegen wir nicht an.«

»Und den nächstgelegenen Ort? Deadhorse, glaube ich?« Sie erinnerte sich, dass Matt dort gelandet war, als er nach Anaktue wollte. Von dort aus hatte er einen Taxiflieger genommen.

»Ich sage Ihnen doch, die Gegend fliegen wir nicht an, Lady.«

»Können Sie mir dann wenigstens sagen, wie ich hinkomme? Bitte?«

»Das hier ist ein Northern-Airways-Schalter, kein Reisebüro.«

Da trat ein Mann zu ihr. Er war um die vierzig, trug einen Overall, eine Schirmmütze mit dem Schriftzug »Am-Fuels« und eine 9/11-Gedenk-Anstecknadel.

»Sie müssten zu Arctic Airways«, sagte er. »Aber deren letzter Flug für heute ist vor zehn Minuten gestartet.«

Panik stieg in ihr auf. Er schien es zu spüren, denn sein Blick wurde mitfühlend. »Vielleicht kann ich einen Flug nach Deadhorse für Sie arrangieren«, fuhr er fort. »Von Deadhorse kommt man per Taxiflieger in die meisten Orte im Norden.« Er machte eine kurze Pause. »War das nicht Anaktue in den Nachrichten?«

»Glaube schon.«

Mehr sagte sie nicht, und er fragte nicht weiter. »Können Sie einen Moment warten, während ich meine Tochter zum Flug bringe?« Hinter ihm stand eine junge Frau, achtzehn oder neunzehn, mit einem Rucksack auf dem Rücken. Sie wirkte aufgeregt, ihr Blick flitzte umher, alle paar Sekunden zuckte ein Lächeln über ihre Lippen.

Mum verteilt die Kärtchen, die ich geschrieben habe, und fragt dabei jeden, ob er etwas über Anaktue weiß. Die meisten schauen sie total komisch an. Manche sind so unhöflich und werfen ihr Kärtchen gleich in den Mülleimer direkt vor uns. Ich schreibe noch ein paar mehr, auf die

Rückseite eines anderen Taxiunternehmens. Ich hab ein bisschen Bedenken, dass manche Leute denken könnten, Mum wäre das Taxi. Vielleicht werden sie sie deshalb anrufen oder ihr mailen.

Ein bisschen denke ich auch noch über die gemeine Mädelsclique an der Schule und das Lästern nach.

Dad hat mir von einem Film erzählt, in dem ein Priester den Leuten erklärt, warum es so schlimm ist, zu lästern und zu tratschen. Er sagt, wenn man ein Gerücht verbreitet, ist das, als würde man alle Federn aus einem Kissen von ganz hoch oben in den Wind streuen, und wenn man das Gerücht zurücknehmen will, muss man jede einzelne Feder wiederfinden, und das schafft man nie. Aber bei Mums Kärtchen wäre es gut, wenn das stimmen würde, denn dann würden sie in Windeseile die Runde machen, und irgendwer würde bestimmt etwas wissen, was uns hilft, Dad ganz schnell zu finden.

Eine Viertelstunde später kam der Mann mit der Schirmmütze durch die Menschenmassen wieder auf sie zu. Yasmin fand, er sah nervös aus.

»Jack Williams«, sagte er und hielt ihr die Hand hin. »Tut mir leid, dass es so lange gedauert hat, aber ich wollte meine Tochter bis zum Gate bringen. Sie war noch nie von zu Hause fort. Also, nicht länger als eine Woche.«

Yasmin fand es sympathisch, dass er sich deswegen Sorgen machte.

»Es geht heute noch ein Flug von Freedman Barton Fuels, der uns schlichte Arbeiter zu den Ölfeldern südlich von Prudhoe bringt. Wir fliegen über Deadhorse«, fuhr Jack Williams fort. »Es ist eine Chartermaschine. Ich kenn den Piloten und hab ihn gerade angerufen. Wenn Sie mitfliegen wollen – er hat kein Problem damit. Legal ist es vermutlich nicht, aber er wird keinem was erzählen. Ein paar freie Plätze gibt's jedenfalls.«

»Danke.«

Er lächelte Ruby zu. »Wenn doch alle Töchter ewig in deinem Alter bleiben könnten. Statt groß zu werden und weg zu wollen.«

Yasmin war sich nicht sicher, wie viel Ruby davon verstanden hatte, aber da Jack Williams deutlich sprach und sich nicht die Hand vor den Mund hielt, würde sie es wohl in etwa mitbekommen haben.

»Kommen Sie, ich zeige Ihnen den Weg. Sind das Ihre Koffer?«

Ich mag diesen Mann nicht. Ich trau ihm keinen Meter weit. So ein schleimiges Grinsen. Er hat jetzt unsere Koffer genommen, und sein Ärmel ist nach oben gerutscht. Darunter kommt eine Omega-Uhr zum Vorschein. Dad hat auch eine ganz ähnliche, er hat sie von Grandpa geerbt. Er sagt, sie ist viel zu wertvoll, um sie jeden Tag zu tragen. Warum hat dieser Kerl sie an einem ganz gewöhnlichen Tag an? Oh, jetzt hat er gemerkt, dass ich ihn anstarre.

Yasmin hatte bemerkt, wie Ruby die Uhr betrachtete oder vielmehr finster anstarrte. Kein Wunder, dass es auch Jack Williams auffiel.

»Ich hab meiner Frau öfter was geschenkt«, erklärte er. »Auf den Ölplattformen ist es so dreckig und hässlich, da will man was Schönes sehen, wenn man wieder nach Hause kommt. Deshalb hab ich ihr hübschen Schmuck gekauft. Kurz vor unserem Zwanzigjährigen hat sie einen Teil davon in den Schmuckladen zurückgebracht und gegen die Uhr hier eingetauscht. Und dann hat sie sie mir geschenkt.«

Und seine Frau ist gestorben, dachte Yasmin, deshalb trägt er die Uhr ständig. Das Mitgefühl, das sie für ihn empfand, hätte sie sich vor dem heutigen Tag nicht vorstellen können.

Sie folgten ihm einen Korridor entlang in eine kleine Abflughalle. Hier befanden sich etwa fünfzehn bis zwanzig Männer, die meisten trugen Kappen und Overalls mit den Initialen FBF, ein paar auch mit dem Schriftzug »Am-Fuels«. Yasmin nahm Ruby an die Hand. Sie fürchtete sich vor dem Tag, an dem Männer wie diese hier Ruby nicht mehr als Kind wahrnehmen würden. Zu ihrer Erleichterung nahmen die Männer gar keine Notiz von ihnen. Ihre Aufmerksamkeit war auf einen schlanken Mann im Anzug gerichtet, den Yasmin nur von hinten sah. Sein blondes Haar glänzte im Neonlicht. Yasmin spürte die Feindseligkeit, die dem Blonden entgegenschlug – so heftig, dass ihre Haut davon zu kribbeln schien.

»Scheiß-Ökofuzzi«, sagte einer der Männer zu ihm.

»Was willst du denn da oben schützen, drei Grashalme und vier Blümchen, oder was?«, rief ein anderer.

Der blonde Mann ließ sich durch die Aggression nicht beeindrucken. »Machen Sie sich keine Sorgen oder haben wenigstens Interesse daran, zu erfahren, womit Sie da arbeiten? Krebserregende Stoffe, radioaktive Chemikalien …«

Ein Mann mit tätowiertem Gesicht baute sich vor dem Blonden auf. »Sehen wir etwa krank aus?« Er drehte sich zu seinen Kumpels um. »Jede Woche kommt der her und zieht seine Show ab.«

Jetzt konnte Yasmin das Gesicht des blonden Mannes sehen und war überrascht, dass er bestimmt schon Mitte fünfzig war. Die Augenbrauen waren grau, und er sah bleich aus.

»Das alles hab ich schon tausendmal gehört«, fuhr der Tätowierte fort. »Wissen Sie, wofür FBF steht? ›Fracken, Baby, Fracken‹. Sarah Palin. Die Frau hatte Weitblick.«

Der Ton des blonden Mannes war noch immer souverän. »Sie sind aber von American Fuels übernommen worden, den Witz können Sie also nicht mehr bringen.«

Yasmin bemerkte, dass die lippenlesende Ruby von den Worten des Tätowierten eingeschüchtert wirkte. »Er hat gesagt: ›Fracken, Baby, Fracken‹«, erklärte sie ihr, wobei sie das Wort »fracken« buchstabierte. Dann schlug sie ihr vor, das Lippenlesen sein zu lassen, und versprach ihr, wichtige Dinge weiterzugeben.

Jetzt starrten die Männer sie an. Jack Williams kam näher. »Diese Lady und ihre Tochter fliegen mit uns nach Deadhorse.«

Einer lachte auf. »Gibt's da jetzt 'n Einkaufszentrum?«

»Wir wollen nach Anaktue«, erklärte Yasmin. »Von Deadhorse aus nehmen wir einen Taxiflieger.«

»Haben Sie's nicht in den Nachrichten gesehen?«, fragte sie ein muskulöser Mann. »Das Dorf ist komplett abgebrannt.« Er wandte sich seinen Kollegen zu. »Es hieß, die Deppen hätten ihren Diesel direkt neben den Häusern gelagert.«

»An dem Brand kann auch das Fracking schuld sein.« Das bleiche Gesicht des blonden Mannes wirkte plötzlich lebendiger, als gäbe ihm die Idee neue Energie. »Anaktue liegt nur sechzig Kilometer nördlich von den Am-Fuels-Bohrungen bei Tukapak.«

»Kann sein«, sagte der Muskulöse. »Aber das sind sechzig Kilometer *Schnee*, oder?«

»Es ist schon vorgekommen, dass in solchen Gegenden Wasser aus dem Wasserhahn Feuer gefangen hat«, sagte der Blonde.

»Ja klar«, knurrte der Muskulöse. »Da ist also nicht Benzin oder Gas explodiert, wie's im Fernsehen hieß, sondern Wasser. Mhm.«

»Oder die Abgase des Fracking haben sich entzündet. Das Risiko besteht immer.«

»Himmel noch mal«, sagte Jack Williams – Yasmin war davon überzeugt, dass er sich nur deshalb so gemäßigt ausdrückte, weil sie und Ruby anwesend waren. »Sie wollen uns erzählen, dass Abgase von einer Fracking-Bohrung bei minus dreißig Grad in starkem Wind *sechzig Kilometer* weit treiben, ohne sich zu zerstreuen, und dann in Anaktue explodieren? Spontan?«

»Möglich ist es«, erwiderte der Blonde.

»Das ist totaler Blödsinn, das wissen Sie genau.« Williams starrte dem Blonden ins Gesicht, als wollte er ihn Zeile für Zeile lesen. »Meine Güte. Sie würden sich *freuen*, wenn das ein Fracking-Unfall wäre. Sie wollen, dass so was passiert.«

»Offen gestanden, ja«, gab der Blonde zu. »Bei der hydraulischen Frakturierung sind Katastrophen vorprogrammiert. Und besser, es trifft ein kleines Dorf in Alaska als eine stark besiedelte Gegend. Wenn es unvermeidlich ist, dass ein Dorf ausgelöscht wird, um diesen Wahnsinn zu stoppen, dann muss es eben sein.«

Yasmin war schockiert, aber sie musste mit diesem Mann sprechen, denn er wusste offenbar, wo Anaktue lag. Sechzig Kilometer nördlich von den Am-Fuels-Bohrungen bei Tukapak, hatte er gesagt. Woher wusste er das, schließlich war Anaktue winzig, nur eine Handvoll Häuser?

Mit Ruby an der Hand ging sie zu ihm hinüber. Die Art, wie er sie unverwandt anstarrte, hatte etwas Übergriffiges.

»Silesian Stennet«, sagte er und hielt ihr die Hand hin, die aufgedunsen wirkte und mit Altersflecken besprenkelt war. Sie nahm sie nicht.

»Ich war Finanzchef einer Fracking-Firma«, fuhr er fort, ohne sie aus den Augen zu lassen. »Aber sobald mir die Risiken im vollen Maße klar waren, konnte ich nicht guten Gewissens weitermachen. Leider wollen sich einige Leute partout nicht warnen lassen.«

»Woher wissen Sie, wo Anaktue liegt?«, fragte Yasmin. »Kennen Sie jemanden von dort? Haben Sie Nachricht von jemandem?«

»Wie gesagt, ich war bei einer Fracking-Firma. Unter Anaktue lagern Tausende Tonnen Schieferöl, und die Trans-Alaska-Pipeline verläuft nur fünfzig Kilometer entfernt, das heißt, die Infrastruktur für den Rohöl-Abtransport wäre schon so gut wie vorhanden. Alle Fracking-Unternehmen wissen, wo Anaktue ist – und besitzen vermutlich Gesteinsproben, ein seismisches 3-D-Profil und Bohrdaten darüber.«

Jack beobachtete Yasmin, die gerade mit Silesian Stennet sprach, und fragte sich, ob er sie vor diesem Hund warnen und ihr verraten sollte, dass der Kerl schon einmal wegen Sabotage an einer Fracking-Anlage verurteilt worden war und ganz großes Glück gehabt hatte, dass niemand verletzt wurde. Dank seiner etwas größeren Statur sah er den grauen Haaransatz an Stennets blondem Scheitel. Stennet wollte sich als junger Idealist verkaufen, in Wahrheit war er nichts als ein alternder, obsessiver Fanatiker.

Keiner hat den Mund geöffnet, keiner sagt etwas, und Mum ist wieder angespannt wie eine Twistballschnur. Sie hat vergessen, dass sie mir Bescheid geben wollte, wenn jemand was Wichtiges oder Interessantes sagt.

Der Mann mit den blonden Haaren gebärdet mir: »Soll ich dir erklären, was passiert?«

Es ist supercool, wenn jemand, der hörend ist, gebärden kann. Wie damals, als Präsident Obama jemandem, der ihm was gebärdet hatte, einfach »Danke« zurückgebärdete, als wäre das überhaupt kein großes Ding. Mum hat es nicht bemerkt, weil sie gespannt auf irgendwas lauscht.

Der blonde Mann buchstabiert »Durchsage«, und jetzt gebärdet er etwas über ein totes Pferd. Er meint den Ort Deadhorse, wo wir hinfliegen wollen, damit wir Dad finden können.

In der amerikanischen Gebärdensprache gebärdet man »Pferd«, indem man die Hand wie ein Ohr an den Kopf legt und damit wackelt, wie das Marionettenpferd im Theaterstück *Gefährten*. In der britischen Gebärdensprache tut man, als hielte man die Zügel eines galoppierenden Pferdes, was ich witziger finde. Der Grund, warum ich über die Gebärde selber nachdenke und nicht über ihre Bedeutung, ist, dass ich Angst habe, dass was Schlimmes passiert ist.

Der blonde Mann hält mir sein Handy hin. Er hat mir etwas geschrieben, und ich komme näher. Es ist nicht sehr weit, also wird Mum nichts dagegen haben. Ich lese, was er geschrieben hat:

Auf der Landebahn von Deadhorse hat eine Frachtmaschine ihre Ladung verloren. Bis zur Beendigung der Aufräumarbeiten kann der Flughafen nicht angeflogen werden. Das kann bis morgen oder übermorgen dauern.

Mir ist schlecht. Wie im Flugzeug, als ich den Gang entlangging und daran dachte, dass unter mir kilometertief nur Himmel war.

Der blonde Mann fragt: »Warum wollt ihr nach Anaktue?« Das Wort »Anaktue« buchstabiert er.

»Wir müssen Dad finden«, sage ich.

»In Anaktue?« Auf sein Gesicht tritt eine Art Lächeln, als fände er das lustig.

»Ja.«

Ich mag es nicht, ihm so nahe zu sein. Als er mir das Telefon vor die Nase hielt, roch seine Hand nach altem Fisch.

Wisst ihr noch, wie ich geschrieben habe, dieser Jack Williams wäre schleimig? Eigentlich ist er das gar nicht. Ich war nur sauer auf ihn, weil er uns begleitet hat, wo uns doch eigentlich Dad hätte begleiten sollen. Ich war sogar sauer, dass er uns geholfen hat, was bescheuert ist, denn wir brauchen ja seine Hilfe, um zu Dad zu kommen. Also, den blonden Mann hier finde ich zwar genauso schleimig, aber momentan verlasse ich mich lieber nicht auf meinen Mag-ich-nicht-Radar.

Ich gehe wieder zu Mum. Ein Mann redet mit ihr, aber sie hat immer noch vergessen, dass sie mir wichtige Sachen weitergeben will, also lese ich doch seine Lippen. Ich kann nicht jedes Wort verstehen, aber die meisten schon.

Er sagt, kleine Taxiflieger würden auf jeden Fall noch von Deadhorse starten, weil die nicht die große Hauptstartbahn benutzen müssen. Also können wir doch zu Dad fahren!

Ein anderer Mann, der mit den vielen Tattoos, sagt auch irgendwas über Deadhorse, aber seine Lippen kann ich nicht so gut lesen, weil er nuschelt. Noch ein anderer grinst jetzt, als wäre das total lustig.

»Und wie soll sie da hinkommen?«, fragt er, dann sieht er mich und unterbricht sich einen Augenblick. »Vielleicht mit dem Bus, oder was?«

Dann schaut er Mum an und sagt etwas, was ich nicht sehen kann, und dann: »Mit dem Auto haben Sie keine Chance. Das sind achthundert Kilometer auf purem Eis.«

Ich zupfe Mum am Ärmel, bis sie mich endlich anschaut. »Was machen wir jetzt?«, frage ich. »Wie kommen wir zu Daddy?«

Sie bedeutet mir, einen Moment zu warten. Der blonde Mann kommt wieder näher und zeigt mir sein Handy:

Warum trägt deine Mutter zwei Eheringe?

Ich schaue Mums Hand an. Sie trägt immer ihren Ehering, manchmal auch noch ihren Verlobungsring oder den Ring, den Dad ihr geschenkt hat, als ich geboren wurde. Der hat einen Stein namens Peridot, der grün ist und Freude bedeutet, und Mum sagt, er hat dieselbe Farbe wie meine Augen, und wenn ich nicht da bin, kann sie sich beim Anblick des Rings mein Gesicht ganz deutlich vorstellen. Aber Dad sagt, der Stein bedeutet auch, dass er zu der Zeit ein bisschen knapp bei Kasse war.

Dads Ehering trägt sie aber nicht, weil den ja Dad trägt. Das kapiere ich nicht. Ich habe das Gefühl, als bestünde der Boden des Flugzeugs aus nassem Papier, und ich falle einfach durch.

Mum packt das Handy des Mannes, klappt es zu und drückt es ihm wieder in die Hand. Sie beugt sich vor, bis ihr Gesicht dicht vor meinem ist. »Dad nimmt den Ring ab, wenn er arbeitet«, sagt sie. Mit Mund und Händen zugleich. »Deshalb hat ein Polizist ihn gefunden. Und jetzt hebe ich ihn für Daddy auf. Es geht ihm gut, keine Angst.«

Der blonde Mann schaut zu, wie sie gebärdet, und mir kommt es so vor, als würde er mir was wegnehmen.

Mit Ruby an der einen Hand und dem Rollkoffer an der anderen eilte Yasmin durch den langen Korridor zurück zum Ausgang. Ruby hatte Mühe, mit ihr Schritt zu halten, ihr Koffer schwankte gefährlich und drohte immer wieder umzukippen.

Sie brauchte einen Plan. Dringend. Wenn ihr kein Plan einfiel, würde dann der Moment kommen, da jemand ihr sagte, sie müsse sich den Tatsachen stellen? Und wer? Ein Polizist? Jemand aus England? Solange sie auf dem Weg zu ihm war, so lange war Matt am Leben. Und das war weder Verleugnung noch innere Getriebenheit. Es war doch so: Falls sie aufhörte zu glauben, dass er am Leben war, falls sie die Leute und ihre Tatsachen an sich heranließ, würde er ganz allein in der arktischen Eiswüste bleiben. Und nicht überleben.

Mum sagt, wir müssen eine Teambesprechung abhalten. Früher hat Dad die immer geleitet, aber seit er hier ist, hat Mum das übernommen. Zu Hause sagt sie dann, sie und Bosley wären Team Ruby, und jetzt wäre der Moment, wo ich alles herauslassen könne, weil es nicht gut ist, alles in sich hineinzufressen, und wenn ich wollte, könnte ich mich so richtig ausheulen (statt vor anderen Leuten zu heulen, was sie auch peinlich findet). Wenn ich tatsächlich weine, wedelt Bosley so heftig mit dem Schwanz, dass er an mein Hosenbein schlägt, und das ist, als würde er mir was von seiner schwanzwedelnden Fröhlichkeit abgeben. Manchmal ist auch Tripod da statt Bosley und liegt schnurrend auf meinem Schoß, vibrierend vor Zufriedenheit, und das ist auch total schön, aber meistens ist Bosley da und muntert mich auf.

Mum sagt, wir gehen in ein Hotel, dabei wollten wir doch eigentlich Dad suchen gehen. Sie sagt, ein gutes Hotel hat sicher einen Kinderbetreuungsservice. Erst weiß ich nicht, was sie damit meint. Dann kapiere ich es und sage: »Nein!« Sie hat mich noch nie von irgendwem betreuen lassen. Ich will nicht zurückgelassen und betreut werden. Sie sagt, sie wird nicht lange weg sein. Und dass sie sich erst vergewissern wird, dass die Kinderbetreuung nett ist.

Der blonde Mann kommt hinter uns her. Er hat uns zugeschaut, wie wir uns unterhielten. Wieder ist es, als hätte er mir was geklaut, nur habe ich es diesmal überhaupt nicht gemerkt. Er muss einen Teil des Weges gerannt sein, denn sein Gesicht glänzt, und sein blondes Haar hat dunkle verschwitzte Strähnen.

Er überholt uns und stellt sich vor uns, so dass wir nicht weitergehen können. Er starrt Mum an, ohne etwas zu sagen, er sendet nur diesen Blick aus von wegen: »OMG! Ist die umwerfend! Ich mach mich total zum Affen, indem ich sie so dämlich anglotze.« Dabei machen Männer sich noch viel mehr zum Affen, wenn sie eine halbe Ewigkeit nichts sagen. Mum kriegt davon nie etwas mit. »Über die donnert sie mit ihrem Charme-Ferrari einfach drüber«, sagt Dad immer. »Wusch – und Fahrerflucht.«

»Nein, keine Fahrerflucht, sie merkt es ja nicht mal«, verteidige ich Mum dann, und Dad muss lachen.

Das klingt jetzt, als würden Mum und Dad sich die ganze Zeit necken, aber in Wirklichkeit tun sie das fast nie.

Der blonde Mann sagt etwas. Ich sehe, dass seine Lippen sich bewegen.

»Ich kann Ihnen helfen, ein gutes Hotel zu finden.«

»Danke, wir kommen klar«, sagt Mum. Das »Danke« meint sie aber nicht so.

Sie nimmt wieder meine Hand, und wir gehen weiter, um ihn herum.

Aber er kommt uns nach. Er streckt die Hand nach ihr aus, als würden sie sich schon länger kennen, wie nach einer Ehefrau oder Freundin, aber sie lässt ihn nicht, weil sie ihn nicht leiden kann.

»Sie kennen sich hier doch nicht aus«, sagt er. »Sie wissen nicht, welche Hotels Sie nur abzocken wollen.«

Yasmin wollte Stennet von Ruby fernhalten, aber er versperrte ihnen den Weg.

»Sie brauchen jemanden, der auf Ihre Tochter aufpasst, nicht wahr? Ich kann das für Sie tun. Ich nehme sie zu mir.«

»Ich sagte doch, wir kommen klar.«

»Es ist überhaupt kein Problem. Ich wohne hier in Fairbanks, gleich einen Block weiter. Eine professionelle Kinderbetreuung würde Sie einiges kosten. Mir wäre es ein Vergnügen, mich um sie zu kümmern.« Er packte sie am Arm. »Sie wären zu nichts verpflichtet.«

Da kam Jack Williams auf sie zugeeilt. Silesian Stennet ließ ihren Arm los.

»Alles in Ordnung?«, fragte Williams. Sie nickte. Er wandte sich an Silesian Stennet. »Lassen Sie diese Frau und ihre Tochter in Ruhe, ja?«

»Danke«, sagte Yasmin zu ihm. Dann wandte sie sich an ihre Tochter. »Alles okay?«, fragte sie.

Ruby nickte, und sie gingen mit ihren Koffern in Richtung Flughafenausgang davon.

Jack Williams hinderte Silesian Stennet mit ganzem Körpereinsatz daran, ihnen weiter zu folgen. Yasmin war ihm immens dankbar.

Sie wünschte, sie hätte Ruby zu Hause in England gelassen, aber seit Matts Eltern gestorben waren, gab es niemanden mehr, dem sie sie hätte anvertrauen wollen. Ruby hatte Angst, bei Fremden zu sein. Die meisten Leute konnten sich kaum mit ihr verständigen, und unabsichtlich taten sie womöglich Dinge, die Ruby weh taten, wie deren Nachtlicht auszuschalten, ehe sie aus dem Zimmer gingen, sodass Ruby nicht sah, ob sie im Gehen noch etwas zu ihr sagten – dabei war ihr dieses letzte »Gute Nacht« so wichtig. Wie sollte sie sie hier in dieser Stadt auf der anderen Seite der Welt bei unbekannten Menschen zurücklassen, noch dazu mit diesem beunruhigenden Mann in der Nähe?

Wir stehen vor der großen Eingangstür des Flughafens. Jedes Mal, wenn jemand hereinkommt, gleitet die Tür auf, und es schwappt Kälte herein und brennt mir auf dem Gesicht. Ich habe Angst, dass der blonde Mann uns hinterherkommt. Mum spürt das wohl, denn sie sagt: »Der ist nur ein blöder Schleimklumpen, vor dem muss man keine Angst haben.«

Die Gebärde für »Schleimklumpen« hab ich ihr vor Ewigkeiten mal gezeigt. Ich hab sie selber erfunden, und sie ist ein bisschen eklig: Man steckt sich den Finger in die Nase. Es ist das erste Mal, dass Mum sie verwendet. Ich weiß, sie will mich zum Lächeln bringen.

»Ich will auf keinen Fall bei einer Betreuung bleiben«, sage ich. Mum nickt, als ob sie verstehen würde, was ich meine. Ich glaube, sie hat auch ein bisschen Angst wegen dem Schleimklumpen-Mann. Dass er kommt und mich findet. Eine ganze Weile sagt sie gar nichts. Viele Leute mit Rollkoffern gehen durch die Tür, und jedes Mal weht ein Schwall kalter Luft herein.

Dann sagt Mum, sie hätte sich zwei mögliche Szenarien überlegt. Das Wort »Szenarien« buchstabiert sie. Ich spüre: Jetzt sind wir ein richtiges Team. Unsere Szenarien sind:

1. Dad ist vom Dorf weggegangen, um Hilfe zu holen, hat aber niemanden gefunden, und als er zurückgekommen ist, war die Polizei schon wieder weg.

2. Dad ist filmen gewesen und später als geplant zurückgekommen. Bei seiner Ankunft in Anaktue war es schrecklich, weil alles niedergebrannt und die Polizei schon weg war.

In beiden Szenarien ist er in Anaktue und wartet auf uns, und wir müssen nur hin und ihn holen.

Ich bin wahnsinnig froh über dieses »Wir«, denn jetzt weiß ich ganz genau, dass Mum mich nicht zurücklässt.

Im Fall des zweiten Szenarios, sagt Mum, ist Dad vielleicht per Hundeschlitten mit den Huskys unterwegs. Ich hoffe, dass das so ist, denn dann ist er nicht so allein. Dad hat mir alles über die Huskys erzählt. Einer heißt Pamiuqilavuq, das bedeutet »Wedelt mit dem Schwanz«. Ich stelle ihn mir ganz ähnlich wie Bosley vor. Hoffentlich hat Dad Wedelt-mit-dem-Schwanz bei sich.

Jetzt sind wir an der Stelle, wo die Taxis halten. Ich dachte, wir würden uns ein Taxi nehmen und damit zu Dad fahren, aber Mum sagt, das geht nicht, weil in Alaska im Winter keine Autos über Land fahren können. Sie telefoniert, also muss es hier ein gutes Handynetz geben. Ich glaube, sie plant unser weiteres Vorgehen.

In seinem Büro in Nordalaska legte Captain Grayling nach dem Telefonat mit Yasmin Alfredson den Hörer auf. Die Arme hatte ihn vom Handy aus angerufen, den Hintergrundgeräuschen nach zu urteilen noch immer aus der Nähe des Flughafens Fairbanks. Sie hatte ihm mögliche Szenarien beschrieben, in denen ihr Mann noch am Leben sein könnte. Erneut hatte sie von ihm verlangt, die Suche wieder aufzunehmen. Er erkannte, was sie da tat, weil er bei Timothy genau dasselbe getan hatte: Sie weigerte sich, es zu akzeptieren, weil es unmöglich zu ertragen wäre. Verleugnung, das war ein schmelzendes Stück Treibeis, aber man klammerte sich trotzdem verzweifelt daran. Er hatte es ihr noch einmal deutlich sagen, sie in den mörderischen Ozean werfen müssen: dass es dreiundzwanzig Dorfbewohner und vierundzwanzig Leichen gab, dass das Handy und der Ehering ihres Mannes am Ort der Katastrophe gefunden worden waren, dass auch eine lange, gründliche Suche keine Überlebenden zum Vorschein gebracht hatte – weil es keine Überlebenden gab. Dann hatte er aufgelegt. Er hoffte, sie bekam schnell einen Heimflug, und ihre Verwandten und Freunde in England würden sich um sie kümmern.

Jetzt wusste sie es genau: An ihr allein hing es, Matt zu finden. Es gab niemanden sonst.

Eine lang unterdrückte Erinnerung stieg in ihr auf: der Geruch nach Whiskey und ungewaschenen Kleidern, das feuchte Gras des schattigen Friedhofs, das sie durch ihre dünnen Schuhsohlen spürte. Sie war zwölf, stand am Grab ihrer Mutter und wünschte sich, sie könnte einen Schalter drücken und alles wieder hell machen. An ihrer Seite war ihr Vater, der einen Flachmann aus der Hosentasche zog und den Inhalt in sich hineinkippte, direkt vor dem Grabstein. Als sie ihn endlich zum Auto gelotst hatte, wurde der Friedhofsparkplatz gerade geschlossen.

Sie hatte sich auf den Fahrersitz gesetzt. Dad war so betrunken gewesen, dass es ihm nicht einmal aufgefallen war.

Der Kreisverkehr bei Elephant and Castle, drei Spuren, viel zu viele, zu schnell, zu laut. Zerbeulte Autos wie ihr eigenes, die sich vordrängten und sie nicht abbiegen ließen. Schreiende Hupen. Sie war so oft dabei gewesen, wie Dad diese Strecke fuhr, zur Klinik und zurück, hatte ihm beim Fahren zugesehen, um nicht darüber nachdenken zu müssen, was mit Mum passierte. Die Old Kent Road entlang, zu beiden Seiten bedrückend enge und hohe Sozialwohnblocks, mit Graffiti beschmiert. Sie musste fast stehen, um die Pedale zu erreichen. Der Wagen war abgesoffen. Wieder Gehupe. Ein Mann, der auf den Bürgersteig pinkelte. Eine Ampel wurde rot. Sie hatte vor Angst geweint und gezittert, aber irgendwann waren sie zu Hause gewesen.

Sie hatte versucht, es zu vergessen, hatte sich zu sehr geschämt, um es je irgendjemandem zu erzählen. Nicht einmal Matt.

Aber es hatte allein an ihr gehangen, und letztlich hatte sie ihn nach Hause gebracht.

Sie legte Ruby den Arm um die Schultern. Die Kälte war beißend. Die Straßen um den Flughafen herum waren von grellen Lichtern gesäumt, dahinter das weichere Licht aus den Fenstern der Gebäude. Morgen würde es hier wieder Tageslicht geben. In den Ruinen von Anaktue würde es dunkel bleiben, dort oben würde die Polarnacht noch zwei Monate dauern. Bis sie Matt erreichten, würde er im Finstern ausharren müssen.

4

Mum hat gesagt, wir werden mit einem Lastwagen zu Dad fahren. Jetzt sind wir auf diesem Platz, wo lauter Megamonsterlaster stehen. Ich wette, nachts verwandeln sie sich alle in denkende Roboter. Es sind Tanklaster, und sie sind so lang wie unsere ganze Straße in London. Jimmy würde sagen, das ist hier voll der Hammer! (Jimmy ist mein bester Freund. Oder besser gesagt: Er war es mal. Wir hatten immer Lieblingswörter für bestimmte Sachen.)

Mum sagt, fast alle Laster hier fahren zu den Ölbohrungen in Prudhoe Bay, und Deadhorse liegt kurz davor, also fahren sie da auf jeden Fall durch.

Bei den ersten beiden Lkw-Parkplätzen, an denen wir waren, hat Mum im Häuschen am Eingang gefragt, ob einer der Laster uns nach Deadhorse mitnehmen könnte. NEIN! Passagiere mitzunehmen ist GEGEN DIE VORSCHRIFTEN! Man muss sich das in Rot vorstellen, so wie ihre Gesichter dabei aussahen. Als würden sie nebenbei noch sagen: »Wie blöd sind Sie eigentlich, so was überhaupt zu fragen!« Dann redete Mum mit ein paar Fahrern, aber die sagten das Gleiche, nur nicht rot unterstrichen, sondern lächelnd, und es dauerte ziemlich lang, bis sie damit rausrückten. Sie hat ihnen sogar das Geld angeboten, das Granddad meinen Eltern hinterlassen hat, aber das nützte auch nichts. Sie sollte den Fahrern vielleicht sagen, was für eine tolle Physikerin sie ist. Normalerweise erzählt sie das keinem, aber wenn die Fahrer das wüssten, würden sie kapieren, wie nützlich Mum wäre, wenn ihr Laster eine Panne hat. Aber sie gibt ihnen immer nur eins von meinen Kärtchen. Es sind fast keine mehr übrig.

Jetzt gehen wir in eine Werkstatt. Sie sagt, ein Fahrer, dessen Laster kaputt ist, wird unser Geld eher brauchen und uns mitnehmen, obwohl es gegen die Vorschriften ist.

In der Werkstatt roch es nach Diesel, ein Schweißgerät sprühte Funken, und der geriffelte Betonboden war voller Ölflecken. Irgendwo dudelte Popmusik. Gemeinsam mit dem Firmenkalender über dem Rezeptionstisch verlieh sie dem Ort die Atmosphäre einer beliebigen Werkstatt irgendwo auf der Welt. Nur die eindringende Kälte erinnerte einen daran, dass man in Alaska war.

Während Yasmin die beiden Koffer über den unebenen Boden zerrte und den Blick aller Männer in der Halle auf sich spürte, erinnerte sie sich daran, dass sie früher als mutig und selbstsicher gegolten hatte und dass man sie dafür bewundert hatte, wie unabhängig und unkonventionell sie war. Aber seit der vierten Grundschulklasse hatte sie keine andere Wahl gehabt.

Bei vielen Kindern gab es zu Hause keinen Vater, aber eine Mutter hatten außer ihr alle – dieses Fehlen war eine Zentrifugalkraft, die Yasmin an den Rand schleuderte, abgesondert und einsam. Fiebrig vor Sehnsucht schaute sie zu, wie die Mütter anderer Kinder mit ihrem Arsenal an Süßigkeiten und Zärtlichkeiten vor dem Schultor warteten, während sie allein ihre stille, leere Wohnung aufschloss oder von wummernder Musik begrüßt wurde, als bestünde ihre Familie nur aus Teenagern. Dabei war das noch eine beschönigende Beschreibung. Russell war mit neunzehn schon im Knast und Davey der Schule verwiesen, während Dads Gehirn wirr von Schnaps und Trauer war. Jeden Morgen, wenn sie die Treppe herunterkam, stank es nach den angetrockneten Resten des Abendessens auf den Tellern. Sie spülte ab und machte sich etwas zum Frühstück. Sie hätte sich gewünscht, einen gedeckten Frühstückstisch vorzufinden, denn das hätte bedeutet, dass auch jemand ihre Hausaufgaben kontrollierte, ihre Kleider sauber hielt und ihr vor dem Zubettgehen eine Geschichte vorlas. Mädchen, die sich gläserne Schuhe und einen Prinzen wünschten, hatten doch keine Ahnung – sie besaßen jetzt schon Schuhe, die ihnen passten, und eine Mutter, die ihnen einen Gutenachtkuss gab.

All diese Jahre, bis Matt kam, war sie gewichtslos gewesen vor Einsamkeit.

Schon zwei Fahrer in der Werkstatt hatten ihre Bitte abgeschlagen, beide waren bei einem Transportunternehmen angestellt und mussten die Reparatur nicht selbst zahlen. Sie waren alle gleich – bierbauchreckende Grobiane mit astronomischen Gehältern, denen es Spaß machte, eine Bitte abzulehnen, und noch mehr Spaß, sich mal vor einer Frau aufspielen zu können, als steuerten sie Raumschiffe in einem intergalaktischen Krieg statt Tanklaster auf der Straße. Gerade wies ein Dritter ihre Bitte zurück. Während sie zuhörte – wohl wissend, dass es vergebens war, aber unfähig, den Versuch aufzugeben, bevor die Zurückweisung nicht klar ausgesprochen worden war –, glitt ein junger Mann auf einer Art tiefliegendem Gokart unter einem Lastwagen hervor.

»Sie sind schon die Zweite, die das heute fragt.«

Nicht überraschend, dass auch andere Leute, die heute nach Deadhorse wollten, auf diese Chance hofften. Die Arbeiter auf dem Charterflug allerdings hatten nicht unglücklich gewirkt, noch ein paar Tage in Fairbanks verbringen zu können.

»Versuchen Sie's bei Adeeb Azizi«, sagte der junge Mann. »Da drüben. Der arbeitet auf eigene Rechnung.«

Eigentlich rauchte Adeeb nicht, aber manchmal war der Nikotinschub die Karzinogene wert. Ein großer Eisbrocken auf der Straße, eine aufgerissene Ölwanne, schon hatte man eine Siebenhundert-Dollar-Rechnung am Hals. Seine Versicherung zahlte nur bei Totalschaden. Er hatte gehofft, diesen Winter nur noch sechs Touren nach Deadhorse machen zu müssen, jetzt würde eine siebte nötig sein. Was für ein Klischee, der Vater, der für die Studiengebühren seiner Kinder sparte, damit der Nachwuchs in Höhen aufsteigen konnte, die für ihn selbst unerreichbar waren. Ja, das wollte er. Er wollte dastehen und zusehen, wie seine Söhne in ihren abgasarmen Hybridautos davonbrausten, in eine bessere Welt als seine. Wie hieß es so schön? Die erste Generation ist Kioskbesitzer (oder Lastwagenfahrer wie er – bessere Bezahlung, aber höheres Risiko), die zweite Banker und die dritte Dichter? Seine Enkel konnten Dichter werden. Ein herrlicher Gedanke. Das Problem war, dass seine Söhne sich dem Teenageralter näherten, und mit seinem hohen Blutdruck drohte ihm schon jetzt, mit fünfundvierzig, das Risiko eines Schlaganfalls, das eigentlich den Älteren vorbehalten war. Wohin er auch schaute, überall schienen die Uhren zu ticken. Siebenhundert Dollar.

Eine graziöse, schlanke Frau und ein kleines Mädchen

kamen auf ihn zu. Sie wirkte gelassen, obwohl ihr bewusst sein musste, dass jeder Mechaniker und jeder Trucker sie anstarrte. Auf halbem Wege beugte sie sich zu dem Mädchen hinunter und sagte etwas zu ihr. Das Mädchen bewegte zur Antwort die Hände. Als sie näher kamen, sah er der Frau an, dass sie ängstlich und wild entschlossen zugleich wirkte, als warte sie nur darauf, dass jemand ihre Angst bemerkte. Er spürte, dass die Angst sich nicht auf die Männer bezog, sondern auf etwas Größeres.

»Ja, bitte?«, fragte er.

»Meine Tochter und ich müssen an den Polarkreis. Wir wollen die Nordlichter sehen. Wir sind mit einer Reisegruppe unterwegs, aber leider haben wir die Abfahrt verpasst. Man wird dort am Besucherzentrum auf uns warten.«

Yasmin hatte keine Ahnung, ob es dort ein Besucherzentrum gab. Sicher gab es eines. Der Polarkreis war doch eine Art Sehenswürdigkeit. Und selbst wenn es im tiefsten Winter keine Touren gab, wusste dieser Fahrer das vielleicht nicht. Und sobald sie dort waren, würde sie ihn irgendwie überreden, sie weiter mitzunehmen.

Die Frau war eine miserable Lügnerin, dachte Adeeb. Aber er wollte ihr gern helfen. Sein Ältester hatte einmal gesagt, er habe eine Schwäche für »Jungfrauen in Not«. »Ja«, hatte seine Frau Visha gesagt. »An deinem Vater ist ein Ritter in schimmernder Rüstung verloren gegangen.« Und sie hatte ihn angelächelt.

»Am Polarkreis gibt es kein Besucherzentrum«, sagte er. »Nur einen Rasthof kurz davor. Meinen Sie den?«

»Ja, das muss es sein. Könnten Sie uns mitnehmen, nur bis zum Polarkreis? Das sind gut dreihundert Kilometer, oder?«

Nur dass Ritter, die Jungfrauen in Not retteten, sich normalerweise keine Sorgen machten, ob ihre Medikamente noch richtig eingestellt waren, oder wie viel eine Kontrolle beim Arzt kosten würde. »Ich habe gesundheitliche Probleme«, sagte er. »Wenn mir auf der Strecke etwas passiert …«

Sie schnitt ihm das Wort ab. »Dann würde doch jemand anhalten und helfen, oder?«

Adeeb fragte sich, was sie so verzweifelt dorthin treiben mochte. Ja, sicher würde jemand anhalten und helfen. Er gehörte zwar nicht im eigentlichen Sinne zur verschworenen Truckergemeinschaft, aber jeder Fahrer würde einem anderen in Not helfen, selbst ihm, vor allem, wenn der eine Frau und ein Kind dabeihätte. Wenn es zum Schlimmsten käme, würde jemand die beiden mit zurück nach Fairbanks nehmen. Er musterte die Frau noch einmal. Wahrscheinlich würden sie sich darum prügeln, sie zurückbringen zu dürfen.

»Ja, natürlich«, sagte er.

»Also, würden Sie uns mitnehmen?«

Er sollte ablehnen. Zu allem Überfluss hatte es im Wetterbericht geheißen, es ziehe womöglich ein Sturm auf. Aber das war keineswegs sicher, und selbst wenn der Sturm wirklich kam, dann erst ein gutes Stück jenseits des Polarkreises. Und er konnte sehen, wie unruhig und verzweifelt sie war und wie sehr sie sich bemühte, das zu verbergen.

»Ich gebe Ihnen viertausend Pfund«, sagte sie.

Er hätte es auch ohne Geld getan. »Ich nehme Sie bis zur Raststätte kurz vor dem Polarkreis mit.«

»Danke.« Sie lächelte, ein warmes, weibliches Lächeln, das für einen Moment Visha hierher an diesen kalten, schmutzigen Ort brachte.

Mum und ich sitzen im Führerhaus von Mr. Azizis Laster. Jimmy würde den Wagen lieben, auf jeden Fall würde er ihn »voll den Hammer« finden. Er ist glänzend rot und hat silberne Auspuffrohre, eine dicke lange Stupsnase und ein silbernes Lüftungsgitter-Maul, das aussieht, als würde ein Hai die Zähne fletschen. Wir sitzen total weit oben und mussten sogar eine Leiter außen am Lastwagen hochsteigen.

Auf dem Anhänger steht ein Fertighaus für Ölarbeiter. Mr. Azizi hat gesagt, wir wären so was Ähnliches wie eine Schildkröte mit Haus auf dem Rücken, aber hoffentlich schneller. Oder eine Riesenrennschnecke. Er spricht sehr deutlich und achtet darauf, dass er mir dabei das Gesicht zuwendet. Mum musste es ihm nicht mal erklären. Vielleicht kennt er ja jemanden, der lippenliest. Unser Haus wiegt mehrere Tonnen, aber Mr. Azizi hat gesagt, das ist gut, weil wir dann »so richtig auf der Straße kleben«. Dabei hat er eine Hand auf die andere gelegt und so getan, als wollte er sie auseinanderziehen. Er hat gesagt, Rohre sind keine gute Ladung, weil die herumhüpfen, als würden sie den Highland Fling tanzen. Das hat er auch mit den Händen nachgemacht.

Jetzt macht er eine Fahrerhausbesichtigung mit uns. Es gibt massenhaft Hebel und Schalter wie in einem Flugzeug. Über unseren Sitzen ist ein Bett, auf dem Mr. Azizis Schlafsack und unsere Koffer liegen. Mum und ich müssen uns zu zweit auf einen Sitz quetschen, aber der ist so breit, dass wir problemlos draufpassen. Allerdings gibt es nur einen Sicherheitsgurt, und den muss ich nehmen, darauf hat Mum bestanden.

Eine Klokabine gibt es auch. Aber wir werden trotzdem irgendwann anhalten müssen, weil ich nie und nimmer diese Klokabine benutzen werde. Außerdem haben wir ein CB-Funkgerät. Mr. Azizi sagt, das haben alle Laster, weil die Straße, die wir nehmen, ziemlich schmal wird und es keine Straßenlampen gibt. Deshalb muss man den anderen Fahrern durchgeben, wo man gerade ist, damit man sich nicht gegenseitig reinfährt.

Yasmin war froh, dass sie bei jemandem mitfuhren, der einen vernünftigen und umsichtigen Eindruck machte und sicherlich verantwortungsvoll fahren würde. Sie betrachtete die Landkarte, die Adeeb ihr gereicht hatte. Er hatte allerdings betont, dass sie für Touristen im Sommer gedacht war, nicht für Trucker im Winter. Es gab nur eine Überlandstraße von Fairbanks nach Deadhorse, den Elliot Highway, der später zum Dalton Highway wurde. Auf der Karte war sogar Anaktue eingezeichnet, es lag fast sechshundert Kilometer von Fairbanks entfernt und fünfzig Kilometer östlich des Dalton Highway. Sie hatte gehofft, es gäbe eine kleinere Straße, die vom Dalton Highway nach Anaktue abzweigte, aber da war nichts, nicht einmal ein Wanderweg. Es gab also keine Möglichkeit, das Dorf über Land zu erreichen. Sie würden wie geplant von Deadhorse aus einen Taxiflieger nehmen müssen.

OMG! Der Laster hat einen Satellitenempfänger! Und Mr. Azizi schließt mein Notebook daran an! Ich sage eigentlich nie »OMG!«, obwohl es total leicht zu buchstabieren ist, weil ich keine Worte mag, die aus Großbuchstaben bestehen und die man mit Ausrufezeichen schreiben muss. Ich sehe total blöd aus, wenn ich ein Großschreib-Gesicht mache. Dad sagt, mit der Stimme ist das leichter, da muss man nur quietschig klingen, wie Teenagermädels, die benutzen diesen Ausdruck auch am häufigsten. Wenn er »quietschig« sagt, frage ich: »Wie Fingernägel auf einer Tafel?« Und er sagt: »Volltreffer.« Das quietschige Geräusch kann ich zwar nicht hören, aber das Iiiieh-Gefühl merke ich auch. Der Satellitenempfänger ist nicht auf quietschige Art »OMG!«, sondern auf coole Art, denn jetzt kann Dad mir zurückmailen, sogar wenn wir kein Handynetz und WLAN mehr haben.

Mr. Azizi sagt, wenn wir aus Fairbanks raus sind, wird es so richtig dunkel werden. Er zeigt mir eine kleine Lampe, die Mum und ich anschalten können, wenn wir miteinander reden wollen, damit ich ihre Hände und Lippen sehen kann.

Ein Wort, das Jimmy und ich mal ganz toll fanden, war »superb«. Es sieht ganz ähnlich aus wie »super«, ist aber viel cooler. Eine Woche lang haben wir aus Spaß alles Mögliche als superb bezeichnet. Dabei finde ich, dass eigentlich nur ganz weniges auf der Welt es verdient hat, superb genannt zu werden, aber Mr. Azizi gehört definitiv dazu. Der superbe Mr. Azizi!

Ich würde Mum gerne bitten, ihm in meinem Namen zu danken, aber sie würde nur wollen, dass ich es selber tue (»Benutz deine Stimme, Ruby«), also lächle ich Mr. Azizi dankbar an, und er versteht es, denn er lächelt zurück und zuckt »Nichts zu danken«-mäßig die Schultern.

Bevor wir losfahren, steigt er aus dem Laster, um noch einmal alles zu überprüfen. Mum schaut ihm durch die Windschutzscheibe zu. Sie ist so angespannt wie ein Windhund vor dem Start eines Rennens, wenn alle Muskeln bereit sind, jeden Moment mit hundertfünfzig Sachen dem Pseudo-Hasen nachzujagen. Ich glaube, sie hat Angst, dass Mr. Azizi es sich noch mal anders überlegen könnte.

Aber ich bin mir sicher, das wird er nicht. Er hat etwas Ruhiges, Bestimmtes an sich, als würde er alles halten, was er einmal versprochen hat. Mum ist auch so, aber nicht auf so ruhige Art. Um zu wissen, dass sie so ist, muss man sie total lange kennen.

Im grellen Flutlicht des Hofs beobachtete Adeeb einen Mann, der sich jeden Lastwagen genau anschaute, als suche er jemanden oder etwas. Es war dieser Silesian Stennet. Trotz der Kälte trug er keine Mütze, sein blondes Haar glitzerte im grellen Kunstlicht, und er trug eine Kiste mit sich herum. Adeeb hatte schon öfter gesehen, wie er sich daraufstellte, um auf Trucker einzureden, die hoch in ihrem Fahrerhaus saßen. Er war sich nicht sicher, warum Silesian Stennet ihm so zuwider war, und er hatte ein schlechtes Gewissen deswegen. Eigentlich war es bewundernswert, dass der Mann immer wieder herkam und die Fahrer der Tanklaster vor ihrer Fracht aus den Fracking-Bohrungen warnte. Zum Dank bekam er regelmäßig wüste Beschimpfungen. Alle Fahrer fanden ihn unangenehm, vielleicht war das der Grund, warum sie sich über ihn lustig machten.

Adeeb wandte sich von Stennet ab und überprüfte den Satellitenempfänger, der aufs Fahrerhaus geschraubt war. Der Vorbesitzer seines Sattelzugs hatte ihn angebracht und Adeeb gegenüber behauptet, er sei für Schiffe konzipiert und habe an jedem Ort der Erde Empfang. Auch sein Satellitentelefon hatte er ihm überlassen. Adeeb hatte den teuren Vertrag nicht beibehalten wollen, aber Visha hatte ihn dazu gezwungen. In Nordalaska gab es über Hunderte von Kilometern weder Handynetze noch WLAN. Sie sagte, sie wolle sicher sein können, dass es ihm gut ging. Und nein, sie rege sich nicht künstlich auf. Sie hatte dagestanden und die Hände in die Hüften gestemmt – bereit, jegliche Widerworte im Keim zu ersticken. Er hatte ihr den Arm um die Schultern gelegt, was bei ihren noch in die Hüften gestemmten hübschen Händen gar nicht so leicht war.

»Ich bin fit wie ein Turnschuh, mir wird schon nichts passieren«, hatte er gesagt. (Seine Mutter, die ihm Englisch beigebracht hatte, liebte Redensarten.)

»Dann will ich sicher sein können, dass du jeden Tag fit wie ein Turnschuh bist und keine Probleme hast«, hatte Visha geantwortet.

Also rief er jeden Abend vom Satellitentelefon aus zu Hause an, nur ganz kurz, um Visha zu beruhigen und den Jungen eine gute Nacht zu wünschen. Im hohen Norden half ihm das dabei, Tag und Nacht zu unterscheiden. Es war wie eine Bestätigung, dass der Tag-Nacht-Rhythmus irgendwo noch existierte.

Ehe er zurück ins Fahrerhaus stieg, prüfte er ein letztes Mal Schneeketten, Ersatzreifen und Wagenheber sowie das Werkzeug, um Schläuche, Leitungen und Filter zu reparieren. Heute war er nicht der afghanische Flüchtling mittleren Alters mit beginnender Arteriosklerose, sondern Amundsen vor dem Aufbruch zum Nordpol. Er ahnte, dass die Spezialwerkzeuge, die Leuchtraketen, der Erste-Hilfe-Koffer, dass all das völlig unzureichend war für das, was Nordalaska ihnen in den Weg stellen konnte. Aber er würde Yasmin und Ruby nur bis zum Polarkreis mitnehmen, keinen Meter weiter, egal was sie in Wahrheit dorthin treiben mochte.

Mum hat sich ein bisschen von mir abgewandt, wie immer, wenn wir Einundzwanzig spielen und sie ihren Gesichtsausdruck verbergen will, damit Dad und ich denken, sie hätte vielleicht ein Ass und einen König. Ich kann ihre Augen nicht sehen, an denen ich normalerweise erkenne, wie es ihr geht. Ich berühre sanft ihren Arm, damit sie auf mich aufmerksam wird. Ihre Augen sind wie verschleiert.

»Dad hat mir mal eine Geschichte von einem Iñupiaq-Jäger auf einem Stück Treibeis erzählt«, sage ich, weil ich denke, vielleicht wird die Geschichte sie aufheitern.

Sie sagt mit ihrem Mund: »Kannst du sie mir mit deiner Stimme erzählen?«

Normalerweise würde ich mich jetzt von ihr wegdrehen, damit ich ihre Lippen nicht mehr sehe. Dann würde sie sich weiter zu mir herüberbeugen, und wir würden eine Art Katz-und-Maus-Spiel umeinander herum veranstalten. Aber in Mr. Azizis Laster geht das nicht.

»Ich benutze doch meine Stimme«, sage ich mit meinen Händen. Sie schüttelt nur den Kopf, als würde ich sie traurig machen.

Das Komische ist, dass Mum sonst alles verstehen kann. Sie ist lieb und lustig und einfach supercool. Manchmal, wenn ich in der Schule traurig bin, denke ich an sie, und allein der Gedanke an sie ist so, als würde sie mich umarmen. Aber in ihr ist etwas kleines Hartes, wie ein Kieselstein in einem Schneeball. Und das ist schlimm, denn genau das in ihr, was hart ist, ist etwas, was mir total viel ausmacht.

Schade. Die Geschichte hätte ihr bestimmt gefallen.

Ich spähe durch die Windschutzscheibe, ob Dad zu sehen ist, als könnte er plötzlich einfach draußen stehen. Ich weiß, das ist dämlich, wir sind ja noch gar nicht aus Fairbanks raus, wir haben nicht mal diesen Hof verlassen, deshalb ist es viel zu früh, nach ihm Ausschau zu halten. Außerdem ist er in Anaktue und wartet dort auf uns. Ich wünsche mir aber so sehr, ihn zu sehen.

Mr. Azizi will auf die Straße hinausfahren, aber es kommen massenhaft andere Laster herein, und wir können nicht an ihnen vorbei. Auf den meisten steht »Am-Fuels« oder »FBF«, was laut dem Mann am Flughafen »Fracken, Baby, Fracken« heißt, aber Mum meinte, das wäre nur ein Witz gewesen. Manche der Laster haben ein Haus geladen wie unserer. Mum stellt Mr. Azizi Fragen, zum Beispiel, wie er verhindert, dass der Treibstoff gefriert. Ich versuche nicht mal, seine Antworten zu lesen, weil ich mir ziemlich sicher bin, dass wir das noch nicht in Naturkunde hatten. Letzte Woche haben wir Milchzähne in Cola gelegt, um zu schauen, was passiert (die Zähne haben wir von den Zweitklässlern nach dem Besuch der Zahnfee gekriegt, weil die meisten von uns Sechstklässlern keine Milchzähne mehr haben). Also wende ich mich ab und halte wieder Ausschau nach Dad.

Plötzlich steht vor meinem Fenster der Schleimklumpen-Mann, ganz dicht vor der Scheibe. Er muss auf irgendetwas draufstehen, weil sein Gesicht so nah an meinem ist. Ich kann aber trotzdem oben auf seinen Kopf sehen. Neben seinem Scheitel ist auf beiden Seiten ein ekliger grauer Streifen, wie ein Rattenfell. Ich versuche zurückzuweichen, aber das geht nur ein bisschen, weil ich angeschnallt bin und Mum neben mir sitzt.

Mum hat ihn noch gar nicht bemerkt, weil sie sich wieder weggedreht hat, wahrscheinlich, um ihre verschleierten Augen vor mir zu verstecken.

Der Schleimklumpen zieht seine dicken Handschuhe aus, aber warum, es ist doch so kalt? Er hält mir eine bloße Handfläche hin und legt zwei Finger hinein. Das heißt »Mummy« – und zwar ist es *mein* Zeichen für sie.

Mr. Azizi hat ihn auch noch nicht bemerkt, weil er geradeaus schaut und darauf wartet, auf die Straße rausfahren zu können.

Der Schleimklumpen bewegt seine Finger langsam um sein Gesicht herum, das heißt »schön«.

Seine dicken Hände müssen schon ziemlich kalt sein, denn sie haben Flecken wie eklige blau-lila Quallen. Er gebärdet: »Ich will deine Mum sprechen.« Mit einem seiner ekligen Finger zeigt er auf sie.

Jetzt ist eine Lücke im Verkehr, und Mr. Azizi fährt raus auf die Straße. Der Schleimklumpen rennt uns nach, aber der kriegt uns nie.

Ich weiß nicht, ob ich es Mum erzählen soll. Ich berühre sie am Arm, und sie dreht sich zu mir um. Ihre Augen sind verschleiert, genau wie ich dachte. Ich will nicht, dass Mum noch angespannter wird. Und wir werden ihn ja nie wiedersehen. Er ist schon meilenweit von uns weg.

@Words_No_Sounds
651 *Follower*
UNHEIMLICH: Sieht aus wie Hände, die sich in Quallen verwandeln, schmeckt wie Kuchen, der lebendig ist, fühlt sich zu nah an.

5

Es war unfassbar dunkel. Yasmins Augen waren unfähig, in der Schwärze irgendetwas zu erkennen. Über sechs Stunden waren sie nun schon unterwegs. Längst hatte sie es aufgegeben, nach den Lichthöfen Ausschau zu halten, die normalerweise ferne Städte oder Dörfer umgeben, denn hier gab es keine Städte oder Dörfer. Wolken hüllten die Erde ein wie ein Mantel, deshalb schienen weder Mond noch Sterne. Nichts durchdrang die bleierne Finsternis außer den Scheinwerfern des Sattelzugs. Adeeb hatte gesagt, sie leuchteten sechshundert Meter weit. Yasmin kamen sie vor wie ein Suchstrahl über einem gigantischen schwarzen Ozean, in dem eine einzelne Person völlig unterging.

Als Kind hatte sie schreckliche Angst vor der Dunkelheit gehabt. Manchmal so sehr, dass sie keine Luft mehr bekam. Die Angst hing mit diesem Gefühl des An-den-Rand-geschleudert-Werdens zusammen, dieser Leere im Zentrum ihres Lebens, wo einst ihre Mutter gewesen war.

Ihre Brüder und ihr Vater hatten sie für furchtlos gehalten. Es hatte ihnen gefallen, wenn sie Streitigkeiten mit den Fäusten ausfocht, wenn sie Kratzer und Prellungen mit nach Hause brachte. »Die Kleine hat echt Mumm«, hatten sie gesagt. Es war ihr Versuch gewesen, sich in die rein männliche Familie einzufügen. Aber körperlich furchtlos zu sein war einfach, denn was hatte sie noch zu befürchten, seit ihre Mutter tot war? Es war ein Februarabend um acht Uhr gewesen, als sie das Krankenhaus verließen. Sie hatte wieder aus dem Auto steigen wollen, aber ihr Vater hatte die Kindersicherung eingestellt. Der Metallgriff schnitt ihr in die Hände, es stank nach altem Imbissessen, kaltem Rauch, ihre zwölfjährigen Arme in der billigen Fleecejacke waren zu schwach gewesen, um die Tür mit Gewalt zu öffnen, und sie konnte Mum nicht retten. Sie hatte nicht verhindern können, dass man ihre Mutter in eine finstere Kiste legte und sie zunagelte.

Finsternis – das bedeutete Tod und Trauer. Aber sie hatte ihre Angst vor allen verborgen und ihre nächtlichen Qualen allein ertragen.

Und dann, eines Nachts, zehn Monate nach dem Tod ihrer Mutter, hatte sie die Jalousien hochgezogen und ins Dunkel hinausgespäht, hatte sich ihren Dämonen gestellt, entschlossen, der Furcht ins Auge zu blicken – und hatte Sterne gesehen, Tausende winziger himmlischer Nachtlichter.

Ihre restliche Kindheit hindurch hatten die Sterne sie getröstet, nicht nur, weil sie im Dunkeln leuchteten, sondern weil sie sich bei ihrem Anblick weit weg denken konnte. Als gäbe es Trauer und Schmerz nur in ihrer Wohnung, ihrer Straße und all den Orten, an denen sie mit ihrer Mutter gewesen war oder die sie mit ihr zusammen im Fernsehen gesehen hatte, und wenn sie sich nur weit genug weg dachte, könnte die Trauer ihr nicht folgen.

Aus dem Trost, den sie aus den Sternen schöpfte, war intellektuelle Faszination geworden, und das Studium hatte diese Faszination nicht gemindert – ganz im Gegenteil.

Die Straße war gruselig, ein endloser Streifen Eis durch die Finsternis, aber bisher nicht annähernd so gefährlich, wie sie befürchtet hatte.

Sie spürte, wie Ruby sich an sie drückte, und legte den Arm um sie. Es war nicht nur die Liebe zu Matt, die sie zu dieser Suche antrieb, sondern auch die Liebe zu ihrer Tochter. Schon die Vorstellung war unerträglich, dass auch Ruby diese entsetzliche Leere verspüren sollte, ein Elternteil verloren zu haben, diese schreckliche, gnadenlose Trauer.

Sie dachte daran zurück, wie sie sich auf der Polizeistation Matts Ehering übergestreift und gewusst hatte, dass er am Leben sein musste, nicht nur wegen ihrer Liebe zu ihm, sondern Rubys wegen, die dort im Nebenzimmer saß.

Die Straße besteht ganz und gar aus Eis, wir fahren auf Eis! Ehrlich, ich schwör's! Im Licht unserer Scheinwerfer ist sie ganz weiß vom Schnee. Abgesehen von unseren Scheinwerfern ist es dunkel. Als würden wir Geisterbahn fahren, ohne das Ende des Tunnels zu sehen.

Mr. Azizi hat gesagt, im Winter werden riesige Mengen Wasser auf die alte Schotterstraße geleitet, damit sie gefriert. Er sagt, Eis ist das Einzige, was unter dem Gewicht der großen Laster nicht bricht, weil Eis sehr, sehr hart ist. Er wollte wohl, dass ich mich sicher fühle, aber etwas in seinem Gesicht hat mir verraten, dass ihm das mit dem Eis eigentlich eher unheimlich ist. Er hat es mir in Fairbanks erzählt, als ich seine Lippen noch lesen konnte.

Dad hat immer noch nicht gemailt. Natürlich ist es gar nicht leicht für ihn, seine Mails zu checken. Sein Satellitenempfänger ist viel schwieriger zu benutzen als der von Mr. Azizi, weil man ihn mit sich herumtragen kann.

In vier Wochen ist Weihnachten, und da werden Mum und ich immer noch bei Dad sein. Er und ich werden zusammen einen Blog über all die Tiere und Vögel schreiben, die wir sehen – einewocheinalaskablog.com. Dad hat mir eine spezielle Hülle für mein Notebook besorgt, damit es auch bei Kälte funktioniert. Ich hab es gerade in die Hülle geschoben, weil ich denke, sobald wir alle zusammen sind, sollten wir mit dem Blog anfangen.

Adeeb blickte in den Rückspiegel. Auf den letzten etwa zwanzig Kilometern hatte er im Dunkeln hinter sich immer wieder das Licht zweier blauer Scheinwerfer aufblitzen sehen, wie zwei Azur-Jungfernfische. Xenonlichter waren ein seltener Anblick auf dem Dalton Highway. Der Jungfernfisch-Truck schien ihm zu folgen, beschleunigte oder verlangsamte immer dann, wenn er selbst es tat. Es kam vor, dass sich ein Anfänger hinter ihn hängte, um sich seine Fahrweise abzuschauen und damit Adeeb im Fall der Fälle in der Nähe wäre. Aber das hier war kein Anfänger. Es konnte auch kein Freund sein, der ihm Gesellschaft leistete, damit man sich gegenseitig im Blick behielt. Adeeb hatte den Ruf, sich abseits zu halten – ein Ruf, den man ihm eher angedichtet hatte, als dass er auf Tatsachen beruhte. Als Einzelgänger abgestempelt, fühlte er sich auf seinen Fahrten nach Norden nur noch einsamer.

In ein paar Minuten würden sie das erste steile Gefälle erreichen, und er packte das Steuer fester, als wollte er sich daran festhalten, statt damit zu lenken. Er fürchtete sich vor dem schwierigen Gelände und vor dem Eis.

Vor dem Unfall seines Freundes Saaib hatte er Eis für genauso zerbrechlich gehalten wie Glas, als könnte es allein aus dem Grund nicht hart sein, weil es so durchsichtig war. Er hatte sich gefragt, wie es möglich sein sollte, dass Eis das Gewicht eines Lastwagens trug.

Saaib, den es nach England verschlagen hatte, fand Arbeit in der Gießhalle einer Glasfabrik. Er berichtete, dass der Raum riesig sei und einen völlig glatten Boden habe. Mit Hilfe einer speziellen Maschine wurde geschmolzenes Glas daraufgekippt. Beim Abkühlen verfestigte es sich auf dem absolut ebenen Boden zu einem absolut ebenen Blatt, das dann in kleinere Stücke geschnitten wurde. Doch eines Tages war etwas mit der Maschine nicht in Ordnung gewesen. Viel zu viel geschmolzenes Glas verbreitete sich viel zu schnell im Raum, schwappte zu Fenstern und Türen hinaus und ließ alles, was es berührte, in Flammen aufgehen. Nur der glatte Boden, der aus Marmor bestand, konnte der Hitze standhalten. Die Büros und Nebenräume wurden vom Feuer zerstört, und Saaib erlitt schwere Verbrennungen. Seither waren Glas und Eis für Adeeb nicht nur hart, sondern geradezu grausam, ja mörderisch. Dass sie so durchsichtig waren, täuschte nur über ihre Gnadenlosigkeit hinweg.

Yasmin presste die Lippen aufeinander, um nicht aufzuschreien. Ruby durfte nichts von ihrem Entsetzen bemerken. Der Sattelzug stürzte sich steil in die Finsternis hinab. Sie sah, wie Adeeb das Differenzialgetriebe der Hinterachse entsperrte, um beiden Rädern das maximale Drehmoment zu verleihen, aber das konnte nicht funktionieren, weil sie viel zu schnell den steilen Hang hinunterrasten. Bestimmt waren sie viel zu schnell. Dann erreichten sie die Sohle, und der Schwung trieb sie den gegenüberliegenden Hang hinauf, bis ganz auf die Kuppe. Sie zitterte vom Adrenalin, das durch ihren Körper schoss.

Yasmin wandte sich zu Ruby. Die lächelte sie an, ohne ein Anzeichen von Angst, als wäre das alles nur ein Abenteuer. Sie freute sich auf ihren Dad, freute sich über die spannende Straße, ohne zu begreifen, wie gefährlich das Ganze war, denn wie könnte die Mutter, die sie zwang, täglich fünf Portionen Obst und Gemüse zu essen, und sich den Hausaufgabenplan an den Kühlschrank geheftet hatte, sie jemals echter Gefahr aussetzen?

»Tut mir leid, wenn Sie erschrocken sind«, sagte Adeeb zu ihr. »Ich musste so schnell fahren, um auf dieser Seite wieder hochzukommen. Zu langsames Fahren ist genauso gefährlich wie zu schnelles. Ich hätte Sie warnen sollen. Ich hätte Sie noch in Fairbanks vor dieser ganzen Straße warnen sollen. Nur erinnere ich mich manchmal gar nicht daran, wie schlimm sie ist, bis ich die Strecke wieder fahre.«

»Nein, schon gut, ich wollte ja, dass Sie uns mitnehmen.«

»Möchten Sie lieber zurück? Ich würde Sie zurückbringen.«

Das Thermometer im Fahrerhaus zeigte minus vierundzwanzig Grad Außentemperatur an – schon deutlich kälter als in Fairbanks. In Anaktue betrug die Temperatur im Winter durchschnittlich minus dreißig Grad und konnte auf bis zu minus fünfzig fallen, die Windkühlung nicht eingerechnet. Diese Straße war gefährlich, das wusste sie jetzt und hätte sich sehnlich gewünscht, Ruby wäre irgendwo in Sicherheit. Aber wenn sie Matt allein ließ, würde nicht nur das Risiko bestehen, dass ihm etwas passierte, sondern er würde hundertprozentig sterben, ohne jede Fehlertoleranz.

»Nein. Ich will weiter.«

Ich denke ständig, gleich rutschen wir, und packe Mum am Arm wie in der Achterbahn. In unserem Scheinwerferlicht sieht man die gigantische Pipeline, die neben der Straße entlangführt. Sie sieht aus wie eine schwarze Ader in einem weißen Körper, und darin strömt schmieriges warmes Öl.

Ich sitze an Mum gekuschelt da, und sie hält mich im Arm. Das fühlt sich richtig gut an. Normalerweise mache ich das nicht, weil ich schon dafür übe, elf zu sein und erwachsen zu werden und auf die neue Schule zu gehen. Ich wünschte, sie würde Mr. Azizi sagen, dass wir den ganzen Weg nach Deadhorse mitfahren wollen. Ich bin mir sicher, er würde Ja sagen, und dann würde sie nicht mehr so besorgt aussehen. Wenn ich jetzt einschlafe, sind wir beim Aufwachen hoffentlich schon ganz in der Nähe von Dad.

Während Adeeb den Laster um Haarnadelkurven lenkte und Steilhänge hinuntersteuerte, die eher Skiabfahrten glichen als einer Straße, konzentrierte sich Yasmin auf die Radachsen, die Druckluftbremse, darauf, wie das Getriebe die Räder so antrieb, dass jedes so viel Drehmoment erhielt, wie die Straße erlaubte. Den Mechanikteil der Physik hatte sie nie besonders gemocht, aber hier draußen, in diesem Lastwagen, war sie froh, dass sie begriff, wie Adeeb die Kontrolle behielt, weil sie dadurch den Trost hatte, dass Ruby zumindest im Augenblick sicher war.

Ruby war eingeschlafen, erschöpft von dem langen

Flug, dem Schock bei der Ankunft und der fieberhaften Suche nach einer Möglichkeit, zu ihrem Dad zu gelangen. Kein Wunder, dass sie am Ende ihrer Kräfte war. Ihr Kopf sank leicht zur Seite, und ihre Augenlider flatterten noch einmal, bevor sie endgültig einschlummerte. Yasmin strich ihr übers Haar und stützte ihren Kopf. Sollte die Gefahr dieser Reise für Ruby zu groß werden, würde sie Adeeb bitten müssen, umzukehren oder ihnen eine Mitfahrgelegenheit in einem entgegenkommenden Lastwagen zu besorgen. Aber noch war sie entschlossen, weiterzufahren. Während ihre Tochter schlief, bemühte sich Yasmin weiterhin vergeblich, die Finsternis der unendlichen Landschaft jenseits der weißen Straße zu durchdringen.

Die riesigen Dimensionen Alaskas wirkten furchterregend auf Adeeb: anderthalb Millionen Quadratkilometer, und das einzige Anzeichen von Zivilisation, das man durch die Windschutzscheibe sah, waren die Straße aus Eis und die daneben verlaufende Transalaska-Pipeline. Beide mochten Wunderwerke der Technik sein, aber sie hatten weder etwas Menschliches noch etwas Vertrauenerweckendes an sich.

Zu Beginn ihrer Fahrt hatten Yasmin und er sich über mechanische Details seines Sattelzugs unterhalten. Sie hatte erzählt, dass sie in ihrem Physikstudium etwas Mechanik gelernt, das Fach aber nicht genauer vertieft habe, da sie sich auf Astrophysik spezialisiert hätte. Eine Frau, die Astrophysik studiert, dachte Adeeb – so konnte man Freiheit auch definieren.

Aber sie hatten sich nicht *richtig* unterhalten. Nicht über das, was ihr solche Sorgen machte, was sie dazu gebracht hatte, ihn anzulügen und ein Kind mitten im Winter mit zum Polarkreis zu nehmen. Offenbar wollte sie darüber nicht reden, und es war nichts, was er sie einfach fragen konnte. Hoffentlich würde er ihr helfen können, wenn sie ihn darum bat.

Im Licht seiner Scheinwerfer wurden am Straßenrand fünf kleine Fichten sichtbar, weiß von Schnee und Eis. Die Bäume waren über hundert Jahre alt, aber kaum einen Meter hoch. Es war eine brutale Umgebung für jede Vegetation, und noch weiter nördlich gab es überhaupt keine Bäume mehr. Nach seiner ersten Fahrt nach Deadhorse und zu den Bohrungen in Prudhoe Bay hatte er ein Buch über Nordalaska gelesen – in der Hoffnung, dass mehr Wissen über die Gegend sie irgendwie gefügiger, sanfter machen werde, aber das Gegenteil war eingetreten. Er wusste nun, dass ein dreißig Meter breiter Geröllstrom sich langsam der Eisstraße näherte, eine Masse aus gefrorener Erde, Felsbrocken und Zwergbäumen, die sich täglich ein paar Zentimeter voranschob, immer schneller wurde und alles vernichtete, was ihr im Weg war – als wären das Land und die Kälte nicht nur auf passive Weise feindselig, sondern unverhohlen aggressiv.

Schlimmer als die gefährliche Straße, die Kälte und Einsamkeit fand er die Abwesenheit jeglicher Farben – nichts als Schneeweiß im Lichtkegel der Scheinwerfer und ansonsten Dunkelheit. In dieser einfarbigen Landschaft sehnte er sich ebenso sehr nach Farben wie nach Wärme. Ein Gedicht fiel ihm ein, von Leyla Serahat Roshani – seine Liebe zur Poesie hatte er wie auch seine Englischkenntnisse seiner Mutter zu verdanken, die Lehrerin in der Provinz Zabul gewesen war, ehe die Taliban ihr verboten hatten zu unterrichten. Er fragte sich, ob die

Dichterin dabei einen einsamen afghanischen Trucker im Sinn gehabt hatte:

Ich verwurzele meinen Blick / fest im Spiegel / auf dass darin ein Zeichen keime / klein und grün / das die Ewigkeit / des Frühlings verkündet.

Aber hier gab es nichts Grünes, und wenn der Frühling kam, würde er kurz sein.

Die letzten fünfzig Kilometer hatte Yasmin nach vorn gestarrt, als suche sie nach etwas, und zwar mit jedem Kilometer angespannter. Er wollte ihr sagen, dass er hier draußen noch nie etwas gesehen hatte. Womöglich war er immer zu sehr auf die Straße konzentriert gewesen, aber er glaubte nicht, dass es hier etwas zu sehen gab, nichts außer einer leblosen Ödnis aus Schnee und Eis. Selbst die mörderischen Wolfsrudel, um derentwillen die Trucker geladene Waffen mit sich führten, waren vermutlich mehr Mythos als Wahrheit.

Einmal kam ihnen ein Lastwagen auf dem Weg nach Fairbanks entgegen. Kurz durchflutete das Licht der fremden Scheinwerfer das Fahrerhaus und ließ Yasmin und Ruby deutlich aus der Dunkelheit hervortreten.

Er hätte sie nicht mitnehmen sollen. Er hatte es nicht gründlich durchdacht. Er war zu selbstsüchtig gewesen, um richtig darüber nachzudenken. Jetzt erkannte er, dass ihn nicht seine Ritterlichkeit getrieben hatte, sondern der egoistische Wunsch, auf der Fahrt nicht allein zu sein. Seine Kopfschmerzen, die in Fairbanks kaum spürbar gewesen waren, wurden stärker.

Selbst der schmale Kegel Wildnis, der im Strahl der Scheinwerfer zu sehen war, reichte aus, um zu erkennen, wie erbarmungslos leer sie war. Matt hatte behauptet, er habe diese zweite Reise angetreten, um Wildtiere im Winter zu filmen. Er hatte Ruby alles Mögliche darüber erzählt. Yasmin hatte von Anfang an den Verdacht gehabt, dass er übertrieb, damit Ruby nicht ahnte, warum er in Wirklichkeit von zu Hause fortblieb. Sie hatte ihn nie zur Rede gestellt, weil es ein Schutzschirm war, der sie beide vor der schmerzlichen Realität bewahrte. Es ging dabei nicht um Corazon – von ihr hatte Yasmin damals noch gar nichts gewusst. Nein, es ging darum, dass er das Leben zu Hause lähmend langweilig fand, dass er *sie* langweilig fand, und davor floh. Da er zu anständig war, um sich formell scheiden zu lassen, und zu rücksichtsvoll, um Ruby Kummer zu bereiten, hatte er die Wildtiere Alaskas als willkommenen Vorwand benutzt. Kilometer für Kilometer hatte sich dieser Vorwand nun gedehnt, war dünner geworden und schließlich gerissen.

Sie dachte an die langen Minuten des Schweigens bei ihrem Telefonat vor acht Tagen, daran, wie lange es gedauert hatte, bis ihre zornigen Worte ihn erreichten, wie lange seine eigenen Worte für den Weg um die halbe Erde zu ihr gebraucht hatten. *Ich habe sie geküsst, weil ich dich vermisste.*

Es war so unlogisch gewesen. Aber nun war ihr zumindest klar gewesen, warum er im Winter nach Alaska zurückgekehrt war.

Fieberhaft hoffte sie, dass sie unrecht hatte. Nicht nur, weil das bedeutet hätte, dass Matt ihr – abgesehen von diesem Kuss – treu geblieben war. Das war plötzlich so unwichtig angesichts der Frage, ob er noch lebte oder tot war. Aber falls er wirklich hergekommen war, um Tiere zu filmen, bestand die Chance, dass er während des Brandes tatsächlich gerade unterwegs gewesen war, und das würde bedeuten, dass er seine Überlebensausrüstung bei sich hatte und nicht völlig schutzlos dort draußen in Kälte und Finsternis war.

Zwei Monate, nachdem sie ihm ihre Strickkunstwerke gezeigt hatte, hatte sie sich mit ihm am Bahnhof von Cambridge verabredet. Dort begrüßte sie ihn in Gummistiefeln und mit einer großen, seltsam geformten Tasche über der Schulter. Später gestand er ihr, er habe in diesem Moment schon befürchtet, dass es nicht immer unkompliziert sein würde, sie zu lieben. Sie fuhren bis zur Endstation King's Lynn und stiegen in den letzten Bus an diesem Abend um. Als einzige Passagiere gondelten sie die gewundene Küste entlang bis zum Küstendorf Cley. Er folgte ihr über den nassen Kies, hin zur aufbrüllenden und dann gleichsam atemholenden See.

»Schau«, hatte sie gesagt und nach oben gezeigt.

Er hatte in den gigantischen Himmelsdom über dem Strand von Norfolk geblickt, der aussah, als hätte jemand eine Ladung kosmischen Glitters darüber ausgekippt.

Sie nahm ein Teleskop und einen Dreifuß aus ihrer Tasche, grub die drei Beine in den Kies und stellte das Teleskop auf etwas ein.

»Und jetzt schau hindurch.«

Er hätte erwartet, dass sie ihm den Mond aus der Nähe zeigte oder einen Planeten, damit er die Ringe oder Monde erkennen konnte oder was es sonst noch gab. Auf den Anblick, der sich ihm bot, war er überhaupt nicht vorbereitet. Aus den Tausenden von Sternen, die er mit bloßem Auge hatte sehen können, waren Hunderttausende geworden, die in Wahrheit schon immer dort gewesen waren – Sterne, versteckt hinter Sternen.

Auf einer Decke auf dem unebenen Kies waren sie eingeschlafen, dicht neben dem rhythmischen Brausen und Seufzen des Meeres. Als Yasmin erwachte, dämmerte der Morgen, und die Sterne hatten sich unsichtbar gemacht. Matt war schon wach. Er legte die Hände um ihr Gesicht.

»Was ist?«, fragte sie.

»Ich kann dich sehen«, sagte er. Und sie fühlte sich wie eine Landmasse, die von einem Forschungsreisenden entdeckt wird, der sehr, sehr lange auf See war.

Ich sitze an Mum gedrückt und spüre, wie ihr Herz ganz schnell schlägt, wie bei der kleinen Spitzmaus, die Tripod mal gefangen hat (er kriegt sie immer noch, auch wenn er nur drei Beine hat). Ich weiß, sie denkt an Dad. Sie hat nicht gemerkt, dass ich wach bin, deshalb beobachte ich sie ein bisschen. Sie schaut zur Windschutzscheibe raus und beißt sich auf die Lippe, als würde sie am liebsten weinen und muss sich zusammenreißen.

Ich komme mir vor, als ob ich sie ausspioniere, deshalb bewege ich mich ein bisschen, damit sie weiß, dass ich wach bin. Sie legt den Arm ganz fest um mich.

Ich hätte nicht einschlafen sollen. Ich dachte, Mr. Azizi würde sich um Mum kümmern, aber er muss seinen Laster fahren, und er kennt Mum nicht gut genug, um zu erkennen, wie traurig sie ist – daran, dass sie Sachen macht, die sie noch nie gemacht hat, wie sich auf die Lippe zu beißen, um nicht zu weinen.

Ich glaube, sie hat Angst, dass Szenario Nummer eins zutrifft und Dad nichts dabei hat. Aber er wird schon klarkommen, das weiß ich. Seine Iñupiat-Freunde haben ihm gezeigt, wie man ein Aputiak baut, das ist eine Art Iglu. Kein großes mit Zimmern und so, sondern wie man sie auf der Jagd baut, nur vorübergehend. Ich bin sicher, er hat sich ein Aputiak gebaut und wartet dort auf uns. Er hat mir erzählt, dass es da drin richtig gemütlich ist.

»Wie denn, wenn es aus Schnee besteht?«, habe ich gefragt.

»Schnee isoliert wunderbar. Durch die vielen Lufteinschlüsse hält er die Kälte ab. Und von der eigenen Körperwärme wird es schön kuschelig darin.«

»Kuschelig?«

»Kuschelig. Und manchmal zünden sie ein Qulliq an, das ist Lampe und Heizung in einem. Es besteht aus einer Steinschüssel, in der man Tran verbrennt, und der heizt ordentlich ein. Willst du was Spannendes erfahren?«

Er weiß, dass ich immer was Spannendes erfahren will.

»Im Spätfrühling schmilzt so ein Aputiak einfach weg. Nichts bleibt übrig, keine Mulde, kein Schutthaufen, keine Grundmauern. Auch kein Müll, nicht mal ein Abfalleimer voll. Alles verschwindet einfach wieder in der Erde.«

Für manche Sachen haben wir unsere eigenen Gebärden. Für das Wort »Aputiak« nehmen wir den Buchstaben A und machen dann die Hand rund wie ein Dach. Dad hat Gebärden gelernt, als ich ein Baby war. Er sagt, damals hat er ewig gebraucht, um eine Gebärde auswendig zu lernen, aber wenn er sie mir gezeigt hat, konnte er sie in zehn Sekunden. Er sagt, statt mit dem Mund zu brabbeln wie andere Babys, hätte ich mit den Händen gebrabbelt. Wenn er das sagt, hat er immer ein Riesengrinsen im Gesicht.

Ich löse mich ein bisschen von Mum, um die Hände frei zu haben, und sage ihr, dass Dad sich ein Aputiak gebaut haben wird, was ich buchstabieren muss, weil sie Dads und meine Gebärde dafür nicht kennt. Ich zeige sie ihr und erzähle ihr, dass seine Freunde ihm das beigebracht haben und dass es darin richtig kuschelig ist. Ich glaube, das tröstet sie ein bisschen, denn sie lächelt mich an.

»Glaubst du, Bosley ist unglücklich ohne uns?«, frage ich. Die Gebärde für Bosley ist ein wackelnder Finger wie ein Schwanz. Jeder in unserer Familie weiß, dass das nur für Bosley steht.

»Ach was, keine Spur. Mrs. Forbes verwöhnt ihn sicher nach Strich und Faden«, sagt Mum.

»Hast du ihm seinen Korb mitgegeben?«

»Natürlich. Und all seine Spielzeuge.«

Um Tripod mache ich mir keine Sorgen, weil Mrs. Buxton jeden Tag vorbeikommt und ihn füttert. Mum sagt, Tripod ist wie ein Teenager, der es kaum erwarten kann, sturmfreie Bude zu haben. Es ist schön, sich vorzustellen, wie alle glücklich und zufrieden schlafen – Tripod auf dem Sofa, was er normalerweise nicht darf, Bosley in seinem Korb und Dad in seinem Aputiak.

Draußen vor dem Fenster ist der schwarze Mantel eines riesigen Zauberers, und dahinter verborgen sind all die Tiere und Vögel und Fische und Insekten. Karibus und Elche und Schneeeulen und Schneeschuhhasen und Otter, alle wach und munter, und Bären, die in ihren Höhlen überwintern, sich aber im Schlaf manchmal bewegen, und in den Flüssen sitzen unter dem Eis Frösche, ganz unten am Grund, weil es dort am wärmsten ist.

Ich weiß, ich bin komisch, weil ich Karibus und Moschusochsen mag. Tanya und ihre Clique mögen am allerliebsten Ponys, Kätzchen und kleine Hunde. Hamster und Meerschweinchen sind auch noch okay. Karibus und Nordbienen würden sie genauso komisch finden wie mich. Dabei sind die so cool! Man sollte meinen, eine Biene könnte keine Minute in der Kälte überleben, aber sie fängt dann an, mit ihren winzigen Muskeln zu zittern, um Wärme zu erzeugen, und die speichert sie in ihrem weichen Pelz. Aber meine allerliebsten Lieblingstiere sind Flussotter. Deren Babys sind jetzt etwa fünf Monate alt. Dad hat gesehen, wie sie miteinander Fangen und Verstecken gespielt haben. Das stimmt, ich schwör's!

Selbst wenn ich hören und mit dem Mund reden könnte wie Tanya und die anderen, wäre ich wahrscheinlich nicht in ihrer Clique. Ich mag keinen Glitzerlippenstift oder Modesets zum Selbstdesignen, und ich mag Flussotter lieber als Ponys.

Mum hält mich immer noch im Arm, ein bisschen zu fest, aber das macht mir nichts aus.

Ich schaue nach vorn, nicht auf die Straße, sondern an den Straßenrand, ob es da was zu sehen gibt. Ich glaube, die Nordbienen sind im Winterschlaf, aber vielleicht ist ja doch eine unterwegs und fliegt neben uns her.

Ich muss ein Geräusch von mir gegeben haben, denn Mum und Mr. Azizi schauen mich beide an. Ich zeige nach draußen. Mr. Azizi vergewissert sich, dass niemand dicht hinter uns fährt, und hält dann an, mitten auf der Straße, denn anders geht es nicht.

Ein Stück voraus, ganz am Straßenrand, glitzern der Schnee und das Eis wie verrückt, weil darauf noch niemand gefahren ist. Im Scheinwerferlicht sieht es aus wie Diamantstaub. In diesem diamantglitzernden Schnee sind zwei Flügelabdrücke, als wäre ein Engel heruntergefallen und wieder aufgestanden und hätte seine Flügelabdrücke zurückgelassen, oder vielleicht ist er auch ganz normal auf den Füßen gelandet und hat beschlossen, sich kurz im Schnee auszuruhen.

»Was ist?«, fragt Mum.

Ich forme meine Hände zu zwei Flügeln, die Gebärde für Engel. Es sieht aus, als wären meine Hände ein Spiegel für die Flügelabdrücke im Schnee. Ich lächle, damit sie sieht, dass das mit dem Engel nur ein Witz ist.

»Ich glaube, die Abdrücke kommen von einem Alpenschneehuhn.« Ich buchstabiere »Alpenschneehuhn«. Dad hat mir Bilder von welchen gezeigt, deshalb weiß ich, wie man es schreibt. Ein Alpenschneehuhn ist genauso gut wie ein Engel, sogar besser. Aber Mum kennt sich mit Alpenschneehühnern nicht aus. »Die sind total faszinierend«, erkläre ich ihr. »Sie bleiben den ganzen Winter über in Alaska. Dann werden ihre Federn weiß, damit man sie im Schnee nicht sieht.«

Jimmy würde jetzt »voll der Hammer« sagen, und das finde ich auch. Sie sind wunderschön, diese makellosen Flügelabdrücke im diamantenen Schnee im Rampenlicht von Mr. Azizis Scheinwerfern und drum herum die Dunkelheit.

Dad hat mir erzählt, dass Alpenschneehühner zum Schlafen in Schneebänke hineinfliegen, damit kein Raubtier ihre Fußabdrücke sehen kann.

@Words_No_Sounds
651 *Follower*
HAMMERWUNDERSCHÖN: einen schwarzen Fleck auf dem Fell eines Geparden berühren, ein Limonadenmeer mit sprudeligen Wellen, die Flügelabdrücke eines Alpenschneehuhns im Schnee

6

Vier Monate nach ihrem ersten Sternguckausflug an den Strand von Cley war sie mit Matt zu den Insh-Marschen bei Speyside gefahren. Es war Januar, feuchtkalt, trist und regnerisch, und sie stand neben ihm in einem Vogelbeobachtungsunterstand, der nach nassen Anoraks roch.

»Das nennt man also Twitchen?«, fragte sie.

»Oder ganz einfach Vögelbeobachten.«

»Klingt auch irgendwie pervers. Dieses spannermäßige Verstecken mit dem Fernglas vor den Augen.«

Er lachte, und dann zeigte er ihr Graugänse und Singschwäne, die in den überfluteten Marschen überwinterten. Sie war fasziniert von seiner Leidenschaft, die den nassen, ungemütlichen Ort in etwas völlig anderes verwandelte. Sie löcherte ihn mit Fragen, wollte alles wissen, wollte seine Faszination für Schnepfen, Pfeifenten, Rotschenkel und Brachvögel teilen. Sie nahmen sich vor, im Sommer wiederzukommen, um die Kiebitze zu beobachten.

»Hat dich dein Dad eigentlich auf dem Kohlfeld gefunden, wie in der alten Kindergeschichte?«, fragte er. Auf sein Drängen hin hatte er ihren Dad und ihre Brüder bereits kennengelernt.

»Nein, unterm Maulbeerbusch. Auf dem Kohlfeld wachsen nur Puppen aus Amerika.«

»Aha. Willst du mich heiraten?«

Am Straßenrand sah Yasmin im Scheinwerferlicht ein Schild: »Nur für Fahrzeuge von Soagil Energy.«

»Wohin führt diese Straße?«, fragte sie Adeeb.

»Wahrscheinlich zu einer Ölbohrung. Sie fangen jetzt an, auch im Landesinnern von Alaska zu fracken. Solche Zufahrtsstraßen sind entweder aus Schotter oder führen auf einen Fluss.«

»Einen zugefrorenen Fluss?«

»Ja. Als natürliche Eisstraße. Wobei es sein kann, dass sie noch verstärkt werden muss.«

Sie hielt Adeebs Landkarte vor das kleine Innenlicht. Die Soagil-Energy-Straße war nicht darauf verzeichnet. Vielleicht gab es nach Anaktue auch eine Flussstraße.

Da war der Fluss Alatnak, der im Süden in den Brooks Mountains entsprang und nach Norden zum Arktischen Ozean floss. Dreihundert Kilometer entfernt von der Stelle, wo sie sich jetzt befanden, schlängelte sich der Alatnak ganz nahe an die Dalton Road heran und wand sich dann etwa fünfzig Kilometer weit bis direkt nach Anaktue. Vielleicht wäre es möglich, Matt über den Fluss zu erreichen. Aber darum konnte sie Adeeb nicht bitten, noch nicht. Noch hatte sie ihm ihr wahres Ziel nicht genannt. Sie wusste nicht, wie sie ihn dazu bringen sollte, sie weiter mitzunehmen, und hatte Angst, dass er sich weigern würde – zwar freundlich und voller Mitgefühl, aber trotzdem. Dann wäre ihre letzte Chance, Matt zu erreichen, dahin.

»Also, willst du mich heiraten?«, hatte er noch einmal gefragt, um sicherzugehen, dass sie es auch wirklich gehört hatte.

»Dad müsste mich erst mal hergeben. Schließlich bin

ich sein Hab und Gut und so weiter, bis ich zu deinem Hab und Gut werde.«

»Aber er hat dich doch bloß unter einem Busch gefunden. Bitte.«

»Noch nicht«, sagte sie.

Im Rückspiegel war in der Finsternis wieder ein Aufblitzen der Jungfernfisch-Scheinwerfer zu sehen. Adeeb schaltete das Radio ein, vorgeblich, um zur vollen Stunde die Nachrichten und den Wetterbericht zu hören, aber in Wahrheit, weil es ein Klassiksender war. Bei klassischer Musik musste Adeeb immer an seine Kindheit in Zabul denken, wie er im Frühling aufs Feld neben ihrem Haus hinaussah, auf dem lauter zartrosa Mandelbäume in ordentlichen Reihen standen, wie ein blütenbesetztes Corps de ballet.

Ruby musterte ihn, und ihm fiel auf, dass er mit den Fingern auf dem Lenkrad den Takt mitschlug. »Ich denke an Blüten«, sagte er langsam und überdeutlich zu ihr. »Und ich höre Chopin.« Dann sah er wieder auf die Straße. Unter den Klängen der Musik wurde die Windschutzscheibe zu einer Linse aus rosa Blüten.

Gerade hat Mr. Azizi zu mir gesagt, dass er Chopin hört, als wäre es total klar, was er meint. Er hat mich *nicht* gefragt, ob er *ganz laut* aufdrehen soll, und er hat mich *nicht* gefragt, ob ich Schlagzeug spiele. Mr. Azizi ist wirklich superb!

Die meisten Leute denken, ich würde laute, wummernde Musik mögen, weil ich dann die Vibrationen fühle. Als müsste ich mich freuen, wenn Schall mich auf dem Weg erreicht, auf dem es eben geht. Immer drücken sie mir Trommelschlägel in die Hände und wollen, dass ich auf irgendwas eindresche (nur nicht auf sie!). Aber dass

Evelyn Glennie ein musikalisches Wunderkind ist, heißt nicht, dass ich auch eines bin, nur weil ich taub bin. Alle denken, ich würde gern Schlagzeug lernen oder Becken oder Klimperklimper-Plingplang-Glockenspiel (Jimmy hat immer gesagt, es klingt nach klimperklimper plingplang). Aber ich bin in all diesen Sachen schlecht. Bei unserem letzten Schulkonzert hab ich vor den ganzen Eltern Luftglockenspiel gespielt. Dad fand es herrlich. Selbst Mum musste sich bemühen, nicht zu grinsen, aber ich weiß, dass sie hoffte, mir würde doch irgendwann ein Schlaginstrument gefallen und ich würde ins Schulorchester gehen und mit auf Orchesterfreizeit fahren und »Teil von etwas« werden (das heißt, Teil der Hörenden, indem ich im Takt mit ihnen auf irgendwas eintrommle). »Auf was eintrommeln ist keine Integration, Mum«, hab ich zu ihr gesagt (ich hatte tausendmal von ihren Lippen gelesen, wie sie zu Dad etwas von Integration sagte). Und dann hatte ich ein schlechtes Gewissen, weil sie traurig wurde.

Ein bisschen später gab eine Harfenistin in der Schule ein Solokonzert, um »künftige Harfenisten zu inspirieren«, und weil Mum da war, hab ich während des Konzerts für kurze Zeit die Hand an die Harfe gelegt. Ich kam mir schon ein bisschen blöd vor, aber ich wollte Mum eine Freude machen. Alle anderen fanden es langweilig, scharrten mit den Füßen und zappelten auf ihren Stühlen. Nicht ein einziger künftiger Harfenist war dabei, aber ich fand es spannend. Harfe spielen, das ist wie ganz schnell flatternde Flügel, vielleicht von einem Kolibri, so schnell, dass man kaum sieht, wie sie sich bewegen, oder wie wenn man die Spitzmaus in die Hand nimmt, die Tripod gefangen hat, und diesen rasenden kleinen Herzschlag spürt und wie zerbrechlich sie ist, aber auch lebendig.

Keine harten Schläge. Wenn ich mir je ein Musikinstrument aussuchen müsste, wäre es die Harfe. Keine Ahnung, ob ich dann mit auf Orchesterfreizeit könnte, denn die Harfe passt ja nicht in den Bus.

Mum und Mr. Azizi sehen sehr starr aus. Sie konzentrieren sich auf irgendwas, aber ich glaube nicht, dass es die Musik ist, weil Mum noch nie etwas davon gesagt hat, dass sie Musik mag.

Die erste Nachrichtenmeldung betraf Anaktue. Obwohl das Radio laut genug war, beugte Yasmin sich vor, um besser zu hören.

»Bei uns im Studio ist die Gouverneurin von Alaska, Mary-Beth Jenston«, sagte die Moderatorin. »Und am Telefon habe ich Captain David Grayling, den State Trooper, der die Suche nach Überlebenden vor Ort geleitet hat.«

Die Stimme klang so neutral, dachte Yasmin. Eigentlich sollte man das dramatischer berichten, den Leuten klarmachen, dass es hier um Menschenleben ging – dass die Ehefrau eines Betroffenen zuhörte, dass in einem Schwertransport auf einer gefährlichen Straße ein Kind unterwegs war, weil es keinen sicheren Ort gab, an dem die Mutter es hätte lassen können.

»Captain Grayling, guten Abend. Gibt es schon neue Erkenntnisse zur Lage in Anaktue?«

Als ihre Mutter krank war, hatte sie das auch getan: mit ihrem überdrehten Verstand am laufenden Band die Lage kommentiert, unfähig, abzuschalten, eine Art Schutzschild aus Worten gegen ihre Emotionen.

»Leider kann ich nur bestätigen, dass bei dem Brand vierundzwanzig Menschen ums Leben kamen, darunter drei Kinder«, sagte Captain Grayling. »Einer war britischer

Staatsbürger, ein Tierfilmer. Alle Angehörigen sind inzwischen informiert.«

Yasmin bemerkte, dass Adeeb ihr einen Seitenblick zuwarf, und wurde sich erst jetzt bewusst, dass ihre Stirn und Handflächen schweißfeucht waren.

Adeeb sah Yasmins Verzweiflung und wie sehr sie versuchte, sie zu verbergen. Er stellte die Heizung niedriger.

»Ist es nicht seltsam, dass ein Brand sich so schnell ausbreitet, Captain Grayling?«, fragte die Moderatorin.

»Das Feuer erfasste einen Vorrat an Schneemobiltreibstoff und Generatordiesel, und es kam zur Explosion«, erklärte Captain Grayling. »Das führte innerhalb kürzester Zeit zu verheerender Hitzeentwicklung.«

»Aber wie konnte das Feuer überhaupt ausbrechen? Da draußen im Schnee fängt doch Diesel nicht einfach Feuer?«

»Vermutlich war die Ursache ein kleinerer Brand mit einer ersten Explosion in einem Wohnhaus. Am wahrscheinlichsten ein Gasherd oder eine Gasheizung, sei es durch Fahrlässigkeit oder einen Defekt. Dann hat das Feuer auf den Treibstoffvorrat übergegriffen.«

»Wirkt es nicht verdächtig, dass ein Brand bei minus dreißig Grad ein ganzes Dorf auslöschen konnte?«

»Nein. Wie gesagt, es ist durchaus möglich«, entgegnete Grayling. »Eine undichte Gasflasche kommt vor. Und auch, dass Brennstoffe zu nah am Haus gelagert werden. Wir haben die dringende Anweisung an alle Siedlungen in Alaska ausgegeben, dass Brennstoffvorräte mindestens zwanzig Meter von Wohnhäusern entfernt gelagert werden müssen. Ich rufe auch alle, die jetzt zuhören, dazu auf.«

»Vielen Dank, Captain Grayling. Wenn ich mich an Sie wenden darf, Gouverneurin Jenston?«

»Guten Abend. Zunächst möchte ich allen Angehörigen und Freunden der Opfer dieser schrecklichen Tragödie mein tiefes Beileid aussprechen.«

»Vielen Dank, dass Sie zu uns ins Studio gekommen sind.«

»Ich freue mich, heute Abend hier sein zu dürfen.«

»Vielleicht können Sie uns einige Fragen zu Anaktue beantworten?«, fragte die Moderatorin, weiterhin in diesem neutralen Ton. »Liegt, nein, lag Anaktue nicht in einer Zone mit immensen unterirdischen Schieferöl-Lagerstätten?«

»Ich wüsste nicht, inwiefern das hier relevant ist«, erwiderte die Gouverneurin.

»Ich habe ein geologisches Gutachten gesehen«, fuhr die Moderatorin fort. »Unter Anaktue befinden sich drei Schichten Tongestein, das ist das Gestein, dem die großen Mengen an Öl und Gas entstammen, die sich bis Prudhoe Bay und Kuparuk ziehen.«

»Es ist hier nicht meine Absicht, ein geologisches Fachgespräch zu führen, sondern den betroffenen Bürgern Alaskas mein Beileid auszusprechen.«

»War nicht eine Reihe von Unternehmen, darunter Soagil Energy, daran interessiert, im Bereich der Gemeinde Anaktue durch Fracking neue Erdölvorkommen zu erschließen?«

»Das steht in keinerlei Zusammenhang mit dieser schrecklichen Tragödie.«

»Plante nicht Soagil Energy, weniger als drei Kilometer von dem Dorf entfernt zweiundzwanzig Fracking-Bohrungen durchzuführen?«

»Das hat nichts mit …«

»Und als das Dorf sich dagegen wehrte, versuchte Soagil Energy Druck auf die Einwohner auszuüben?«, bohrte die Interviewerin weiter.

»Niemand hat Druck ausgeübt«, widersprach die Gouverneurin. »Wir haben die Entscheidung des Dorfes voll und ganz unterstützt. Wir haben großen Respekt vor den hier lebenden Iñupiat und ihrer Lebensweise und tun unser Äußerstes, um diese zu erhalten. Anders als im Rest der USA lehnen wir es ab, Menschen in Reservate zu stecken. Es ist für uns selbstverständlich, dass sie dort leben und jagen dürfen, wo sie das schon immer getan haben. Wir bieten ihnen jede mögliche Unterstützung. Es war geplant, in Anaktue neue Stromgeneratoren zu installieren, und den Dorfbewohnern waren uneingeschränkte Jagdrechte sowie Lebensmittelmarken zugestanden worden.«

»Sie sind selbst im Vorstand einer Fracking-Firma, nicht wahr?«

»Diesen Posten habe ich nach meiner Wahl aufgegeben. Aber ich bin stolz darauf, mich dort engagiert zu haben, und unterstütze diese Art der Energiegewinnung noch immer. Förderfirmen einschließlich der Fracking-Unternehmen sind keine Bösewichte, sondern bieten unseren Bürgern wertvolle Arbeitsplätze, auch den Iñupiat. Und alle Einwohner Alaskas, auch die Iñupiat, profitieren dank des Alaska Permanent Fund vom Mineralreichtum unseres Staates. Wir alle erhalten jährlich eine Dividende aus den Zinsen der Mineralaktien. Die Energieunternehmen garantieren unsere Zukunft und sorgen dafür, dass Licht und Heizung überall in Amerika funktionieren.«

»Die lag unter tausend Dollar.«

»Verzeihung?«

»Die letztjährige Dividende. Neunhundert Dollar, um genau zu sein. Nicht gerade viel im Vergleich zu den Millarden, die die Energiefirmen scheffeln. Sie haben eben von ›wir‹ gesprochen, Mrs. Jenston. Ich zitiere: ›Wir haben die

Entscheidung des Dorfes voll und ganz unterstützt.‹ Meinten Sie da sich und die Regierung oder sich und den Vorstand von Soagil Energy?«

»Wie ich schon sagte, ich bin nicht mehr im Vorstand. Aber die Förderunternehmen sind ein Segen für ganz Alaska wie für den Rest der USA.«

»Wie geht es jetzt weiter, Mrs. Jenston? Wird Soagil Energy die Genehmigung bekommen, auf dem ehemaligen Gebiet des Dorfes Fracking-Bohrungen durchzuführen?«

»Wie mir mitgeteilt wurde, wird Soagil Energy von der Erschließung der Fracking-Quellen Abstand nehmen. Aus Respekt vor den Dorfbewohnern.«

»Und die anderen Fracking-Firmen?«

»Darüber weiß ich nichts, aber ich nehme an, andere Unternehmen werden diesem Beispiel folgen. Hören Sie, wenn Sie einen Sündenbock wollen, sind Sie hier an der falschen Stelle. Die Einzigen, die im Energiegeschäft mit kriminellen Methoden arbeiten, sind die Ökoterroristen. Die haben schon absichtlich Fracking-Quellen und Kondensatbehälter sabotiert und auf die Pipeline geschossen. Nebenbei bemerkt sind durch diesen einen Schuss eine Million Liter Rohöl ausgelaufen, was beinahe zu einem ökologischen Desaster geführt hätte. Eines Tages legen sie garantiert einen Brand und versuchen ihn dem Fracking anzulasten, aber ich kann Ihnen ehrlich sagen, durch Fracking ist noch kein einziges Feuer ausgebrochen, kein einziges, selbst wenn solche Bohrungen in der Nähe von Häusern stattfanden, was in Alaska definitiv nie der Fall war.«

Mum und Mr. Azizi bewegen nicht den Mund, das heißt, sie reden nicht miteinander, aber Mr. Azizi schaut immer wieder zu ihr hinüber. Mums ganzer Körper ist konzentriert, als dürfte sie keinen Muskel bewegen, um das hören zu können, was auch immer zu hören ist. Ich glaube, es hat was mit Dad zu tun. Ich zupfe sie am Arm. Sie wendet sich mir zu.

Eine Weile sagt sie gar nichts. Ich weiß, sie fragt sich, ob sie es mir sagen soll oder nicht. Ich will, dass sie daran denkt, dass wir ein Team sind, sie und ich, und dass sie es mir sagen *muss*.

Nach den Nachrichten war der Wetterbericht gekommen, doch Yasmin hatte ihn kaum registriert.

»Im Radio wurde ein Sturm vorausgesagt«, sagte sie zu Ruby. »Es ist nur noch nicht sicher, wann er da ist.«

Es war ihr zuwider, dass sie Rubys Gehörlosigkeit ausnutzte, um ihrer Tochter die Wahrheit vorzuenthalten. Das hatten sie und Matt nie getan, hatten sich nie von ihr abgewandt, damit sie ihre Lippen nicht lesen konnte. Besser, Matt und sie schwiegen oder Ruby las etwas, was ihr vielleicht weh tat, als dass ihre Taubheit ausgenutzt wurde. Doch die Sturmwarnung war immerhin ein Teil der Wahrheit.

»Aber wir schaffen es noch vor dem Sturm bis zu Dad, oder?«, fragte Ruby.

»Ja.«

»Hast du es Mr. Azizi schon gesagt?«

»Noch nicht.«

Während des Frühstücks in dem feuchten, hellhörigen B&B in Speyside rief Russells Freundin an. Er war wegen Drogenhandels zu fünf Jahren verurteilt worden. Yasmin hatte eilig zusammengepackt und Matt gebeten, nicht mitzukommen. Es schien ihr das Einfachste und Beste.

Aber Matt war trotzdem mitgekommen. Im schwankenden Zug nach London hatte sie zum Fenster hinausgesehen, vor dem die braunen, regenüberschwemmten Felder sich zunehmend in Stadtgrau verwandelten, und seine Wärme neben sich gespürt.

Er war nicht das für sie, was man gewöhnlich unter einem Fels in der Brandung verstand. Er kam nicht mit, als sie Russell besuchte, nicht diesmal und auch nicht die vielen Male danach. Er kam auch nicht mit ihr ins Pflegeheim zu ihrem Vater. Er gab ihr keine Ratschläge oder sprach ihr Mut zu. Aber er wartete draußen auf sie, oft mit einem Teleskop im Auto, einer Flasche Wein im Kofferraum und Schlafsäcken für den Strand. Immer und immer wieder zeigte er ihr, dass ihre Vergangenheit sie nicht an einer glücklichen Zukunft hindern musste.

7

Sie überquerten den gewaltigen Yukon, der jetzt im Winter zugefroren war. Die Brücke stand auf Betonsäulen, in der Schwärze war der Grund der Schlucht nicht zu sehen. Adeeb wusste, dass man entlang des Yukon Dinosaurier-Fußabdrücke gefunden hatte, in Schlamm gepresst und versteinert. Es war leichter, sich dort in der Tiefe prähistorische Kreaturen vorzustellen als heute lebende Tiere.

Die Jungfernfisch-Scheinwerfer hinter ihm waren etwas zurückgefallen.

Ich will nicht, dass Mum noch mal etwas im Radio oder in Mr. Azizis CB-Funk hört und ich nicht mitkriege, was es ist. Deshalb schalte ich »Voice Magic« ein. So heißt es wirklich, so von wegen: Hokuspokus, plötzlich kann ich hören und sprechen! Ta-daa! Es ist ein Programm, das ich auf dem Notebook habe. Es übersetzt jemandes Mundstimme in geschriebene Worte auf meinem Bildschirm – das ist die Magie daran. Und weil der Bildschirm beleuchtet ist, kann ich sogar im Dunkeln hören. Allerdings ist es nicht immer praktisch, das Notebook mit sich rumzuschleppen. Und wenn viele Stimmen gleichzeitig da sind, funktioniert es auch nicht, weil dann alles vermischt ist. Aber bei nur einer Person ist es okay. Manchmal stelle ich mir vor, wie ich in einer dunklen Nacht mit einem Jungen zusammen bin, der mir Liebesschwüre ins Ohr flüstern will, und ich sage, Moment, und ziehe mein Notebook aus meiner gigantischen Handtasche.

Das war ein Witz! Ich hab gar keine Handtasche. Und keinen Freund. Ich bin *zehn*, und ich find's total dämlich, wenn Mädels in meinem Alter Handtaschen oder einen Freund haben.

Die Nicht-Magie daran ist, dass das Programm das, was ich tippe, in eine Maschinenstimme umwandelt. Ich mag es viel lieber, wenn die Leute lesen, was ich schreibe, also benutze ich die Maschinenstimme nur im äußersten Notfall. Als ich das Programm bekam, musste ich mir eine Stimme aussuchen, wie Mum bei ihrem Navi – erst Englisch, dann, ob du britisches oder amerikanisches Englisch willst, dann Mann oder Frau, jung oder älter (das hat Mum auf ihrem Navi nicht). Dad hat mir erklärt, dass junge Stimmen klar und ein bisschen glänzend klingen, als würde man mit einem Teelöffel auf einen Metallkessel schlagen. Mit den Jahren wird die Stimme dunkler, und bei ganz alten Leuten klingt sie brüchig, wie aus ganz dünnem Porzellan. Bei Voice Magic gibt's keine ganz alte Stimme, weil die wahrscheinlich glauben, niemand will klingen wie ganz dünnes Porzellan, aber ich fände es eigentlich cool, wie eine Ming-Vase zu klingen.

Beim Aussuchen dachte ich, es wäre witzig, wenn ich klingen würde wie ein amerikanischer Mann. Da es nicht *meine* Stimme ist, dachte ich, das würde es noch mehr betonen. Aber Mum sah total entsetzt aus, als sie sie hörte, und das wollte ich nun wirklich nicht. Also änderte ich sie in die britische Mädchenstimme.

Jimmy kenne ich, seit wir Babys waren, und er lernte ganz viele Gebärden, ohne es überhaupt zu merken. Aber egal. Als Jimmy und ich noch Freunde waren, hatten wir Lieblingsworte, wie »superb« oder auch »Schildkröte«. Wir mussten nur »Schildkröte« zueinander sagen, und schon mussten wir so lachen, dass Jimmy pupsen musste, und wir erfanden das Wort »pupslustig«. Einen Tag lang war unser Lieblingswort »vakant«. Wir bezeichneten alles als vakant – Leute, Bananen, Klorollen, Bleistiftspitzer. Jimmy meinte, das Wort »vakant« käme von diesen riesigen Vakuumstaubsaugern, die alle Staubflusen in ihren Beutel saugen. Von Mum wusste ich, dass es eigentlich von Vakuum, also Leere, kommt, aber Jimmys Erklärung mit dem Staubsaugerbeutel gefiel mir viel besser. In derselben Woche suchte ich mir die »Britisches Mädchen«-Stimme aus, und Jimmy, der außer Mum und Dad der Einzige war, dem ich sie vorspielte, sagte, die Stimme des Mädchens klinge irgendwie vakant. Also denke ich jedes Mal, wenn ich die Maschine benutze, dass ich wie ein Staubsaugerbeutel klinge.

Aber ich will Mr. Azizi danken, dass er uns mitgenommen hat, und Mum kann ich nicht darum bitten, es zu tun, weil sie nur sagen würde: »Benutz deine Stimme, Ruby«, und damit meint sie meinen Mund, und das ist noch schlimmer als die Voice-Magic-Stimme. Außerdem will ich ihn bitten, dass er uns bis nach Deadhorse mitnimmt. Ich bin mir sicher, er wird Ja sagen, und dann wird Mum nicht mehr so besorgt sein.

Während des Interviews über Anaktue hatte Adeeb in der Enge der Fahrerkabine deutlich Yasmins Anspannung gespürt. Dass sie mit einem Dorfbewohner bekannt oder gar verwandt war, hielt er kaum für möglich, aber dieser britische Tierfilmer würde viel erklären. Er hatte zu Beginn der Reise die beiden Eheringe an ihrem Finger bemerkt und angenommen, dass ihr Mann tot war. Von Anaktue hatte er bis zu diesem Zeitpunkt noch nie gehört, aber offenbar lag es in der Nähe des Polarkreises. Vielleicht waren sie und Ruby auf einer Art Pilgerfahrt zu dem Ort, wo er gestorben war.

Da hörte er eine seltsam elektronisch klingende Stimme. »Danke, dass Sie uns mitnehmen.« Er schielte zu Ruby hinüber und sah, dass sie auf dem Notebook tippte.

»Es ist mir ein Vergnügen«, antwortete er sehr deutlich und sah, dass seine Worte schriftlich auf ihrem Bildschirm erschienen.

»Und danke, dass Sie mein Notebook mit Ihrem Satellitenempfänger verbunden haben.«

Er sollte die Gebärdensprache lernen. Eigentlich sollten das alle Menschen. Dann gäbe es auch keine fremden Akzente mehr, die einen als anders abstempelten, und wenn man sich vor Beschimpfungen schützen wollte, müsste man nur die Augen schließen oder sich abwenden. Und wenn jeder sich durch Gebärden verständigen würde, auch er, bräuchte dieses wunderbare kleine Mädchen nicht irgendeine fremde Stimme, die für sie sprach, sondern könnte das mit den eigenen Händen tun. Wobei er zugegebenermaßen während der Fahrt schlecht hinschauen könnte, wie sie gebärdete, oder gar zurückgebärden könnte.

»Denn jetzt kann Dad mir zurückmailen«, sagte die elektronische Stimme, und er sah, wie Ruby ihn strahlend anlächelte.

Also musste ihr Vater am Leben sein – es war wohl doch nicht der britische Filmemacher. Aber jetzt gebärdeten Yasmin und Ruby untereinander, beiden merkte man ihre Unruhe an, und Ruby wirkte zunehmend bedrückter.

Im Radio kam wieder klassische Musik. Er tippte den Rhythmus auf dem Lenkrad mit, um zu zeigen, dass er ihren Austausch nicht mitbekam. Nach etwa zehn Takten endete die stumme Diskussion. Ruby sah unglücklich aus und Yasmin noch angespannter als zuvor. Und zudem erschöpft.

»Möchten Sie ein bisschen schlafen?«, fragte er. »Jetzt kommt erst mal eine relativ gute Strecke. Ich wecke Sie, wenn wir uns dem Rasthof nähern.«

Ein Blickwechsel zwischen Mutter und Kind, ohne Gebärden.

»Danke«, sagte sie. Er war sich ziemlich sicher, dass sie danach die Augen schloss, also versuchte er nicht, ihr Fragen zu stellen.

»Soll ich dir was über Alaska erzählen?«, fragte er Ruby. Seine Worte erschienen als Schrift auf ihrem Bildschirm.

»Ja«, kam die merkwürdige Stimme zurück.

»Die Amerikaner haben Alaska von den Russen gekauft.«

»Wie viel hat es gekostet?«

»Sieben Dollar und zweiundzwanzig Cent pro Morgen Land.«

»Das ist nicht viel.«

»Nein.«

Halt doch nicht jeden Abend beim Essen eine Geschichtsstunde ab, hatte Visha ihn immer wieder angefleht. Aber die Jungen mochten es, und sie waren bestimmt noch nicht alt genug, um es nur über sich ergehen zu lassen, weil sie ihm eine Freude machen wollten.

»Dalton Highway ist ein langweiliger Name für diese Straße, was?«, fragte er. »Was meinst du, wie man sie hätte nennen sollen?«

»Geisterbahnstraße?«

»Geister-Achterbahn-Straße?«

»Geister-Achter-Eisbahn-Straße.«

»Perfekt. So viele gute Namen, aber sie heißt leider nach einem Mann namens James Dalton. Weißt du, was der gemacht hat?«

»Was denn?«

»Er hat um den ganzen Polarkreis Spionagesatelliten installiert, damit Amerika sofort weiß, wenn jemand reinzukommen versucht. Er dachte vermutlich an die Russen, falls die ihr Land zurück wollten.«

Sie lächelte. Das freute ihn. Aber er fragte sich, ob das der Grund war, warum Nordalaska ihm so feindselig vorkam. Es waren nicht nur die heillose Kälte, die Ödnis und Dunkelheit. Diese Gegend war Grenzland, eine Verteidigungslinie nicht mehr aus Wagenburgen, sondern aus Spionagesatelliten. Die Gouverneurin hatte Ökoterroristen erwähnt. Adeeb wusste, dass der Mann, der auf die Pipeline geschossen hatte, ein gewöhnlicher betrunkener Krimineller gewesen war, nicht mehr, aber man hatte hier auch Angst vor anderen Terroristen, Leuten, die wahrscheinlich ganz ähnlich aussahen wie er selbst. Er hatte gehört, dass es Pläne gab, entlang dem Dalton Highway Kontrollstationen einzurichten und eine Antiterror-Spezialeinheit zu stationieren, um eine der wertvollsten Infrastrukturen der USA zu schützen. Wie würden sie an diesen Kontrollstationen mit ihm, dem afghanischen Flüchtling, umgehen? Er hatte noch nie etwas Schlimmeres als einen Ballon in die Luft gehen lassen, aber würde man seinem Wort trauen? Schon lange hatte er es sich abgewöhnt, mit Rucksack oder in einer dicken Daunenjacke auf die Straße zu gehen.

»Wissen Sie, warum die Pipeline so weit oben ist?«,

fragte Ruby ihn mit Hilfe ihres Computers. Die neben ihnen verlaufende Leitung war auf hohe Pfosten montiert. Er sah sie lächeln und begriff, dass sie es genoss, mit etwas, was sie bereits wusste, den Quizmaster zu spielen. Seine Jungen waren genauso.

»Nein. Du?«

»Damit die Karibus auf ihren Wanderungen darunter durchgehen und denselben Weg benutzen können wie seit Jahrtausenden.«

Den Karibus blieben Kontrollen und Spionagesatelliten erspart, dachte er.

»Aber Dad sagt, das Fracking kann dazu führen, dass Vögel im Herbst den falschen Weg nehmen und sich verirren. Bisher weiß niemand, warum das so ist.«

»Das ist sehr traurig.«

»Ja.«

Sie starrte aus dem Fenster. Im schwachen Licht der Fahrerkabine waren ihre großen grünen Augen gerade noch zu erkennen. Sie sah so aus, als wäre sie in Trance.

»Da draußen ist es toll, nicht?«, meinte sie.

Hätte er ihre Augen nicht gesehen, er hätte gedacht, sie machte einen Witz.

»Ehrlich gesagt, ich bin nicht so wild darauf«, sagte er. Wenn es nach ihm ginge, würde er Alaska den Russen zurückgeben, und zwar umsonst. »Ich vermisse die Farben. Weißt du noch, wie ich vorhin Chopin gehört habe?«

»Ja.«

»Das hilft mir dabei, mir vorzustellen, ich wäre woanders.«

»Wo Blumen blühen?«

»Ja. Und auch an anderen Orten.« Es gelang ihm inzwischen, auch seiner neuen Heimat Oregon schöne Seiten abzugewinnen. »Bei schönem Wetter gehen wir oft in den Park, da gibt es Eichen, nicht so winzige Bäume wie hier, sondern riesige. Wenn im Sommer die Sonne untergeht, leuchten die obersten Blätter, als wären sie aus echtem Gold.«

Mum hat gesagt, ich darf Mr. Azizi nicht sagen, wohin wir wirklich wollen. Sie hat mir versprochen, es ihm selbst zu sagen, und zwar bald. Also erzähle ich ihm von meinen Bäumen, weil er mir von seinen erzählt hat.

»Wenn ich im Sommer ins Bett gehe«, sage ich über Voice Magic, »ist es noch hell. Vor meinem Fenster sind auch Bäume, sie sind ganz hoch, und ihre Zweige ragen ineinander. Die Wurzeln kann ich nicht sehen und die Spitzen auch nicht, nur die Mitte. Die Zweige haben ganz viele Blätter. Manchmal stelle ich mir vor, dass dazwischen nicht Luft ist, sondern Wasser, und ich schwimme zwischen ihnen herum, gleite durch die Sonnenflecken zwischen den Blättern.«

Bisher habe ich das mit dem Baumschwimmen noch nie jemandem erzählt, aber als Mr. Azizi von den Eichen erzählte, dachte ich, vielleicht ist es ein ähnliches Gefühl. Und es ist schön, an sie zu denken, unsere grünen Sommerbäume, weil es schon komisch ist, die ganze Zeit im Dunkeln zu sein.

Auf meinem Bildschirm erscheinen neue Worte: »Was magst du für Musik?«

Diese Frage hat mir noch *nie* jemand gestellt. Als wäre es die dümmste Frage der Welt. Vielleicht meint er Trommelmusik. Oder Glockenspiel.

»Das zweite Klavierkonzert von Rachmaninow«, sage ich. »Und Brahms und die Beatles.«

Voice Magic kennt die Namen, weil ich sie schon mal gesagt habe, aber nur zu mir selber, zu niemand anderem.

Mr. Azizi nickt. Als wäre er überhaupt nicht überrascht.

»Willst du nicht ein bisschen schlafen?«, fragt er. »Du siehst müde aus.«

Ich würde sehr, sehr gern schlafen. Der Schlaf steht wie ein Kidnapper hinter mir, der mir gleich eine schwere Decke über den Kopf stülpen und mich wegschleifen will.

»Ich passe auf deine Mum auf«, sagt er. Da nicke ich und schließe die Augen, aber ich bin zu hippelig, um einzuschlafen. Also denke ich an die erste Sinfonie von Brahms, das hilft manchmal.

Dass ich Brahms mag, liegt an Mrs. Banebury, der Lehrerin, die das Harfenkonzert organisiert hatte. Im letzten Trimester hatte ich eine Stunde ganz allein bei ihr. Sie sagte, sie hätte sich ein bisschen Gebärdensprache beigebracht, deshalb bräuchte ich keinen Schulhelfer (was ich eigentlich schon mag, weil es lustig ist, wenn zwei Erwachsene nur für mich einzelne Schülerin da sind). Mrs. Banebury muss sich wirklich Mühe gegeben haben mit der Gebärdensprache. Einiges hat sie aufgeschrieben, aber auch viel gebärdet.

Sie sagte, sie hätte gemerkt, dass mir Schlaginstrumente nicht besonders gefallen, und Luftglockenspiel wäre zwar (das schrieb sie auf) »unterhaltsam, aber keine gute musikalische Langzeitbeschäftigung«. Und dann erklärte sie mir, dass Musik nicht nur aus Rhythmus bestehe, falls mich das abschrecken sollte. Das hatte sie ganz richtig vermutet. Sie sagte, Musik bestehe aus Takt und Melodie und Harmonie und hohen und tiefen Tönen. Sie sagte, in Musik steckten Bilder und Geschichten, und jeder könne sich selbst etwas dabei denken. Sie sagte, sie würde mir ihre Bildergeschichte über Brahms' erste Sinfonie erzählen, und dann könne ich schauen, ob ich ihr meine erzählen wolle. Sie sagte, es ist ein majestätisches Stück, deshalb sieht sie dabei ein Gebirge mit Blitz und Donner darüber, wunderschön und ehrfurchtgebietend. Ob ich es auch probieren wolle?

Ich sagte, ich würde nicht Berge nehmen, sondern eine Galeere im Sturm, weil ich das aufregender finde. Und sie gebärdete: »Danke, Ruby. Von jetzt an werde ich sie mir auch so vorstellen.«

Mum sagt manchmal »groß wie eine Galeere«. Ich kenne sonst keinen, der das sagt.

Also denke ich an Brahms' erste Sinfonie und sehe diese Galeere vor mir, schwarz und gewaltig, wie sie sich durch die riesigen Wellenberge schiebt, und darüber dunkle Wolken, die aussehen wie eine Armee, die dort am Himmel alle Kräfte zusammenzieht. Ein paar Möwen sind auch da, die so fliegen, wie Möwen es eben tun: Erst jagen sie mehr oder weniger dem Schiff nach, dann steigen sie hoch in den Himmel. Die Möwen sind die hohen Noten, die von den Holzbläsern, weil Vögel manchmal auf Bäumen nisten und in der Luft wohnen.

Als wir noch Freunde waren, fragte ich Jimmy, was außer Pop seine Lieblingsmusik ist, weil er total musikalisch ist und Klavier und Cello lernt. Er sagte, Rachmaninows zweites Klavierkonzert. Er sagte, es klingt, als würde man mit silbernen Lassos den Wind einfangen. Er muss mich echt gemocht haben, dass er mir das erzählt hat.

8

Die Schneewehen reichten so weit in die Straße hinein, dass nur noch eine einzige Fahrspur übrig war. Yasmin hatte das Gefühl, als schlösse die Finsternis sich immer enger um sie. Zweimal war sie fast eingeschlafen, hatte sich aber wieder zurück in den Wachzustand gezwungen.

Sie hatte gehört, wie Adeeb Ruby das mit der Musik fragte, und war zusammengezuckt, weil es ihr unsensibel vorkam. Aber Ruby hatte geantwortet, auf dieser schrecklichen Maschine, und Yasmin hatte sich gefühlt, als hätte man ihr den Atem geraubt. Jetzt schlief Ruby, daher konnte sie sie nicht fragen, woher sie diese Musik kannte.

Seit zwei Jahren weigerte Ruby sich, jemanden ihre Stimme hören zu lassen. Sie hatte komplett aufgehört zu sprechen. Yasmin hatte alles versucht und ermahnte sie ständig, worüber sie sich selbst am meisten ärgerte. Sie war wütend, dass Matt sich für den leichten Weg entschieden hatte, Ruby »einfach in Ruhe zu lassen«. Ein Sprachtherapeut nach dem anderen hatte vor ihrem Schweigen kapituliert. Einer von ihnen hatte Ruby auf die Idee gebracht zu twittern. Jedes Mal, wenn ihre Tochter einen Tweet schrieb, durchfuhr Yasmin ein Stich der Traurigkeit, dass Ruby nur mit Fremden sprach. Wenn sie mit dem Mund sprechen könnte, würde sie Freunde finden, da war sich Yasmin sicher.

Als Rubys Hände sich zu Engelsflügeln geformt hatten, hatte das Yasmin tief berührt. Während sie nun durch diese finstere Nacht fuhr, dachte sie über die Gebärde für »morgen« nach: ein Kreis aus Daumen und Zeigefinger, der über dem Horizont des anderen Arms aufstieg. Sie erinnerte sich noch lebhaft daran, wie Ruby eines Tages sprühend vor Begeisterung von ihrer Hochbegabten-Englischstunde nach Hause gekommen war. »Heute haben wir Lautmalerei durchgenommen!«, hatte Ruby gesagt, kaum dass Yasmin sie vor dem Schultor getroffen hatte. Yasmin hatte sich gewundert, warum das Konzept von Worten, deren Klang ihrer Bedeutung entsprach, Ruby so strahlen ließ. »Gebärdensprache ist reinste Lautmalerei, Mum. Sichtbare Lautmalerei!«

Die Wahrheit dieser Erkenntnis war Yasmin durch und durch gegangen.

Aber die meisten Leute kannten die Gebärdensprache nicht. So wunderschön und lautmalerisch also die Gebärde für »Engel« war, Ruby musste lernen, das Wort mit Zunge, Gaumen und Lippen zu formen.

Yasmin wünschte sich nicht in erster Linie, dass Ruby sprach. Sie wünschte sich, dass man sie hörte.

»Alles in Ordnung?«, fragte Adeeb leise.

Er hatte also bemerkt, dass sie wach war. Auch wenn er sich aufs Fahren konzentrieren musste, hatte Yasmin den Eindruck, als schaute er sehr bewusst geradeaus und nicht zu ihr herüber.

»War Ihr Mann in Anaktue?«

Er sagte es sehr sanft. Sie spürte den Druck ihrer Lügen.

»Ja«, sagte sie.

»Der Tierfilmer?«

Rubys Programm lief noch, Adeebs Worte erschienen

als Schrift auf ihrem Bildschirm. Yasmin klappte das Notebook zu.

»Er ist nicht tot.«

Adeeb hörte die verzweifelte Heftigkeit in ihren Worten.

»Aber niemand sucht mehr nach ihm«, fuhr sie fort. »Er hat keinen Unterschlupf, weil alles verbrannt ist, allerhöchstens ein Zelt, aber vielleicht nicht mal das, und vielleicht ist er verletzt. Hier sind zweiundzwanzig Grad minus, dort ist es noch viel kälter. Ich weiß nicht, wie lange er überleben kann.«

Adeeb wusste nicht, was er sagen sollte. Der Polizist im Radio hatte gesagt, der Tierfilmer sei tot.

»Die Polizei ...«, begann er.

»Die irrt sich«, unterbrach sie ihn. »Nehmen Sie uns bis Deadhorse mit? Bitte. Dann können wir von dort ein Flugzeug nach Anaktue nehmen.«

Deadhorse war noch fast fünfhundert Kilometer entfernt.

»Je weiter nördlich, desto gefährlicher wird die Straße«, sagte er. »Nach dem Rasthof, den wir demnächst erreichen, kommt fast hundert Kilometer lang gar nichts, dann Coldfoot und zwölf Kilometer weiter ein winziges Dorf namens Wiseman, aber das liegt fünf Kilometer abseits des Highway, und die Straße ist schon seit Wochen geschlossen. Dann kommt wieder vierhundert Kilometer lang nichts – nein, schlimmer als nichts. Kein Krankenhaus, keine medizinische Versorgung. Wenn wir eine Panne haben, wenn der Sturm früher als erwartet hereinbricht, können wir niemanden zu Hilfe rufen, weil niemand schnell bei uns sein kann.«

»Wir lieben ihn.«

Yasmin sah erst Ruby, dann Adeeb an. »Sie und ihr Vater, sie sind sich so wahnsinnig nah. Ich kann es gar nicht erklären. Ohne ihn wäre sie verloren.«

Adeeb nickte. Sie fragte sich, ob auch er den Schmerz kannte, wenn man als Kind ein geliebtes Elternteil verliert – dieses Entsetzen, diese Schockwellen, die sich weiter und weiter ausbreiten, ohne von irgendwas eingedämmt zu werden.

»Ich wollte, ich hätte sie nicht mitnehmen müssen«, sagte sie. »Ich wollte, ich hätte all das nicht tun müssen, aber ich hatte keine Wahl.«

Adeeb bewunderte sie zutiefst – ihre Entschlossenheit, ihre Liebe zu ihrem Mann, ihren Mut. Und dass sie ihr Kind so heftig liebte und beschützen wollte. Er wusste, sie hatte diese Reise nicht leichtfertig angetreten. Und dennoch.

Da sagte sie: »Wenn es Ihre Frau wäre, da draußen … Was würden Sie tun?«

Und alles war klar. Denn natürlich wäre er bei einem Fremden mitgefahren, egal wie gefährlich die Straße wäre, hätte im Notfall seine Jungen mitgenommen und hätte nicht geruht, bis er sie gefunden hätte. Nichts hätte ihn umstimmen können.

Zu dem Zeitpunkt, für den der Sturm angesagt war, würden sie schon in Deadhorse sein. Die Kopfschmerzen, die ihn plagten, hatten sich nicht weiter verschlimmert. Sie entsprangen der Sorge, die immer in ihm aufstieg, wenn er diese Strecke fahren musste. Er war einer der erfahrensten Trucker und vielleicht der vorsichtigste, weil sein Sattelzug ihm gehörte und er zudem von Natur aus neurotisch war. Wenn jemand sie sicher dorthin bringen konnte, dann er.

»Warten wir den nächsten Wetterbericht ab. Wenn wir definitiv vor dem Sturm in Deadhorse sein können, nehme ich Sie mit.«

»Danke.«

Er lächelte. »Meine Mutter wäre begeistert von Ihnen gewesen.« Was hätte sie wohl zu einer Frau gesagt, die Astrophysik studiert hatte? Die mitten im Winter mit ihrer Tochter durch ganz Nordalaska reiste, nur aus Liebe zu ihrem Mann? Sie hätte mit klimpernden Armreifen die Hände in die Luft geworfen und die Augen aufgerissen vor Staunen.

Drei Monate, ehe sie in den USA Asyl beantragten, war sie gestorben. Asyl – bestimmt hätte sie der Begriff an die Asyle für Geisteskranke aus ihren Dickens-Romanen erinnert. Und wie einen Geisteskranken hatte man ihn hier auch behandelt, zumindest die Leute, die nicht befürchtet hatten, er werde sie in die Luft jagen. All das hätte seine Mutter sich niemals vorstellen können.

Wir haben angehalten, und das helle Licht im Fahrerhaus brennt. Eilig schalte ich Voice Magic ein. Mum zeigt Mr. Azizi die Landkarte. Sie reden über Anaktue. Also hat Mum es ihm erzählt, und Mr. Azizi hat Ja gesagt! Ich wusste es doch! Mum sieht schon wieder ganz anders aus.

Mum sagt, es gibt einen Fluss, der in knapp dreihundert Kilometern eine Schleife in die Nähe des Dalton Highway macht. Sie zeichnet den Fluss mit dem Finger nach. »Und dann führt er fünfzig Kilometer weit in nördlicher Richtung, direkt nach Anaktue.« Ihr Finger berührt Anaktue nur ganz leicht, als wäre dieser Ort kostbar. Mr. Azizi sagt, das geht aber nur, wenn es einen Verbindungsweg vom Highway bis zu diesem Fluss gibt. Und dass die Flussstraße, an der wir vorhin vorbeigekommen sind, einer Fördergesellschaft gehört, und die hat bestimmt geprüft, ob sie sicher zu befahren ist. Es wäre zu riskant, wenn wir eine Flussstraße nehmen würden, die nicht geprüft ist. Er sagt ständig »wir« und »uns«, und das macht mich total froh, auch wenn wir nicht die Abkürzung über den Fluss nehmen können. Denn Mr. Azizi wird uns helfen, zu Dad zu kommen. Er sagt, jetzt halten wir erst mal am Rasthof und kaufen weitere Vorräte und Wasser ein.

Da weiß ich, dass alles gut wird. Ich schließe die Augen und schlafe weiter.

Später musste Matt nur noch sagen: »Willst du …?«, da antwortete sie schon: »Noch nicht.« Er beteuerte dann, er habe doch nur fragen wollen: »Willst du … ein Bier? … den schönen Himmel anschauen? … nicht endlich aufstehen? … mich küssen?« Aber sie erriet es schon an dem Ort, wo sie sich gerade befanden. Jedes Mal, wenn sie ein Picknick am Strand machten oder in einem Vogelbeobachtungsstand frühstückten oder sich einen Sonnenuntergang, Sonnenaufgang, blauen oder sonstigen Himmel anschauten, und fast jedes Mal, wenn sie sich liebten, kam todsicher irgendwann die Frage: »Willst du …?«

Wenn sie »Noch nicht« antwortete, war er nicht betrübt oder auch nur enttäuscht. Seine behütete Vergangenheit hatte ihn gegen Zurückweisung gerüstet. Er glaubte, sie wolle ihn noch besser kennenlernen, und das erschien ihm nur logisch. Bevor sie sich für den Rest ihres Lebens an jemanden band, sollte sie über diese Person alles wissen, was es zu wissen gab. Ihm wurde nie klar, dass es genau anders herum war.

Seit dem Augenblick, als er die Hände um ihr Gesicht gelegt und gesagt hatte: »Ich kann dich sehen«, wusste sie, dass sie ihn heiraten wollte. Aber sie wollte, dass er ihr ins Gesicht sah und diesen Satz sagte und dabei *wirklich* wusste, was er sah. Sie fürchtete nur, dass das unmöglich war.

Sie parkten auf dem Parkplatz vor dem Rasthof, einem niedrigen Gebäude aus Fertigmodulen. Ruby schlief noch. Der Rasthof war erst diesen Winter eröffnet worden. Er gehörte einem jungen Trucker, der erkannt hatte, wie sehr die Fahrer sich vor der langen, einsamen Fahrt nach Norden nach etwas Gesellschaft sehnten und wie gern sie auf dem Rückweg nach Fairbanks noch ein paar Geschichten mit ihren Kumpels austauschten. Auf dem Heimweg hatte Adeeb hier noch nie gehalten.

Er war froh, eine Pause machen zu können. Auf den letzten paar Kilometern hatte er manchmal nur noch verschwommen gesehen. Offenbar war er müder, als er gedacht hatte. Er fragte sich, ob er etwas frische Luft schnappen sollte, aber die Kälte würde seine Kopfschmerzen nur noch verschlimmern. »Mir friert das Hirn ein!«, riefen seine Jungs immer, wenn sie Eis aßen, und fassten sich an den Kopf. Kälte war ganz schlecht für Kopfschmerzen.

Auf dem Parkplatz standen zwei Soagil-Energy-Wagen, die Rohre geladen hatten, außerdem ein FBF-Tanklastwagen und drei Am-Fuels-Sattelzüge mit Fertighäuschen. Adeeb vermutete, dass die Am-Fuels-Laster Richtung Fairbanks unterwegs waren, denn die Häuschen sahen aus, als hätten sie schon eine Weile in Alaska gestanden. Noch während er einparkte, kehrten die Am-Fuels-Fahrer zu ihren Wagen zurück und schlugen die Richtung nach Fairbanks ein.

Er bot an, auf Ruby aufzupassen, während Yasmin zur Toilette ging und Vorräte einkaufte.

Ehe Yasmin ausstieg, zog sie sich ihren Polarparka, die Gesichtsmaske und die Handschuhe an. Trotzdem war die Kälte ein Schock – es war, als tauche man nicht in Luft, sondern in eiskaltes Wasser ein. Sie glaubte die Kälte zu riechen. Dann erkannte sie, dass es vielmehr das Fehlen jeglicher Gerüche war. Sie fragte sich, ob es daran lag, dass ihre Luftwege nicht richtig funktionierten – sie spürte die kleinen Härchen in ihrer Nase gefrieren –, oder ob bei dieser Kälte keine Duftmoleküle mehr unterwegs waren.

Im Rasthof war es wärmer, und es roch nach Kaffee und Schweiß. An zwei Resopaltischen saßen Lastwagenfahrer, auf dem Boden lag noch Schnee von ihren Schuhen. Sie war sich ihrer Blicke sehr bewusst, während sie bei dem schüchternen jungen Mann an der Theke Getränke und Sandwiches kaufte. Während er ihr alles einpackte, fragte sie ihn nach Anaktue. Vielleicht hatte man hier draußen mehr gehört.

»Das war der Ort in den Nachrichten, oder?«, sagte er. »Dieses Iñupiat-Dorf, das abgebrannt ist? Die hatten ihre Dieseltanks gleich neben den Häusern stehen.«

Ein Trucker mit enormem Bierbauch drehte sich zu ihr um. »Ist das nicht das Dorf, unter dem die Massen von Schieferöl lagern?«

Ein Mann vom anderen Tisch mischte sich ein – jetzt hatte das Gespräch alle Anwesenden erreicht. »Ich hab gehört, die haben jeder ein MacBook Air geschenkt gekriegt, nur damit sie die Infos von Soagil lesen können.«

»Hab ich auch gehört«, sagte ein anderer. »Und dass man ihnen hunderttausend geboten hat. Davon hätten sie sich 'ne ganze verdammte Karibuherde kaufen können.«

»Aber sie haben die Fracking-Pläne trotzdem abgelehnt?«, fragte Yasmin.

»Genau«, sagte einer der Männer.

Der schüchterne junge Mann sagte, mehr zu den Truckern als zu Yasmin: »Vor 'n paar Monaten hab ich 'nen Iñupiaq getroffen, der kam aus Anaktue, aber er hat bei den Soagil-Bohrungen in Prudhoe gearbeitet. Der hat gemeint, wenn seine Familie nicht unterschreibt, wird er gefeuert.« Er hielt inne, als wäre er erschrocken darüber, so viel gesagt zu haben.

»Die Leute arbeiten bei der Ölförderung in Prudhoe, weil sie Geld verdienen müssen?«, fragte Yasmin, um die Unterhaltung nicht einschlafen zu lassen.

»Genau. Viele jagen zwar noch ihr Essen und sind auch sonst mehr oder weniger Selbstversorger, aber Schneemobile und Treibstoff und so was brauchen sie trotzdem. Also jobben sie im Winter dort.«

»Die Gouverneurin hat gesagt, die Fracking-Firmen würden jetzt die Finger von Anaktue lassen, aus Pietätsgründen«, sagte Yasmin.

Der Mann mit dem Bierbauch beugte sich vor. »Klar. Und die Touris kommen nach Alaska, weil da die Sonne so schön scheint.«

Eine Tür schlug zu. Yasmin drehte sich um. Es war Ruby, in Tränen aufgelöst, völlig verzweifelt, ihr Parka stand offen. Sie rannte auf Yasmin zu und versuchte sie zur Tür zu zerren. Yasmin sah, wie die Trucker ebenfalls aufsprangen. Einer von ihnen knöpfte Ruby den Parka zu und zog ihr die Gesichtsmaske hoch. Das Einzige, was sie sich ordentlich übergezogen hatte, waren die Handschuhe.

Im Fahrerhaus saß Adeeb zusammengesunken über seinem Lenkrad, kaum noch bei Bewusstsein.

Zwei der Männer schafften es, ihn aus seinem Laster zu heben, und schleiften ihn zwischen sich in den Rasthof.

Die Welt verschwamm um ihn und ließ sich nicht mehr scharf stellen, dann verlor er die Orientierung und konnte nicht mehr schlucken. Er spürte, wie sich kleine Arme um ihn schlossen, aber seine Jungen waren doch Hunderte von Kilometern entfernt. Er versuchte den Mund zu öffnen, brachte aber kein Wort über die Lippen.

Da wusste er, warum er diese Straße immer gehasst, ja gefürchtet hatte. Denn so war das Ende: eine öde dunkle Straße ins dunkle Nichts. Deshalb hatte er sich so nach Farbe gesehnt.

Plötzlich lagen stärkere Arme um ihn, man zog ihn aus der Wärme in die Kälte hinaus. Dann war es wieder wärmer. Eine Frau sagte etwas zu ihm. Er hoffte, es wäre Visha. Sie sagte, man werde ihn in ein Krankenhaus in Fairbanks bringen, und ein anderer Fahrer werde ihn mitnehmen. Aber Fairbanks war die falsche Richtung. Und dann erinnerte er sich an die schlanke, anmutige Frau und ihre Tochter und wusste, was sie tun würde. Er musste sie vor dem heulenden Wind warnen, der tödlichen Kälte, musste ihr sagen, dass eine Lawine einen Lastwagen in voller Fahrt unter sich begraben konnte und dass selbst in einem Vierzigtonner mit fünf Achsen ein Mensch nicht mehr war als ein armes, nacktes, zweibeiniges Tier. Dass es viel zu gefährlich für sie und das kleine Mädchen war, aber er konnte nicht einmal den Mund öffnen.

Er hörte sie sagen, sie werde ihm einen Scheck in die Jackentasche stecken, und wenn etwas mit dem Truck passieren sollte, würde sie dafür sorgen, dass ihm der Verlust ersetzt wurde. Und dann spürte er ihre Lippen auf seiner Stirn – oder glaubte sie wenigstens zu spüren.

Er dachte an seine sanfte, kluge, tapfere Mutter, seine Mutter mit ihrem aufgeregten Armreifengeklingel, ihrer Zärtlichkeit und ihrer poetischen Ader, wie sie von den Taliban aus ihrem Klassenzimmer geprügelt wurde. Er war mit einem Hass auf die Taliban aufgewachsen, nicht weniger stark als seine Liebe zur Poesie. Da war es nur natürlich, dass er der US-Armee als Übersetzer diente. Er hätte an die Folgen denken sollen. Wie überstürzt sie hatten fliehen müssen. Wie erleichtert er gewesen war, dass seine Mutter tot war und er sie nicht zurücklassen musste. Eine erschreckende Erleichterung. Um ihn herum waren Männer. In ihren harten Gesichtern stand Besorgnis. Sie nahmen sich seiner an, gewährten ihm endlich Schutz.

Ich wachte auf, weil Mr. Azizi mehr oder weniger über mich drübergefallen war. Er war ganz weiß im Gesicht, und seine Augen waren zu. Ich tippte auf Voice Magic ein, dass er aufwachen sollte, aber er hörte es nicht, und ich konnte Voice Magic nicht noch lauter stellen. Ich versuchte mit meiner Mundstimme mit ihm zu reden, suchte in der Kehle nach den Vibrationen, wie mein Sprachtherapeut es immer von mir will, aber das brachte auch nichts, ich weiß nicht, ob es daran lag, dass ich mit dem Mund nicht laut sprechen kann oder dass er einfach nichts hörte. Dann umarmte ich ihn irgendwie halb und versuchte ihn aufzurichten, damit es ihm vielleicht besser ging, aber ich war zu schwach. Da zog ich schnell meinen Parka und die

Handschuhe an, nur konnte ich dann den Parka damit nicht zumachen. Ich öffnete die Tür, die total schwer war, und rannte los, um Mum zu suchen.

Gerade tragen zwei Männer Mr. Azizi in einen Laster, und ein anderer Mann hat eine Decke geholt und ihn darin eingewickelt. Es ist, als wären wir Ewigkeiten allein gewesen, Mum und ich und Mr. Azizi, aber plötzlich sind wir es nicht mehr, und Leute, von denen man denkt, sie müssten grob und rau sein, weil sie so aussehen, sind es gar nicht.

Der Laster, in dem Mr. Azizi liegt, fährt los, zurück nach Fairbanks. Mum sagt, sobald er im Krankenhaus ist, wird er wieder gesund. Sie meint, er hatte einen kleinen Schlaganfall, aber er erholt sich wieder. Ich glaube, sie hat recht, denn bevor der Laster losfuhr, hat er den Arm ein bisschen gehoben, als wollte er winken. Das konnte er nicht, als er halb auf mir lag, deshalb glaube ich, es geht ihm schon ein bisschen besser.

Hier draußen auf dem Parkplatz sind keine Laternen. Es ist so kalt, als hätte sich eine Schlittschuhbahn um uns gewickelt wie ein dickes gefrorenes Laken. Mum hatte gesagt, ich soll im Rasthof warten, aber ich wollte wissen, wie es Mr. Azizi geht. Die Rücklichter von dem Laster, in dem er liegt, sind rot. Ich schaue den kleinen roten Lichtern nach, bis ich sie nicht mehr sehen kann, und dann ist es nur noch dunkel.

Ich hab die ganze Zeit nicht an Dad gedacht.

Nur an Mr. Azizi, nicht an Dad.

Ich hätte auch an Dad denken müssen.

Und zwar mehr als an Mr. Azizi, weil der wieder gesund wird. Er wird jetzt ins Krankenhaus gefahren, in einem schön warmen Lastwagen, in eine Wolldecke gewickelt und mit Leuten neben sich, aber bei Dad ist vielleicht niemand. Ich weiß nicht mal, ob er eine Decke hat. Wir müssen zu ihm. Aber wie machen wir das, ohne Mr. Azizi?

Die anderen Fahrer und Mum und ich gehen in den Rasthof, um uns aufzuwärmen. Ich warte darauf, dass Mum jemanden bittet, uns zu Dad zu fahren. Ich stehe so, dass ich ihre Lippen sehen kann. Sie erzählt ihnen, wir würden jetzt hier auf unsere Reisegesellschaft zum Polarkreis warten.

Warum sagt sie das? Einer von den Männern sieht aus, als würde er ihr nicht glauben. Er fragt sie etwas, aber sie redet weiter, und jetzt sieht er aus, als glaubt er ihr.

Die Trucker brechen auf. Ich renne ihnen hinterher, weil einer davon uns doch zu Dad bringen muss.

Mum läuft mir nach. Sie hält mich fest, damit ich nicht weiterrennen kann.

Die Arme um Ruby geschlungen, sah Yasmin zu, wie der Truck des Mannes mit dem Bierbauch nach Süden davonfuhr. Auch die Scheinwerfer der anderen Laster wurden eingeschaltet. Sie alle waren auf dem Heimweg. Yasmin musste weiter nach Norden, zu Matt. Aber vielleicht sollte sie einen dieser Fahrer bitten, Ruby mit zurück nach Fairbanks zu nehmen? Eine rhetorische Frage, auf die sie immer und immer wieder dieselbe Antwort fand: Wie konnte sie Ruby in der Obhut eines fremden Mannes lassen? Wo Ruby doch nicht um Hilfe bitten, nicht ihre Mutter anrufen konnte, wenn es nötig war. Und Yasmin umgekehrt nicht sie anrufen und sich versichern konnte, dass es ihr gut ging. Nein. Sie musste Ruby mitnehmen.

Alle Lastwagen fahren jetzt ab. Kleine rote Lichter, immer paarweise, alle fahren in die Richtung, aus der wir gekommen sind. Deshalb hat Mum sie nicht gebeten, uns mit zu Dad zu nehmen. Nur noch Mr. Azizis Laster ist übrig. Nachdem alle Lichter weg sind, fühlt es sich noch kälter an. Der Mann im Rasthof ist drinnen geblieben. Wir sind ganz allein hier draußen.

Mum steigt die Leiter zu Mr. Azizis Fahrerhaus hoch und streckt mir die Hand hin. Das Fahrerhaus ist nicht abgeschlossen, also steigt Mum ein, und ich auch, und wir schließen die Tür. Mr. Azizi hat den Autoschlüssel im Schloss stecken lassen. Mum zieht ihre Handschuhe aus und lässt den Motor an. Warme Luft bläst uns ins Gesicht.

Ich ziehe meine dicken Handschuhe aus, damit ich schreiben kann. Das Voice-Magic-Programm auf meinem Notebook ist noch geöffnet, weil ich ja Mr. Azizi bitten wollte, aufzustehen.

»Wie kommen wir zu Dad?«

Mum sitzt auf Mr. Azizis Sitz. Sie zieht an einem Hebel, und der Sitz gleitet nach vorn.

»Ich fahre«, sagt Mum.

Zuerst denke ich, sie macht einen Witz, aber dann schaltet sie die Scheinwerfer ein.

Zu Hause fährt sie einen Toyota Auris, der ist ziemlich klein und reicht gerade für die Einkäufe, und jetzt sagt sie, dass sie diesen Megamonstertruck mit einem ganzen Haus drauf fahren will.

Sie ist völlig anders als sonst. Normalerweise ist Mum ein bisschen pingelig mit vielen Sachen, zum Beispiel, dass meine Schuluniform gebügelt werden muss und ich rechtzeitig meine Hausaufgaben machen soll, und aufräumen soll ich auch.

Aber jetzt ist in ihrem Gesicht irgendetwas, was ich noch nie gesehen habe. Als wäre sie nicht mehr nur Mum.

Sie bewegt den Schalthebel. Ich lache, denn jetzt werden wir Dad finden, definitiv!

Vielleicht können wir bis ganz nach Anaktue fahren, und Dad wird sehen, wie Mum den Laster fährt, und Bauklötze staunen. Meine superbe Mum!

»Das glaubt uns Dad nie«, sagte ich und versuche, ein Gesicht wie ein Ausrufezeichen zu machen, weil Voice Magic keine Gesichtsausdrücke kann.

»Ist es für Mr. Azizi denn okay, wenn wir seinen Laster nehmen?«, frage ich.

»Ich denke, er wird es verstehen«, sagt Mum.

Sie prüfte, ob Rubys Sicherheitsgurt fest saß, dann drückte sie das Gaspedal. Sie musste sich auch dann noch strecken, als sie den Sitz ganz nach vorn gestellt hatte. Sie lenkte den Sattelzug vom Parkplatz hinunter auf den Dalton Highway, nach Norden.

Das hier war eine Straße. Bis nach Deadhorse waren es knapp fünfhundert Kilometer. Sie konnte das. Sie saß in einem eigens für dieses Klima gebauten Sattelzug mit geheiztem Tank, speziellen Filtern und mit Alkohol versetzter Druckluft in den Bremsen, und sie verfügte über das mechanische Verständnis dafür, wie man ihn fahren musste. Sie wusste, Adeeb hatte in Fairbanks genug getankt, dass es bis Deadhorse reichen würde. Ein Telefon besaßen sie nicht – sein Satellitenhandy hatte Adeeb bei sich –, aber sie hatten den Satellitenempfänger, das hieß, Rubys Notebook hatte Internet, und sie hatten das Funkgerät.

Der Rasthofbesitzer war der Einzige, der vielleicht hätte sehen können, wie sie Adeebs Laster klaute, aber sie war sich ziemlich sicher, dass er nicht aus dem Fenster geschaut hatte – er war ja nicht einmal mit nach draußen gekommen, als das Drama um Adeeb stattfand.

Und der Wagen gehörte Adeeb, das hieß, es gab keine Transportfirma, die womöglich wissen wollte, wo er steckte. Vielleicht konnte sie sogar das Häuschen an seinem Bestimmungsort in Deadhorse abliefern, bevor die Leute, denen es gehörte, erfuhren, dass sie es unbeabsichtigt mit dem Laster zusammen gestohlen hatte – wenn man so etwas wie ein Fertighäuschen unbeabsichtigt stehlen konnte. Nun, sie wusste jetzt, dass man es konnte.

Sie musste realistisch sein. Es war nur eine Frage der Zeit, bis sie jemandem auffiel, der dann Meldung machen würde. Man würde sie für den Diebstahl des Sattelzugs oder der Ladung verhaften oder dafür, dass sie nicht den nötigen Führerschein besaß, oder welche Gesetze sie sonst noch gebrochen hatte – bestimmt waren es einige. Das durfte nicht passieren. Nicht, ehe sie Matt gefunden hatte. Dann durfte die Polizei sie gern verhaften und einsperren, egal was – Hauptsache, sie hatte ihn gefunden.

Fast zwei Jahre nach seinem ersten Heiratsantrag hatten sie sich verlobt. Am Vorabend hatte sie bei ihm in seiner Wohnung am Fluss übernachtet, die er mit der finanziellen Unterstützung seiner Eltern gekauft hatte – nüchterne, praktisch veranlagte mittelständische Juristen. Yasmin mochte sie sehr, aber sie hatte Matt geneckt: »Dich haben sie also auch unterm Maulbeerbusch gefunden?«

»Die hatten Hochkonjunktur in dem Jahr, die Maulbeerbüsche.«

An jenem Samstagmorgen schlenderten sie über die von grünem Laub beschatteten Bürgersteige – keine Graffiti an den Hauswänden, keine Polizeiplakate, auf denen

Zeugen gesucht wurden, und der einzig aufdringliche Lärm stammte von der Flugschneise nach Heathrow.

Sie hatten sich in einem Imbiss etwas zu essen gekauft und waren weiter zum Zeitungskiosk geschlendert, als ein Auto – von der falschen Sorte, billig und zerbeult – die schmale Straße entlanggeschlingert kam, gefolgt von jaulenden Sirenen. Das Auto scherte auf den Bürgersteig aus, auf Yasmin zu. Matt stieß sie beiseite, brachte sich zwischen sie und das Auto. Ein Laternenpfahl hielt den Aufprall zum größten Teil ab, Matt hatte Glück und kam mit einer gebrochenen Schulter und ein paar angeknacksten Rippen davon.

Am nächsten Tag fand sie in seiner Jackentasche den weitgereisten Ring, der nach Pfefferminzbonbons und Zigaretten und seltsamerweise nach Kugelschreiber roch, und steckte ihn sich an.

Alle nahmen an, es sei Matts heroische Tat gewesen, die zu dem Ring an ihrem Finger geführt hatte, wie damals, als Albert die für Victoria gedachte Kugel auffing und sich so den Platz an ihrer Seite verdiente.

Im ersten Jahr ihrer Ehe kam sie zu seinem ersten Filmauftrag mit, und er begleitete sie zu Sternwarten, teilte ihren Enthusiasmus und gab sich große Mühe, ihre Doktorarbeit zu begreifen. Das Leben in der Wohnung am Fluss, das war: bis spät in die Nacht mit Matt und Freunden zusammensitzen und quatschen, miteinander schlafen, früh aufstehen und arbeiten, der neue Arbeitsplatz – und dann war sie schwanger geworden, und es hatte sich angefühlt, als würde das Leben immer größer, als würde es sich immer weiter ausdehnen, bis es nicht mehr ging. In dieser ersten Zeit des Zusammenlebens hatte Yasmin gespürt, wie ihre Liebe zueinander tiefer, dichter wurde.

In ihrer Vorstellung war diese Liebe eine Metallkugel tief im Erdkern, tausend Meilen unter dem Asphalt, den Stränden und Marschen, auf denen sie sich bewegten, eine magnetische Kugel, die sie in der Welt verankerte.

Der Schwebezustand der Einsamkeit war vorüber.

9

Die ersten paar Kilometer ritt Yasmin auf einer Welle aus Adrenalin, schierer Tollkühnheit und einer Art Abenteuerlust, aber je weiter sie nach Norden kamen, desto einschüchternder wurde die unendliche arktische Weite, desto bedrückender das Gefühl der Isolation. Und sie würde den Sattelzug noch mehr als vierhundert Kilometer übers Eis steuern müssen.

Dann bog sie um eine enge Kurve, und mit einem Mal traf das gleißende Licht von Scheinwerfern ihre Augen, unerwartet und verwirrend in der Schwärze. Auf der schmalen Straße kam ein anderer Laster direkt auf sie zu. Rechts ging es steil in die Tiefe. Sie hörte Ruby ein Geräusch von sich geben, eine Art Schrei. Ein scharfes Kratzen, Metall gegen Metall, ihr Laster schwankte, aber irgendwie kam der andere an ihnen vorbei. Ihr Herz schlug wie wild. Neben ihr hatte sich Ruby übergeben.

Dann kam über Funk die wütende Stimme des anderen Fahrers: »Wer war das? Verdammt, warum gibst du deine Position nicht durch? Dafür ist der Funk da, Hölle und Teufel.«

Yasmin hatte mitbekommen, wie Adeeb immer wieder seine Position durchgab, hatte aber nicht daran gedacht, das ebenfalls zu tun. Sie schaltete das Funkgerät aus.

»Tut mir leid, Liebes. Wir halten an, sobald es geht, dann kannst du dich umziehen.«

Ich dachte, dieser Riesenlaster würde uns gleich rammen, und mir wurde schlecht, und jetzt stinkt es hier drin. Ich mache das Fenster nur ein winziges bisschen auf, aber die eisige Kälte schießt herein wie ein Wespenschwarm. Am Straßenrand ist eine große freie Fläche. Mum fährt den Laster darauf und schaltet das Licht im Fahrerhaus ein, damit wir uns richtig sehen können. Sie holt meinen Koffer von Mr. Azizis Bett über unseren Sitzen.

»Tut mir wirklich leid«, sagt sie. »Das war meine Schuld. Komm, ziehen wir dich um.«

Die Heizung spuckt warme Luft aus. Meine Unterkleidung behalte ich an, weil die nichts abbekommen hat, aber ich ziehe den Ersatz-Polar-Isolier-Fleecepulli an, den Dad immer »Wollbär« nennt. Gut, dass Mum einen zweiten Wollbären eingepackt hat. Sie denkt immer an so was.

»Wenn du mal musst, dann solltest du jetzt gehen«, sagt sie.

Obwohl es nur Mum ist, ist es mir ein bisschen peinlich, das Innenklo zu benutzen. Sie zieht sich eine Skihose und ihren Parka über alles, was sie schon anhat.

»Sollen wir nicht doch die Polizei bitten, Dad zu holen?«, frage ich. Denn wenn dieser Riesenlaster in uns reingefahren wäre, gäbe es jetzt überhaupt niemanden mehr, der Dad retten könnte.

Bisher wollte ich den Vorschlag mit der Polizei nicht machen, weil ich dachte, wenn Mum Dad retten würde, dann würde er sehen, wie sehr sie ihn liebt, denn das tut sie, das weiß ich, aber er weiß es vielleicht nicht, weil sie so sauer auf ihn war.

Aber jetzt können wir ihm immerhin erzählen, dass sie es versucht hat. Es ist ja nicht ihre Schuld, dass Mr. Azizi krank geworden ist. Wenn wir jetzt die Polizei bitten, wird Dad trotzdem sehen, wie sehr sie ihn liebt. Ich weiß, dass Mum superklug ist, aber sie hat so einen Laster noch nie gefahren, und ich glaube, das ist ganz schön schwer.

»Wir können die Polizei nicht bitten«, sagt Mum.

»Aber die wäre schneller, die hat vielleicht einen Hubschrauber oder ein Flugzeug, und ... «

»Sie glaubt aber, Dad wäre bei dem Brand gestorben.«

Draußen ist es schwarz. Völlig schwarz. Als hätte mir jemand eine schwarze Plastiktüte übergestülpt.

»Aber die Polizei irrt sich, Ruby.«

Ich wünsche mir so, dass Dad mich in den Arm nimmt und mit mir redet und mir eine Geschichte erzählt und mir sagt, dass ich eines Tages ganz viele Freunde haben werde, sobald die mich richtig kennen. *Das Leben ist ein bisschen wie ein Schiff, Ruby. Manchmal fühlt es sich an, als wärst du ein Einhandsegler, aber das stimmt nicht, ich bin immer da. Und Mum. Und eines Tages wirst du eine ganze Mannschaft von Freunden haben und eine eigene Familie. Dann wirst du ein Ozeanriese sein, wie die Queen Mary.*

Aber ich will doch nur Dad.

»Dad ist nicht tot«, gebärdet Mum, und gleichzeitig gebärde ich: »Dad ist nicht tot!«

Bei der Gebärde für »tot« muss man die Finger wie eine Pistole formen und zielen. Es sieht aus, als würden wir aufeinander schießen.

Ich fange an zu weinen, obwohl ich versuche, es zu unterdrücken. Es stimmt gar nicht, dass wir genau gleichzeitig aufeinander geschossen haben, sie hat die Gebärde ein kleines bisschen vor mir gemacht.

»Wir finden ihn, Mum, ja? Wir finden ihn?«

Die Angst um ihren Vater stand Ruby ins Gesicht geschrieben.

»Ja«, sagte Yasmin. »Wir finden ihn. Und ich bin jetzt vorsichtiger und benutze das Funkgerät.«

Sie setzte ihre Schneebrille auf, zog sich die dicken Fäustlinge über die Innenhandschuhe und stieg hastig nach draußen, damit die Wärme drinnen bei Ruby blieb.

Wie hatte sie so verflucht leichtsinnig und dumm sein können? Sie hatte Ruby unnötig in Gefahr gebracht. Ab jetzt würde sie den Funk eingeschaltet lassen, ihn benutzen und alles genau so machen, wie Adeeb es gemacht hatte.

Mum ist rausgegangen, um meine stinkenden Klamotten wegzuwerfen, und ich maile Dad.

To: Matthew.Alfredson@mac.com
Subject: SCHICK UNS EINE MAIL!
From: Ruby.Alfredson@hotmail.co.uk

Lieber Dad,
bitte, bitte schick uns eine Mail. Einfach irgendwas. Damit wir wissen, dass es Dir gut geht. Mum und ich holen Dich mit einem Lastwagen ab.
Ich liebe Dich megadoll!
Puggle

Yasmin hatte die Scheinwerfer brennen lassen, das Licht fiel über den improvisierten Parkplatz, der in der verschneiten Wildnis grotesk wirkte. Da erblickte sie ein Schild: POLARKREIS. Also war es ein Parkplatz für Touristen im Sommer, wobei sie bezweifelte, dass selbst dann viele Besucher herkamen. Schon seit einigen Jahren hatte sie nicht mehr über den Weltraum nachgedacht, aber hier, an diesem berühmten Breitengrad, drängte sich der Gedanke daran förmlich auf. Sie waren nicht mehr weit vom obersten Punkt des Planeten entfernt.

Yasmin steckte Rubys schmutzige Kleidung in einen Mülleimer – es war ihre Schuld, weil sie ihr Angst eingejagt hatte. Beim Gedanken an Rubys Wehrlosigkeit blutete ihr das Herz. Sie erinnerte sich an die erste Zeit nach der Geburt und daran, wie hilflos das Neugeborene ihr vorgekommen war, wie sie gefürchtet hatte, sich nicht richtig um ihr Baby zu kümmern, unzulänglich zu sein. Das hatte sich noch verstärkt, nachdem man ihr gesagt hatte, dass es nichts hörte.

Eine Erinnerung stieg in ihr auf, intensiv in der Dunkelheit. Zehn Jahre hatte sie nicht mehr daran gedacht, aber jetzt schien sie kaum Minuten her zu sein. Manchmal kam es Yasmin so vor, als würde die Zeit nicht linear verlaufen, sondern in Kurven, dass sich Vergangenheit und Gegenwart in einer einzigen Empfindung treffen konnten.

Es war spätabends in ihrem Schlafzimmer gewesen, sie stillte die zwei Wochen alte Ruby, deren Haar weich war wie Weidenkätzchen, der Körper ein Komma, noch nicht gestreckt. Matt schlief zwei Armlängen entfernt im Bett. Sie hatte die Vorhänge aufgezogen und sah aus dem Fenster. Die Sterne waren über der hellen Stadt kaum zu erkennen, sie musste sich anstrengen, sie zu sehen. Plötzlich durchfuhr der alte Schmerz um ihre Mutter sie so scharf, dass sie erschauerte. Ruby erschrak und schleuderte ihre winzigen Arme und Beine von sich wie ein Seestern.

Sie drückte den federleichten kleinen Körper an sich, sah zu, wie Rubys Miniaturfinger sich um ihren Daumen krümmten und wieder streckten, schlang den Morgenmantel eng um sie beide, während die Qual aus der Vergangenheit sich in die Gegenwart bohrte und sie nichts dagegen tun konnte.

Nun, in der winterlichen Dunkelheit und arktischen Kälte am Polarkreis, erinnerte Yasmin sich an die weiche Wolle ihres Morgenmantels, an den Tropfen Milch auf Rubys Kinn, als diese im Schlaf den Kopf zurücksinken ließ, an Matts leise Atemzüge. Und wie ihr gewesen war, als triebe sie fort von allem, was gut und sicher war, losgerissen, ohne Halt, nicht einmal Matt konnte eine Verbindung zu Glück und Sicherheit knüpfen.

Ich fasse Mums Parka an. Er fühlt sich an wie ein Eiswürfel.

»Geht es dir besser?«, fragt sie. Ich nicke, auch wenn es mir nicht besser geht, weil Dad immer noch nicht zurückgemailt hat.

»Mein tapferes Mädchen«, sagt Mum. Sie zieht ihre Handschuhe und Innenhandschuhe aus, streckt den Arm aus und drückt kurz meine Hand. Als würden ihre Finger etwas Liebes zu mir sagen, das nur nicht zu Worten wird. Normalerweise hilft mir das. Selbst wenn in der Schule ganz schlimme Sachen passieren, zum Beispiel wenn Leute so tun, als würden sie reden, um zu sehen, ob ich merke, dass sie nicht wirklich reden. Wenn Mum mich abholt und auf dem Nachhauseweg meine Hand hält, fühle ich mich schon besser. Noch nicht gut, aber immerhin besser, weil wir ja jetzt nach Hause gehen und ich eine Weile nicht darüber nachdenken muss.

Ihre beiden Ringe drücken sich ganz leicht in meine Handfläche.

Yasmin schaltete das Funkgerät ein und sammelte Kraft, um wieder hinaus in die Finsternis zu fahren. Dann lenkte sie den Sattelzug auf die Straße nach Norden.

»Darf ich deine Mails checken, Mum?«, fragte Ruby. »Falls Dad dir gemailt hat.«

»Das hat er sicher nicht, mein Schatz.«

»Aber vielleicht hat er sich von jemandem ein Notebook geborgt. Da ist überall die nötige Software drauf, weil er ja alle sein Satellitenterminal benutzen lässt. Und das hat er auf jeden Fall dabei.«

»Ich habe meine Mails gecheckt, bevor wir losgefahren sind.« Während Adeeb seinen Laster überprüfte, hatte sie kurz ihren Posteingang aufgerufen, aber natürlich war keine der Mails darin von Matt gewesen. Sie hatte einfach alle in den Spamordner verschoben. Ihr war plötzlich klar geworden, wie viel Zeit sie für Dinge verschwendete, die im Prinzip Spam waren.

»Aber das ist schon Stunden her, Mum. Bitte!«

»Es wird nichts bringen.«

»Bitte!«

»Na gut.«

Ruby würde erst glauben, dass keine Mail gekommen war, wenn sie es mit eigenen Augen sah.

Sie erreichten eine Kuppe, hinter der sich ein steiles Gefälle befand. Wie lang es war, konnte Yasmin nicht abschätzen. Die Sohle war jedenfalls nicht zu sehen. Sie wäre gern ganz langsam hinuntergefahren, den Fuß immer auf der Bremse, aber sie musste Schwung sammeln, um auf der anderen Seite wieder hinaufzukommen und nicht zurückzurutschen. Rückwärts zu rutschen war viel gefährlicher als vorwärts.

Während sie sich zwang, den Abhang schneller zu

nehmen, als ihr eigentlich lieb gewesen wäre, erinnerte sie sich, dass sie eines Tages Matt dabei ertappt hatte, wie er ihr beim Bügeln von Stoffwindeln zusah. An den Unmut und die Traurigkeit in seinem Gesicht, ehe er sich abrupt umdrehte. Er fand diese Haushaltsdinge absurd und unnötig, er verstand nicht, dass es nicht darum ging, gebügelte Windeln zu haben und sauberes Geschirr und zwei Sorten Gemüse am Tag, sondern um Ordnung, um Stabilität, um diese Sicherheit, die sich auf winzige Details wie eine gebügelte Windel gründete.

Anfangs hatte er sie mit ihrer neuen Verkleidung als Hausmütterchen geneckt, dann war er immer ernster und besorgter geworden. Er hatte ihr angeboten, Hausmann zu werden, damit sie zu ihrem Arbeitsplatz am Institut für Astrophysik zurückkehren konnte, aber Yasmin wollte selbst für Ruby sorgen. In die Sterne schaute sie schon lange nicht mehr.

Einmal hatte er angedeutet, dass es vielleicht daran liegen könnte, dass Ruby gehörlos war, dass Yasmin das irgendwie zu kompensieren versuchte. Aber das stimmte nicht, und sie war wütend, dass er überhaupt so etwas denken konnte.

Ihre Diskussionen hallten in der Finsternis wider, ein Schwarm kleiner Meinungsverschiedenheiten. Die Lücken dazwischen waren von Schweigen erfüllt.

Sie war fast immer über irgendetwas wütend gewesen, meistens über kleine Dinge. Im Rückblick erschien ihr ihre Wut wie ein formloser Mantel, unter dem sich ihre Einsamkeit verbarg, nicht die alte Einsamkeit nach dem Tod ihrer Mutter oder eine erwachsene Version davon, sondern etwas anderes, noch Quälenderes.

Die steile Abfahrt dauerte an. Sie schätzte, dass sie jetzt

eine gute Geschwindigkeit erreicht hatten, vielleicht sogar ein bisschen zu schnell waren, also bremste sie. Aber die Bremse hatte überhaupt keine Wirkung. Plötzlich fühlte es sich an, als stürzten sie den Hang hinunter. Sie trat stärker auf die Bremse, doch der Vierzigtonner gewann an Schwung, die tödlichen Gesetze der Physik ließen ihn schneller und schneller werden. Sie stand auf, stemmte sich mit ihrem ganzen Gewicht aufs Bremspedal, aber vergeblich, der Sattelzug war außer Kontrolle, sie war sich der riesigen beschleunigenden Masse bewusst, bald würden sie sich überschlagen oder in etwas hineinrasen. Sie packte das Funkgerät und schrie: »Ich kann nicht bremsen!«

Aus dem Gerät kam eine ruhige Stimme. »Stotterbremse. Rauf, runter.«

Sie trat aufs Bremspedal, löste es wieder, trat wieder darauf, wieder runter, und wieder. Tatsächlich, der Laster reagierte. In ihrem Mund war nichts als trockene Angst. Mit der wiedergewonnenen Kontrolle schaffte sie es den Hang hinauf.

Ruby war noch immer damit beschäftigt, sich in ihr Postfach einzuloggen. Sie hatte kaum bemerkt, dass Gefahr bestanden hatte.

Die langsame ruhige Stimme ertönte wieder. »Alles okay, Lady?«

»Ja. Danke.« Ihre Stimme klang noch gepresst.

»Sie müssen die Bremsscheiben trocken kriegen, sonst funktionieren sie nicht.«

»Danke«, wiederholte sie an die Stimme gerichtet, wem auch immer sie gehören mochte.

»Nichts zu danken.«

Sie glaubte die bedächtige, ruhige Stimme wiederzuerkennen: Sie erinnerte sich an einen der Trucker, der in

Fairbanks ihre Bitte abgelehnt hatte, zögernd. Jetzt verstand sie, warum ihr die Fahrer bei der Vorstellung, sie und Ruby auf diese Strecke mitzunehmen, praktisch ins Gesicht gelacht hatten – das war eine anständige, moderate Reaktion gewesen. Sie waren weder grausam noch herzlos gewesen, sondern realistisch.

»Passen Sie auf sich auf da draußen, ja?«

»Ja. Danke nochmals.«

Da mischte sich eine andere Stimme ein. »Wen hast du da an der Strippe, Coby?«

»Hat sich mir noch nicht vorgestellt«, sagte der Trucker namens Coby in seinem gemessenen, sympathischen Ton. »Dem Akzent nach kommt sie aus England. Ich nehm an, es ist die Dame, die heute Nachmittag mit nach Deadhorse wollte?«

Yasmin schwieg.

»Hat Ihnen etwa jemand 'nen Sattelzug vermietet?« Coby lachte leise. »Wer hätte das gedacht.«

»Dann hat sie den entsprechenden Führerschein, oder wie?«, fragte der andere Trucker.

»Anscheinend«, sagte Coby.

Yasmin sagte nichts. Aber ihr Schweigen verriet die Wahrheit.

»Herrgott«, sagte der andere Trucker. »Wenn Sie nicht gelernt haben, einen Lkw zu fahren, dann halten Sie sofort an. Fahren Sie an 'ner sicheren Stelle rechts ran. Verstanden, Lady?« Sie stellte ihn sich rothaarig und sommersprossig vor, alarmiert und entsetzt, aber nicht angriffslustig.

»Ich muss nach Deadhorse. Mein Ehemann wird vermisst. Ich muss ihn finden.«

»Ist das nicht Sache der Polizei?«, fragte Coby.

Yasmin antwortete nicht.

»Die Straße bringt Sie um«, sagte der rothaarige Fahrer. »Oder Sie bringen jemand anderen um. Fahren Sie rechts ran.«

»Nein«, sagte Yasmin. »Nicht, bevor ich meinen Mann gefunden habe.«

»Kapieren Sie's nicht, Ma'am?«, fragte der Rothaarige. »Das ist lebensgefährlich, was Sie da machen. Für Sie genauso wie für uns andere. Entweder Sie verursachen einen Unfall. Oder Sie bekommen 'ne Panne, dann halten Sie uns alle auf. Außerdem ist ein Sturm angesagt, das ist noch mal so gefährlich.«

»Es tut mir wirklich leid. Aber jemand muss zu meinem Ehemann, und im Augenblick bin das nun mal ich.«

»Eins muss man Ihnen lassen, Mumm haben Sie«, sagte Coby in seinem freundlichen Ton. »Dann sollten wir wohl versuchen, Sie heil nach Deadhorse zu kriegen. Wo sind Sie gerade?«

Yasmin warf einen Blick auf den nächsten Leitpfosten, auf dem die Entfernung seit Beginn des Dalton Highway verzeichnet war. »MP 117.«

»Am besten lernen Sie schnell ein paar Regeln für die Straße«, sagte Coby. »Zuerst: der größere Truck hat Vorfahrt. Was fahren Sie?«

Sie wollte ihnen nicht verraten, dass es Adeebs Sattelzug war und dass sie ihn einfach genommen hatte, statt einen zu mieten, was zumindest etwas Papierkram und eine Versicherung eingeschlossen hätte. »Einen Vierzigtonner, fünf Achsen«, gab sie wieder, was Adeeb gesagt hatte.

»Okay, das ist groß, aber es gibt noch größere, und denen weichen Sie aus. Bei allen anderen haben Sie Vorfahrt, weil Sie Richtung Norden fahren. Achten Sie darauf, dass Ihre Scheinwerfer und Rücklichter sauber sind. Ab und zu müssen Sie anhalten und Schnee und Dreck davon abkratzen. Hab ich was vergessen?«

»Halten Sie nie an unübersichtlichen Stellen«, sagte der Rothaarige. »Also nie an Brücken, vor Kurven oder Hügelkuppen. Behalten Sie immer den Rückspiegel im Blick, und wenn jemand hinter Ihnen ist, bremsen Sie nicht zu plötzlich.«

»Wenn was mit dem Wagen sein sollte, fahren Sie ihn von der Straße runter und zünden Warnlichter an.«

Im Funkgerät meldete sich eine dritte Stimme. »Haben Sie eine Waffe?«

Auch diese Stimme kam ihr bekannt vor, aber sie hätte nicht sagen können, woher. Die amerikanische Aussprache war zu ungewohnt, als dass sie feine Unterschiede erkannt und sie Gesichtern hätte zuordnen können.

»Nein.«

»Okay, wenn Sie also ’ne Panne haben und Wölfe tauchen auf – wobei ich das noch nie erlebt habe –, dann bleiben Sie im Wagen.«

»Verfolgen Sie den Wetterbericht«, riet Coby. »Unsere Leitstelle hält uns immer auf dem Laufenden, und ich gebe das dann über Funk weiter, ja? Ein Sturm zieht auf – in Ihre Richtung. Vermutlich ein heftiger. Also bleiben Sie dran.«

»Ja. Danke.«

Sie legte das Funkgerät beiseite, dankbar für die freundlichen Stimmen in der Finsternis. Sie kam sich nicht mehr ganz so isoliert und verängstigt vor. Jede menschliche Gesellschaft war wie Tageslicht.

Sie hatte das Wort »Ehemann« betont. Als wäre es vor allem der Bund der Ehe, der sie dieses Risiko eingehen ließ. Als legitimiere sie jedes Ehejahr mehr dazu und als mache der Eheschwur ihre Fahrlässigkeit verzeihlich. Sie hatte versucht, das selbst so zu sehen. Dabei war es nur ein einziges ihrer zwölf gemeinsamen Jahre, das sie trieb: die Wintersonne durch einen schmalen Schlitz zwischen Brettern, ein Schwarm Gänse über den Marschen, seine Hände um ihr Gesicht.

Ruby klopfte auf ihren Oberschenkel. Sie strahlte. »Du hast eine Mail gekriegt!«

Hoffnung durchschoss Yasmin. Aber die Mail konnte nicht von Matt sein – unmöglich. Sie sah in den Rückspiegel. In großer Entfernung hinter ihnen schimmerte blaues Scheinwerferlicht. Sie hielt auf einem ebenen Streckenabschnitt, ließ ihre Scheinwerfer brennen, damit sie weithin zu sehen waren, und nahm Ruby das Notebook aus den Händen.

10

Das Foto eines großen Tiers füllte den Bildschirm aus. Es war auf bestialische Weise getötet worden. Ein Auge fehlte, ein Bein war ausgerissen, ein nackter Knochen glänzte weiß. Ihr Körper reagierte instinktiv, schob sich vor Ruby, um sie vor dem Mörder dort in der Finsternis zu schützen. Der Absender war Akiak@alaska.account.com.

»Das ist ein Moschusochse«, sagte Ruby und buchstabierte den Namen des Tieres.

Wer war Akiak? Woher hatte er ihre Mailadresse? Warum hatte er ihr das Foto geschickt? Als sie Rubys Kärtchen an jeden verteilte, der sie ihr abnahm, hatte sie keinen Gedanken daran verschwendet, dass das auch riskant sein könnte.

»Wir können der Polizei sagen, dass Dad am Leben ist!«

»Das hier ist nicht von Dad.«

»Doch! Dad muss einen Freund haben, der Akiak heißt. Bestimmt hat er ihm seinen Computer geliehen. Genau wie ich dachte!«

»So was würde Dad uns niemals schicken.«

Sie starrte nach draußen in die Finsternis. Sie kam sich beobachtet vor. Das ging schon eine ganze Weile so, aber sie hatte es sich nicht eingestanden. Hatte gedacht, sie sähe Gespenster, schwarz und verschleiert. Aber das Gefühl war geblieben.

Akiak, das klang nach einem Iñupiat-Namen. Vielleicht hatte Matt ihn gekannt. Aber sie hatte Matt nie genauer nach seinen Bekannten hier gefragt. Wütend und verletzt darüber, dass er schon wieder nach Alaska wollte, für drei weitere Monate, nachdem sein erster Auftrag dort gerade erst beendet war, hatte sie keinerlei Neugier dafür aufbringen wollen, denn ihre Fragen und ihre Anteilnahme hätten ihn womöglich in diesem anderen Leben bestärkt. Vielleicht hatte sie gehofft, dass ihr Mangel an Interesse in einer Art seelischer und geistiger Osmose auf ihn übergreifen und er die Reise absagen würde.

Der Betreff lautete DSC_10023, und unter dem Foto stand die Ziffernfolge 68950119 149994621. Nichts, worauf sie sich einen Reim machen konnte.

»Hat Dad dir gegenüber jemals einen Akiak erwähnt?«, fragte sie Ruby.

»Ich glaub nicht. Aber wenn er Dad seinen Computer geliehen hat, müssen sie Freunde sein.«

Ruby konnte doch nicht etwa glauben, dass ihr Dad ihr ein solches Foto schicken würde?

»Ich glaube, Dad wollte das seinen Filmleuten schicken«, sagte Ruby. »Nur kommt er von Akiaks Computer aus nicht in seine Kontakte. Aber deine Mailadresse weiß er auswendig.«

Wie verzweifelt Ruby sich eine Erklärung zurechtlegte, warum das Foto von Matt kommen musste. Die Zeit, in der Ruby ihrer Mutter alles, was sie sagte, unbesehen geglaubt hatte, war offenbar vorbei. Dass Yasmin behauptete, Matt sei am Leben, reichte Ruby nicht aus. Sie musste sich eigene Beweise schaffen.

Yasmin betrachtete das Foto genau, um vielleicht einen Hinweis auf Akiaks Identität oder den Ort der Aufnahme zu finden. Der verstümmelte Moschusochse lag im Schnee, im Dunkeln, beleuchtet nur von einem Lichtstrahl, der vermutlich von einer Taschenlampe stammte. Sie vergrößerte das Foto. Blut sah sie keines, aber vielleicht war es ins dicke Fell des Tiers eingesickert, oder der Kadaver war erst nach dem Tod so verstümmelt worden. Vielleicht hatte dieser Akiak den toten Moschusochsen einfach nur gefunden, aber war das besser? Es erklärte trotzdem nicht, warum er ihn fotografiert und das Foto ausgerechnet ihr geschickt hatte.

Man sah keinerlei markante Punkte in der Umgebung, nur das grausam entstellte Tier im Schnee. Die Mail war vor fünf Minuten gesendet worden.

Mum glaubt nicht, dass die Mail von Dad ist. Und das Bild ist schon grausig. Aber manchmal passieren in der Wildnis grausige Dinge. Und Dad sagt, man muss die Tiere so sehen, wie sie sind, nicht disneyfiziert. Dieser Moschusochse ist merkwürdig, vielleicht will Dad ihn deshalb seinen Filmleuten schicken.

»Manchmal werden Moschusochsen von Wölfen gerissen«, sage ich zu Mum. »Aber im Winter haben die Wölfe es total schwer, Nahrung zu finden, deshalb fressen sie alles komplett auf, was sie töten. Die würden den Ochsen nicht so liegen lassen. Das ist das Gruselige und Komische daran. Dass er nicht zum Fressen getötet wurde. Und noch was ist komisch. Glaube ich jedenfalls. Es sieht aus, als wäre es ein großes, starkes Männchen, weil die Hörner total dick und lang sind.«

So also versuchte Ruby ihr Entsetzen angesichts des Fotos in den Griff zu bekommen: indem sie es ganz und gar mit den Augen ihres Vaters zu betrachten versuchte, offen und mit nüchternem Blick für die Natur, kein bisschen zimperlich wie die meisten Stadtkinder.

»Wölfe greifen Moschusochsen nur im Rudel an«, fuhr Ruby fort. »Weil Moschusochsen so groß sind. Die Wölfe umkreisen die Herde und versuchen, einen davon zu trennen. Eigentlich immer den Schwächsten, also ein Junges. Ich glaube, deshalb hat Dad das Foto gemacht – weil es ein ausgewachsener Ochse ist und sie ihn nicht gefressen haben.«

Was sollte Yasmin dazu sagen? Besser, Ruby glaubte, es seien seltsame Wölfe gewesen, als ein sadistischer, gewalttätiger Mensch.

Falls Akiak da draußen in der dunklen Wildnis unterwegs war, dann sicherlich mit einem Schneemobil oder einem Hundeschlitten. Andere Optionen gab es in dieser Landschaft nicht.

Sie öffnete das Fenster. Sofort betäubte die kalte Luft ihre Wange. Sie horchte, aber da war nur der Wind. Wie nahe könnte ein Schneemobil herankommen, bevor sie es hörte oder die Lichter sah? Ein Hundeschlitten wäre völlig geräuschlos und unsichtbar.

Akiak war vermutlich nicht sein richtiger Name. Wer auch immer ihr das Foto geschickt hatte, würde sich bestimmt nicht zu erkennen geben wollen. Sie konnte sich nicht vorstellen, warum jemand sie bedrohen sollte. Vielleicht gab es einen Grund, und sie war nur zu müde, um ihn zu erkennen. Sie sehnte sich danach, klar denken zu können. Wenn sie Logik in diese Sache bringen könnte, würde ihr vielleicht etwas Wichtiges auffallen, aber ihre Gedanken zerfaserten, statt sich zu verbinden. Sie hatte seit über vierundzwanzig Stunden nicht geschlafen.

Nach ihrem ersten physischen Reflex, Ruby zu schützen, war ihr nächster Impuls gewesen, die Polizei zu rufen. Aber dann würden die Beamten erfahren, dass sie in Adeebs Sattelzug unterwegs war, und würden kommen, um sie zu verhaften oder vielleicht zu beschützen, doch in jedem Fall würden sie sie davon abhalten, Matt zu finden.

Die blauen Scheinwerfer hinter ihnen waren nicht größer geworden und schienen sich nicht mehr zu bewegen. Also hatte der andere auch angehalten. Vielleicht war der Fahrer dieser Akiak? Aber rational betrachtet war das Unsinn. Niemand konnte einen Moschusochsen töten, verstümmeln, fotografieren und ihr das Foto schicken, während er mit einem Lastwagen auf einer Eisstraße unterwegs war.

Anfangs hatte sie sich gesagt, dass sie, ehe die Gefahr zu groß würde, Adeeb bitten würde, umzukehren oder ihnen eine Mitfahrgelegenheit in einem anderen Laster zurück nach Fairbanks zu besorgen. Noch war es nicht so weit, aber sie spürte, dass der Moment, da sie eine Wahl treffen musste, näherrückte, und dann würde sie sich für Rubys Sicherheit entscheiden müssen.

Was es für Matt bedeuten würde, wenn sie umkehrte, daran vermochte sie nicht zu denken. Aber der Gedanke lauerte an den Rändern ihres Bewusstseins, als dunkler Umriss in den Schatten.

Sie legte den Gang wieder ein. Das Licht ihrer Scheinwerfer schien schwächer zu werden, durchdrang kaum noch die Dunkelheit. Als schlösse sich ein Deckel über ihnen.

Ich weiß, dass es Daddy war, der uns die Mail geschickt hat. Aber die Polizei würde wahrscheinlich genau wie Mum sagen, dass der Absender jemand namens Akiak ist.

Vielleicht will ja auch Dad so früh wie möglich mit unserem Blog anfangen. Es ist schön, sich auszumalen, wie er uns in seinem kuschligen Iñupiat-Parka die Mail schickt. Aber Dad im Parka verwandelt sich in meinen Gedanken irgendwie in Dad in einem Superman-T-Shirt, die Augen zusammengekniffen, weil die Sonne so blendet. Es ist eine so warme, helle Erinnerung, dass ich am liebsten gleich in sie hineintauchen würde.

Wir wanderten den Mount Cairngorm hinauf, und Mum sagte, in einem früheren Leben müsse ich eine Bergziege gewesen sein, und Dad sagte, eine kurzhaarige, weil ich nur in Shorts und T-Shirt unterwegs war. Wir gingen nämlich so schnell, dass mir total warm war. Beim Frühstück hatte Dad gesagt, er wolle schon mal mit mir üben, wie wir in den Weihnachtsferien den Blog schreiben würden. Er gab mir die ganz besondere Notebook-Hülle und lud mir die Software für seinen Satellitenempfänger herunter – als wäre ich seine Arbeitskollegin. Er sagte, in Alaska müssten wir auf einen Hügel steigen, um Satellitenempfang zu bekommen, deshalb wäre es gut, auch das schon mal zu üben.

Als wir oben auf dem Cairngorm ankamen, zeigte er mir, wie man das Notebook ans Satellitenterminal anschließt. »Und dann schaltest du es ein.«

»Ach, echt?«, sagte ich, aber Dad sagte, mit Technik müsse man pedantisch sein, und Mum sagte, das Wort »Pedant« komme aus dem Griechischen, das sei ein Sklave gewesen, der die Kinder zur Schule begleitete, und es sei nicht besonders lustig gewesen, ein Pedant zu sein, deshalb solle ich nicht zu streng mit Dad sein. Und sie lachten beide. Und ich konnte sehen, wie sehr sie sich mochten, nur diesen einen Moment lang, wie beste Freunde, die über dasselbe lachen, wie Jimmy und ich über das Wort »Schildkröte«.

»Wusstet ihr, dass man eine Gruppe von Satelliten als Konstellation bezeichnet – wie Sterne?«, hatte Mum gefragt. Ich sagte: »Das ist cool!« Aber Dad findet Satelliten nicht so spannend. Er sagt, er ist einfach nur froh, wenn eine Sache »das macht, was außen draufsteht«.

Dad hatte uns besondere Polar-Arbeitshandschuhe gekauft, die für Leute gedacht sind, die in extremer Kälte Feinarbeit machen müssen. Er sagt, Fäustlinge sind zwar wärmer als Fingerhandschuhe, weil die Finger dann wie zehn kleine Heizungen aufeinander wirken, aber in Fäustlingen kann man nicht gebärden. Er wollte, dass wir in unseren Handschuhen gebärdeten, wie bei einer Kostümprobe. Gebärden konnten wir in den Spezialhandschuhen schon, aber tippen nicht, dazu mussten wir sie abnehmen.

Er zeigte mir auch, wie man Fotos auf unsere Blog-Seite lädt. Er war genauso begeistert davon wie ich. Aber Mum lächelte nicht mehr. Sie hatte nichts von unserem Blog gewusst. Sie hatte gedacht, er wollte mir nur seinen Satellitenempfänger zeigen. Beim Frühstück, als er das mit dem Blog sagte, war sie gerade nicht dabei gewesen. Ich konnte ein bisschen von dem, was sie sagte, von ihren Lippen lesen. Immer wieder war die Rede von »echt«. Sie sprach von »echten Freunden« und sagte: »Ich will nicht, dass unsere Tochter in einer virtuellen Welt aufwächst, sondern in der wirklichen Welt.« Und sie fügte noch was von wegen einsam und isoliert sein hinzu, aber da hab ich weggeschaut.

Ich befürchtete, dass Dad mir sagen würde, wir könnten es doch nicht machen, aber er zeigte mir einfach weiter, was man tun muss. Wenn man eine Verbindung hat, erscheint ein kleines blinkendes Bild von einem Satelliten. In Schottland dauerte es nur eine Minute. Dad sagte, über Europa gibt es so viele Satelliten, dass sie bald Ampeln und Schülerlotsen brauchen. Aber im Weltraum über Alaska gibt es fast keine. Deshalb hat er bestimmt »Hurra!« geschrien, als er jetzt einen hatte. Diesen Ausdruck schreit er immer in der amerikanischen Gebärdensprache – sich erst mit den Fäusten auf die Brust schlagen, dann die Hände in die Luft werfen. Auch wenn ich nicht dabei war, weiß ich, dass er es gebärdet hat, weil er diese Gebärde total gern mag. Dann hat er Mums Mailadresse eingegeben, und sein kleiner Kasten hat dieses Foto in den Weltraum raufgeschickt und dann wieder runter zu uns.

In Schottland war mir nicht klar, wie supercool ein Satellitenempfänger ist, aber eigentlich ist er ein Weltwunder. Weil dieser kleine Kasten in der riesigen dunklen kalten Landschaft ohne Häuser oder Kabel oder sonst was eine Verbindung zum Weltraum aufbauen und uns eine Mail von Dad schicken konnte. Wie diese Muschel, die 507 Jahre alt wurde und schon zur Zeit Heinrichs VIII. gelebt hatte. Eine Tudormuschel! Manche Sachen sind einfach atemberaubend.

Wir haben in einer Überholbucht angehalten, weil Mum die Scheinwerfer sauber machen muss. Sie zieht ihre Polarklamotten an, was ewig dauert, weil das so viele Schichten sind. Während sie das macht, maile ich Dad noch mal: »Bitte schreib uns, dass es Du bist! BITTE!« Ich drücke nur auf Antworten, deshalb schicke ich es an Akiak. Vielleicht sieht Dad die Mail nicht mal, weil er nicht neugierig ist und nicht in den Posteingang seines Freundes schaut. Meine anderen Mails hat er auch nicht bekommen, denn dazu hätte er sich in seinen eigenen Account einloggen müssen, und das ist so verzwickt, dass er seine Handschuhe hätte ausziehen müssen, und wenn man so lange nur Innenhandschuhe trägt, kriegt man leicht Erfrierungen. Also würde er das nicht tun. Wenn er seine Finger verliert, kann er nicht mehr mit mir reden.

Ich bin mir sicher, das Foto ist für Dads Arbeit gedacht, nicht für unseren Blog. Für alle Fälle lade ich es trotzdem mal hoch. Ich veröffentliche es aber noch nicht, erst, wenn Dad bei mir ist. Ist ja schließlich unser *gemeinsamer* Blog.

Mum war ziemlich durcheinander wegen dem Foto. Ich hätte vielleicht nicht sagen sollen, wie merkwürdig es ist. Aber ich weiß so viele tolle Sachen über Moschusochsen. »Moschusochsen sehen total gefährlich aus mit ihren großen Hörnern«, sage ich zu ihr. »Aber das sind sie überhaupt nicht, sie sind ganz sanft und Vegetarier. Sie haben ein langes Fell, das aussieht wie ein Bart …«

»Kannst du das bitte mit deiner Stimme erzählen, Ruby?«

Tu ich doch! Mit meiner Gebärdenstimme.

Yasmin wartete. Wie immer wandte Ruby sich von ihr ab. Aber Yasmin würde nicht aufhören, sie zu bedrängen. Nach wie vor war sie fest entschlossen, Ruby eines Tages zum Sprechen zu bringen, damit man sie hören konnte. Auf gar keinen Fall wollte sie sich von einer Mail einschüchtern lassen. Sie würde Matt finden, es würde ihm gut gehen, Ruby würde anfangen, mit ihrer Stimme zu sprechen, und falls der Mann, der ihnen die Mail geschickt hatte, sie aus der Dunkelheit heraus belauerte, würde er nichts tun können als zuzuschauen, wie sie all das verwirklichte.

Zusätzlich zur Polarkleidung zog sie die Arbeitshandschuhe an, die Matt ihnen gekauft hatte – in Fäustlingen würde sie den Eiskratzer nicht führen können. Sie stieg aus der Fahrerkabine und schloss schnell die Tür, damit Ruby es warm hatte.

Schon beim ersten Atemzug in der eisigen Luft verkrampften sich ihre Lungen. Sie keuchte auf. Mehr Eisluft strömte in sie ein, und ihr war, als müsse sie ertrinken.

Sie zog sich den Mundschutz ihrer Sturmhaube über den Mund. Als sie jetzt Atem holte, hatte die Luft Zeit, sich in dem Zwischenraum zwischen ihm und ihrer Haut zu erwärmen, bevor sie endlich ihre Lungen erreichte.

Unter langsamen Atemzügen begann sie mit dem Kratzer die Rücklichter zu säubern. Die Luft, die sie ausatmete, verfing sich im Mundschutz und gefror ihr an den Wangen. Die Kälte kam ihr wie ein Jäger vor, und sie war die warme Beute. Hinter ihr ließ der Widerschein der Rücklichter die Winterlandschaft rot erglühen.

Während sie sich hinkniete, um weiter unten Eis und Schmutz zu entfernen, hielt sie hoffnungsvoll Ausschau nach den blauen Scheinwerfern. Sie waren nirgends zu sehen.

Sie hatte den Gedanken verworfen, dass der Fahrer und der Absender der Mail dieselbe Person sein könnten – rein praktisch war das unmöglich. Stattdessen sah sie in den blauen Scheinwerfern nun etwas Beschützendes. Denn solange sie hinter ihr waren, würde der Mann namens Akiak es nicht wagen, ihr etwas anzutun.

Die Kälte ließ ihre Augenbrauen und Wimpern gefrieren, machte aber auch wacher und schärfte ihre Gedanken.

Wenn dieser Mann ihr etwas antun wollte, warum machte er sich dann die Mühe, sie zuerst mit einer Mail einzuschüchtern?

Es musste ihm ums Einschüchtern gehen.

Er wollte, dass sie umkehrte.

Ihr Verstand arbeitete im Staccato, Gedanken wie Gewehrkugeln, als müssten bei diesen Minusgraden nicht nur körperliche, sondern auch geistige Prozesse so ökonomisch wie möglich ablaufen.

Warum sollte jemand sie daran hindern wollen, zu Matt zu gelangen? Er hatte keine Feinde, keine dunkle Vergangenheit. Er war ein Wildtierfilmer, und das Schlimmste, was er je getan hatte, war, eine Frau zu küssen, die nicht seine Ehefrau war.

Vielleicht hatte es auch gar nichts mit Matt zu tun, sondern die Person, die hinter der Mail steckte, wollte verhindern, dass sie, Yasmin, nach Anaktue kam. Wobei es höchst unwahrscheinlich war, dass sie dort etwas finden würde, was die Polizei übersehen hatte.

Die einzige Begründung, die ihr einleuchtend erschien, war, dass Matt irgendetwas wusste, vermutlich über Anaktue, und dass dieser Mensch nicht wollte, dass sie ihn fand, damit dieses Geheimnis, was immer es sein mochte, nicht ans Licht kam.

Der Kratzer fiel ihr aus der Hand. Sie hob ihn auf. Dabei geriet etwas Eis in ihren linken Handschuh, den sie nicht fest genug zugemacht hatte. Es brannte auf der Haut wie Säure.

Was konnte Matt entdeckt haben?

Seit er nicht wie geplant am Flughafen gewesen war, hatte sie alles in sich aufgenommen, was die Leute um sie herum gesagt hatten – alles erschien ihr möglicherweise irgendwie bedeutsam. Jetzt, während sie die Kruste aus Schnee und Dreck von den Rücklichtern kratzte, dachte sie daran zurück.

Alle Fracking-Unternehmen wissen, wo Anaktue ist – und besitzen vermutlich Gesteinsproben, ein seismisches 3-D-Profil und Bohrdaten darüber.

Unter Anaktue lagern Tausende Tonnen Schieferöl.

Vor 'n paar Monaten hab ich 'nen Iñupiaq getroffen, der kam aus Anaktue, aber er hat bei den Soagil-Bohrungen in Prudhoe gearbeitet. Der hat gemeint, wenn seine Familie nicht unterschreibt, wird er gefeuert.

Wie mir mitgeteilt wurde, wird Soagil Energy von der Erschließung der Fracking-Quellen Abstand nehmen. Aus Respekt vor den Dorfbewohnern.

Klar. Und die Touris kommen nach Alaska, weil da die Sonne so schön scheint.

Die Stimmen aus verschiedenen Orten und Zeiten verwoben sich zu einem gemeinsamen Thema.

Die Polizei hätte es doch sicherlich herausgefunden, wenn der Brand eine besonders brutale Form des Landraubs gewesen wäre. Sicherlich hätten sie es festgestellt, wenn es Brandstiftung gewesen wäre.

Aber nun, da sie hier draußen in der Kälte stand und es ein Kampf war, auch nur die Scheinwerfer des Sattelzugs zu säubern, wurde ihr klar, wie schwierig es in Alaska war, ein Verbrechen aufzuklären. Hier herrschten minus achtundzwanzig Grad, und sie besaß gute arktische Schutzkleidung, trotzdem war die Kälte gierig und gnadenlos. In Anaktue, viel weiter im Norden, war es noch kälter.

Und die unsägliche Dunkelheit. Die Polizei hatte bei künstlicher Beleuchtung arbeiten müssen, hatte diese immer wieder neu ausrichten, manches genauer betrachten und anderes im Dunkeln lassen müssen. Was waren das für Bedingungen, um die Wahrheit herauszufinden, wenn man von nicht mehr ausging als von einem katastrophalen menschlichen Versagen?

Sie dachte an Akiak. Vielleicht war der Name gar kein Alias, sondern er hieß wirklich so. Vielleicht wollte er der Fracking-Firma ermöglichen, zu bohren. Der Mann in dem Rasthof hatte gesagt, man hätte dem Dorf hunderttausend Dollar geboten.

Die Eiseskälte hatte den Dreck buchstäblich an den Rücklichtern festgeschweißt. Sie musste den Kratzer umdrehen und mit dem Stiel darauf einhacken. Ihre Knie begannen zu schmerzen, ihre linke Hand stach vor Kälte.

Konnte sie die Polizei davon überzeugen, dass der Brand mit dem Ziel des Landraubs gelegt worden war? Dass sie vermutete, Matt könne etwas darüber wissen? Dass jemand versuchte, sie abzuschrecken?

All das waren bloße Vermutungen, Hypothesen, die sie durch nichts untermauern konnte. Wieder lief sie nur Gefahr, dass die Polizei sie daran hindern würde, zu Matt zu gelangen, ohne sich überzeugen zu lassen, selbst noch einmal zu suchen. Nun, da sie draußen in der mörderischen Kälte stand, hatte sie noch mehr Angst um ihn. Selbst wenn er seine Notausrüstung dabeihatte, wusste sie nicht, wie lange ihn das vor dem Erfrieren retten würde.

Da kam Ruby zu ihr heraus. Yasmin erschrak, aber dann sah sie, dass Ruby ihre Polarkleidung angelegt und daran gedacht hatte, sich die Sturmhaube über den Mund zu ziehen. Auch ihre Handschuhe waren korrekt zugezogen.

Das Licht aus der Fahrerkabine war hell genug, um Gebärden zu erkennen.

»Hat Dad jemals etwas davon gesagt, dass eine Ölfirma auf dem Gebiet von Anaktue fracken wollte?«, fragte Yasmin.

Ruby nickte. Yasmin war völlig überrascht.

»Aber das wollten die Leute in Anaktue nicht«, fuhr Ruby fort. »Corazon hat alle aufgerüttelt.« Im Licht des Fahrerhäuschens buchstabierte sie »Corazon«.

Schneeflocken begannen vom Himmel zu rieseln und tanzten im bernsteinfarbenen Licht.

»Er hat dir von Corazon erzählt?«, fragte Yasmin.

Ruby nickte. »Sie ist superclever, hat er gesagt.«

Unglaublich, dass Mum und ich hier draußen in der eiskalten Dunkelheit stehen und uns unterhalten. Wie winzige Zwerge auf dem Boden einer Gefriertruhe mit geschlossenem Deckel, in der nur die kleine Glühbirne brennt. Aber ich weiß, warum. Weil man hier draußen über die großen Sachen nachdenkt. Und ich glaube, für Mum ist das hier eine große Sache, weil Corazon und ihr Zwillingsbruder Kaiyuk Dads beste Freunde hier sind. Und ein bester Freund ist das beste Mittel dagegen, einsam zu sein.

Während wir auf dem Boden der Gefriertruhe stehen und reden, würde ich ihr gern sagen, wie traurig ich bin, dass Dads Freunde ihr bisher so egal waren. Wenn er zu Hause war, hat sie ihn nie irgendwas über Anaktue oder Corazon oder Kaiyuk gefragt, aber ich weiß, er hätte sich total gefreut, wenn sie es getan hätte.

Mum gebärdet mir, dass sie die Frontscheinwerfer ausschalten muss, bevor sie sie reinigen kann, weil die so hell sind, dass sie hinterher nichts mehr sehen würde. Sie sagt, ich soll zurück ins Fahrerhaus gehen, aber ich nehme die Taschenlampe, die sie in den Schnee gesteckt hat, und leuchte ihr, während sie die Leiter zum Fahrerhaus hinaufklettert, weil die ganz vereist ist.

Sie schaltet die Scheinwerfer aus. Jetzt sieht man die

Straße vor uns nicht mehr. Es ist so, als wäre der kleine Lichtfleck aus der Fahrerkabine, in dem ich stehe, alles, was an Licht in der Welt übrig ist.

Ich leuchte ihr weiter, damit sie wieder runterklettern kann. Sie schüttelt den Kopf, weil ich nicht gehorcht habe und eingestiegen bin, aber ich weiß, dass sie dabei lächelt, auch wenn sie die Gesichtsmaske über die Nase gezogen hat.

Ich gehe mit ihr vor den Laster und halte ihr die Taschenlampe, und sie beugt sich vor und kratzt an den Scheinwerfern herum.

Die Sturmhaube über meinem Mund ist eklig, weil mein Atem darin feucht wird und zu Eis gefriert. Dad hat gesagt, Iñupiat-Parkas haben große Pelzkapuzen, in denen sich die eisige Luft ein bisschen aufwärmen kann, bevor sie an Nase und Mund kommt, als hätte man ein warmes Kissen aus Luft vor dem Gesicht, und wenn man ausatmet, gefriert der Atem nicht auf der Haut. Nur auf Schneemobilen funktioniert das nicht, sagt er, weil einem da die kalte Luft zu schnell ins Gesicht weht. Meine Jacke kommt bloß aus einem Outdoor-Geschäft.

Ich hoffe, Corazon und Kaiyuk sind bei Dad. Er hat erzählt, dass er sich zuerst mit Kaiyuk angefreundet hat, und dann hat er Corazon kennengelernt, und sie ist wie eine weibliche Version von Kaiyuk. Manchmal wünscht sich Dad, er hätte einen Zwilling. Er hat mich gefragt, ob ich das auch gern hätte. Ich sagte Nein, weil ihnen eine wie ich wahrscheinlich völlig reicht. Da hat er gelacht und gesagt, kein bisschen, aber zwei wie mich könnte es sowieso niemals geben.

Corazon und Kaiyuk kennen eine alte Frau, ich glaube, es ist ihre Urgroßtante. Als die jung war, half sie mit, die

Regierung daran zu hindern, eine Atombombe direkt neben der Stelle zu testen, wo das Dorf seine Fische fängt. Der Regierungsmann sagte damals, das Dorf könnte sich doch freuen, dass es auf die Art einen Hafen bekommt, und sie wären so gut im Atombombenwerfen, dass sie den Hafen in Form eines Eisbären machen könnten. Die Urgroßtante hat gesagt:

1. bräuchten sie keinen Hafen, und
2. hätte sie lieber einen echten Eisbären.

Dad und ich fanden das supercool.

Mum sagt nichts, während sie die Scheinwerfer sauber macht. Dann dreht sie sich zu mir um, und ich kann ihr Gesicht sehen und ihre Hände auch.

»Hat Dad noch was gesagt?«, fragt sie. »Über die Ölfirma?«

Sie nimmt die Taschenlampe, damit sie meine Hände sehen kann.

»Er hat gesagt, das Öl stammt von Pflanzen und Tieren, die in früheren Meeren gestorben sind«, sage ich. »Es dauert Abermillionen von Jahren, bis es sich bildet, und wir sind Plünderer und Barbaren und Diebe, die sich ihre eigene Zukunft klauen.«

Er war ganz wütend und aufgeregt gewesen. »Die bohren bis in drei Kilometer Tiefe – drei Kilometer! – und dann zur Seite und brechen den Fels mit Hilfe von Gift auf, damit sie das Gas oder Öl mit Gewalt aus ihm rauspressen können, und weißt du, was wir mit dem Gas und Öl machen, das sich in Millionen von Jahren tief unter der Erde gebildet hat?«

»An einem sonnigen windigen Tag den Wäschetrockner laufen lassen?«, hab ich erwidert, weil ich wusste, dass er so was gemeint hat. Dad mag Wäschetrockner überhaupt nicht.

»Genau. Oder ein Auto auf einem freien Stück Autobahn beschleunigen. Millionen von Jahren ...« Er wedelte mit der Hand in der Luft herum. »Wusch, weg, in vierzig Sekunden.«

Dann hält Mum mir die Taschenlampe, damit ich in den Laster steigen kann.

Beim Hochklettern sah sich Yasmin noch einmal nach den blauen Scheinwerfern um. Noch immer keine Spur von ihnen. Vielleicht war der andere Lastwagen umgekehrt.

Sie stieg zu Ruby ins Fahrerhaus. Die Kleidung war steif vor Kälte, und sie zogen sich um. Die warme Luft schmerzte auf der Haut, das Eis auf den Kleidern begann zu schmelzen. Yasmin fand ein Handtuch, ein Badetuch von Ruby, das mit nicht zueinanderpassenden Sonnen gemustert war, und wischte das Schmelzwasser damit auf. Ihre Hände waren noch steif und ungeschickt, und an der linken Hand hatte sie etwas, was aussah wie eine Verbrennung. Ruby musste ihr helfen, die Jacke auszuziehen. Ihre Gesichtsmaske war an ihrem Gesicht festgefroren. Sie musste sie abreißen, die Haut darunter fühlte sich wund an.

Die Heizung stieß warme Luft aus, die Innenbeleuchtung brannte hell. Die Fahrerkabine war wie ein sicheres Nest. Aber mit der Wärme kehrte die Müdigkeit zurück. Irgendwann würde sie anhalten und ein bisschen schlafen müssen, aber nicht jetzt.

Sie schaltete den Funk ein, vergewisserte sich, dass aus keiner Richtung ein Fahrzeug kam, und fuhr wieder auf die Fahrbahn auf. Jetzt leuchteten ihre Scheinwerfer wieder heller und weiter – ein vierhundert Meter langer Tunnel aus Licht, erfüllt von tanzenden Schneeflocken.

11

Der Wind hatte aufgefrischt. Schneewolken trieben über die Straße wie Chiffonschleier. Yasmin drehte den Kopf nach links und rechts, um ihren verspannten Nacken zu lockern. Wieder sah sie in den Spiegel, aber weiterhin war niemand hinter ihnen.

Sie war so stolz auf Ruby, die ihr in der Eiseskälte die Taschenlampe gehalten und sich nicht das kleinste bisschen beklagt hatte. Kaum jemand wusste, wie mutig Ruby war, wie intelligent und witzig, weil sie mit niemandem sprach. Aber eines Tages würde sie das tun, und dann würden alle sie wirklich kennenlernen.

Ständig hatten sie und Matt Diskussionen gehabt – darüber, ob sie Ruby das Gebärden erlauben oder sie zwingen sollten, ihre hörbare Stimme zu benutzen. Und über das Notebook und das Internet und im letzten halben Jahr über die große Frage, auf welche Schule Ruby im September gehen sollte. Die reguläre weiterführende Schule verfügte über hervorragende Unterstützungsangebote, aber denen traute Matt nicht. »Sie wird immer der Sonderfall sein. Weißt du, dass man diese Kinder damit hänselt? ›Du Sonderfall‹, sagen sie auf dem Schulhof.« Das wusste Yasmin. Und es waren nicht »diese Kinder«, es war Ruby. Sie nickte, aber ihre Blicke trafen sich nicht, denn sie hatten als Eltern darin versagt, ihr Kind zu beschützen.

Yasmin hoffte, in der weiterführenden Schule würde es besser sein als in der Grundschule, sie hatten mit dem Rektor gesprochen, und er hatte es ihnen versichert, aber Matt hatte sich nicht überzeugen lassen.

»Sie muss lernen, in der wirklichen Welt zurechtzukommen«, hatte Yasmin gesagt. Warum verstand er das nicht? »Wenn sie das jetzt hinter sich bringt, das härteste Stück Arbeit, während wir noch da sind und ihr helfen können ...«

Matt unterbrach sie. »Momentan funktioniert es aber nicht.«

»Vielleicht nicht jetzt, aber ...«

»Und das mit der wirklichen Welt ist Blödsinn. Die Welt besteht aus Millionen verschiedener Daseinsmöglichkeiten. Ruby wird sich die aussuchen, die am besten zu ihr passt.«

Dann war Ruby hereingekommen und hatte sie unterbrochen, aber ihr Streit war weitergegangen, in zerrissenen Fragmenten, ohne dass eine Seite die Oberhand gewonnen oder nachgegeben hätte, denn wenn es um das eigene Kind geht, gibt es keine Kompromisse, keine Zugeständnisse in dem, was man für richtig hält.

Insgeheim wünschte sich Yasmin, sie könnte einfach nur lieb zu Ruby sein und aufhören, sie wegen des Sprechens zu behelligen. Dann würde sie sie gebärden lassen und sie auf der Stelle von der Regelschule nehmen, wo sie so unglücklich war. Aber das wäre feige. Sie musste den Mut aufbringen, nach vorn zu schauen, auf die achtzehnjährige Ruby, die fünfundzwanzigjährige, auf Ruby in ihrem eigenen Alter. Wenn ihre Eltern nicht mehr jeden Tag für sie da sein konnten, so wie Yasmin jetzt. Sie musste die richtigen Weichen für Ruby stellen und es riskieren, dass die ihre Mutter hasste.

Weil sie ihr Kind liebte.

Wieder sah sie in den Rückspiegel. Und sah blaue Scheinwerfer.

Weder beim Säubern der Rücklichter noch beim Herausfahren aus der Parkbucht war etwas von ihnen zu sehen gewesen. Sie war überzeugt gewesen, dass er umgekehrt war. Aber er hatte nur das Licht ausgeschaltet und gewartet, verborgen im Dunkeln, um ihr nun wieder zu folgen.

Sie musste an den blond gefärbten Mann am Flughafen denken, an diesen Silesian Stennet, an seinen viel zu beharrlichen Blickkontakt, daran, wie er ihr durch den Korridor gefolgt war, sie am Arm gepackt hatte.

Eigentlich hielt sie es nicht für möglich, dass innerhalb von Minuten eine solche Obsession entstehen konnte, aber sie erinnerte sich an sein fahles schweißfeuchtes Haar, als er ihr angeboten hatte, Ruby zu sich zu nehmen. Damit sie ihm dankbar wäre, auch wenn er das Gegenteil behauptet hatte: »Sie wären zu nichts verpflichtet.« Es hatte schon andere scheinbar vernünftige Männer gegeben, die behauptet hatten, ihr vom Fleck weg verfallen zu sein – vom Blitz getroffen, kaum dass sie sie sahen. Diese Blitzschläge ließen auch Yasmin zusammenzucken, aber erst später, wenn sie davon erfuhr.

Die Stimme, die sie gefragt hatte, ob sie eine Waffe dabeihatte – war das Silesian Stennet gewesen? Sie hatte seine Stimme vom Flughafen her nicht mehr so genau im Kopf, um es mit Sicherheit sagen zu können, aber es war durchaus möglich. Sie wusste jedenfalls, dass sie diese Stimme schon einmal gehört hatte.

Aber sie hatte ihn zuletzt auf dem Flughafen gesehen. Er konnte nicht wissen, dass sie hier auf dem Dalton Highway unterwegs war.

Sie blickte wieder nach hinten. Die blauen Lichter folgten ihr in immer gleichem Abstand.

Sie hob das Mikrofon des Funkgeräts vor den Mund. »MP 150 Richtung Norden. Kann das Fahrzeug, das mir folgt, sich bitte mal melden?«

Nichts.

Dann ertönte ins Schweigen des Funkgeräts Cobys warme, unerschütterliche Stimme. »Hallo, tapfere Lady, sind Sie das im Funk?«

»Sind Sie das hinter mir?«, fragte sie voll verzweifelter Hoffnung.

»Ich bin bei MP 170. Sehe niemanden vor mir.«

Also etwa dreißig Kilometer nördlich von ihr.

»Hab gerade den neuesten Wetterbericht reinbekommen«, fuhr er fort. »Hat noch jemand das gehört?«

»Das wird krass«, sagte jemand. »Verdammt krass.«

»Es ist die Rede von Orkanböen«, erklärte Coby. »Und bis zu minus fünfzig Grad. Einen genauen Zeitpunkt können sie noch nicht angeben, aber schätzungsweise in acht Stunden.«

»Hab gehört, am Atigun-Pass besteht Lawinengefahr«, sagte ein weiterer Trucker. »Die haben den Schnee von gestern noch nicht weggesprengt.«

»Scheiße«, sagte jemand, und sie hörte noch weitere Trucker fluchen.

»Vor drei Wochen ist einer von uns unter eine Lawine geraten«, erklärte Coby ihr.

»Bei starkem Nordwind dauert's nur eine Stunde, und ein Hang ist reif«, sagte ein anderer.

»Die Northern Haulage Company lässt momentan keinen losfahren, weder aus Fairbanks noch aus Deadhorse«, meldete sich eine weitere Stimme. »Und ich nehme an, die anderen Firmen machen's ähnlich. Die verlieren 'ne Menge Kohle, wenn ihnen ein Truck verloren geht.«

»Sie haben's gehört, tapfere Lady?«, fragte Coby in seinem bedächtigen Tonfall.

»Ja.«

»Okay, Mädel, verrätst du mir deinen Namen?«

»Yasmin.« Sie sah, dass Ruby neben ihr Voice Magic eingeschaltet hatte und dem Gespräch folgte.

»Wo steckst du gerade?«, fragte Coby.

»MP 150.«

»Okay. Schon zu weit von Fairbanks, um kehrtzumachen. Am besten fährst du bis Coldfoot weiter, das sind noch vierzig Kilometer. Keine leichte Strecke, aber auch nicht schlimmer als das, was du schon hinter dir hast. Mach's dir dort bequem und warte den Sturm ab. Ich bin dann schon da und halte den Kaffee warm.«

»Für den wirst du anstehen müssen«, sagte ein anderer. »Jeder, der's nicht nach Deadhorse oder Fairbanks schafft, wird sich dort einigeln.«

Ob der Fahrer mit den blauen Scheinwerfern auch zuhörte? Sie vermutete es. Adeeb hatte gesagt, alle Fahrer hätten das Funkgerät immer eingeschaltet.

»Dann bis Coldfoot«, sagte sie. »Wenn's da ein Motel gibt, übernachte ich vielleicht.«

Sie hängte das Mikrofon ein.

»Wir können keine Pause machen«, sagte Ruby. Der Voice-Magic-Tonfall war so unpersönlich wie immer, aber Yasmin spürte, wie sie zitterte.

»Wir werden keine Pause machen«, gab sie zurück. Sie hatten noch acht Stunden, vielleicht sogar mehr, um nach Deadhorse zu gelangen. Während der Unterhaltung über Funk hatte sie überschlagen, wie weit es noch war und wie schnell sie im Schnitt fuhren. Sie konnten es schaffen.

»Fahren wir immer noch zu Daddy?«

»Ja.«

In Deadhorse würde sie einen Taxiflieger überreden müssen, sie zu Matt zu bringen. Minus fünfzig Grad. Orkanböen. Sie musste ihn finden.

Natürlich hatte sie Angst um Ruby, aber vielleicht begann sie Gefahren zu sehen, wo keine waren. Die blauen Lichter blieben beharrlich hinter ihr, doch das hieß nicht, dass der Lastwagen sie verfolgte. Auf der Strecke waren Dutzende davon unterwegs. Vielleicht hatte er einfach ein Nickerchen gehalten und dabei das Licht ausgeschaltet. Oder er hatte wie sie die Scheinwerfer gereinigt und sie deshalb ausschalten müssen. Eine weitere Mail war auch nicht gekommen, Gott sei Dank. Vielleicht war es auch nur Spam gewesen. Wenn man erschöpft war, wurde man leichter paranoid, in dieser Landschaft sowieso.

Im Weiterfahren dachte sie darüber nach, wie Matt und sie sich kennengelernt hatten. Es war keine Liebe auf den ersten Blick gewesen, von Blitzschlag konnte keine Rede sein. Später erzählte er ihr, dass er sie schon öfter an der Uni gesehen hatte, aber Menschen, die so unverschämt hübsch waren, eher misstraute. Oder vielleicht, sagte er, sei es auch eine Art darwinistischer Selbstschutzmechanismus gewesen, wenn man die Konkurrenz als zu stark einschätzte und sein Geweih, seine Hauer oder Hörner nicht riskieren wollte.

Aber dann hatte er sie angesprochen und sie kennengelernt und sich in sie verliebt. Er gestand ihr, dass er sich vor seinen Gefühlen für sie richtig gefürchtet hatte. Aber die Gefühle waren da. Und er war von ihr hin und weg gewesen. Und sie hatte gespürt, dass sie Gleichgesinnte waren, sogar in ihrer Angst vor der Liebe. Als Physikerin kannte sie die Formeln und Risiken des freien Falls, aber an ihrem freien Fall war nichts Rationales oder Logisches, und keine Gleichung konnte berechnen, wo und wie er enden würde.

Von jemandem besessen zu sein hatte mit Besitzdenken zu tun – ein Narzissmus, in dem sich allein derjenige widerspiegelte, der ihn fühlte. Wahre Leidenschaft hingegen, das wusste sie jetzt, bestand aus Liebe, Liebe in ihrer extremsten Form, die einen mitten im Winter die arktische Wildnis durchqueren ließ. Und genau das war das Ergebnis ihrer Gleichung.

Plötzlich hob sich die Schwärze. Der scharfe Wind hatte die Wolken auseinandergetrieben, und unter dem Nachthimmel schimmerte das Gebirge. Im schwachen Licht sah sie, wie hoch oben sie waren und wie tief es knapp einen Meter neben dem linken Straßenrand nach unten ging. Sie wünschte, es wäre dunkel geblieben, und sie müsste dieses schwindelerregende Gelände nicht sehen, wie aus einer Schauergeschichte, abweisend, schroff und so gewaltig, dass sie darin zu einem Nichts schrumpfte.

In einem lange vergessenen Reflex aus der Kindheit, wenn sie sich klein und mutlos gefühlt hatte, sah sie zum Himmel auf.

Die Wirklichkeit schien zu schwanken. Da waren drei Monde.

Dann begriff sie, dass zwei der drei Monde Paraselenae waren – eine seltene, wunderschöne Erscheinung, die sie zum ersten Mal sah.

Sie machte Ruby darauf aufmerksam.

»Da sind ja drei Monde, Mum!«, sagte ihre Tochter über Voice Magic.

»Die nennt man Nebenmonde.«

»Woher kommen sie? Warum gibt es sie bei uns zu Hause nicht?«

»Sie sind nicht echt. Es sind nur Reflexionen des Mondlichts.«

»Wie geht das? Erklär es mir!«

Sie hielt an. »Dort oben, hoch in den Wolken, schweben Eiskristalle. Wenn das Mondlicht auf sie trifft, prallt es davon ab, und das führt zu diesen Erscheinungen. Sie heißen auch Paraselenae.« Das Wort buchstabierte sie. Dabei fiel ihr auf, dass es ihr bisher nur wichtig gewesen war, Ruby die Sache mit dem Sprechen beizubringen. Es überraschte sie selbst, als sie nun feststellte, dass ihr auch die Paraselenae wichtig waren.

»Paraselenae«, buchstabierte Ruby zurück.

Dann schoben sich neue Wolken vor den Mond und die Nebenmonde. Es wurde wieder finster. Sie fuhr weiter.

Die beleuchtete Uhr auf dem Armaturenbrett zeigte drei Uhr morgens. Das schwarze Herz der Nacht, dachte Yasmin, aber diese Nacht hatte kein Herz, weil es keinen Morgen geben würde. Es schneite wieder. Die Flocken wurden erst im Scheinwerferlicht sichtbar, als entstünden sie plötzlich aus dem Nichts. Ihre Glieder waren schwer vor Müdigkeit. Draußen herrschten minus dreißig Grad.

Ruby tippte ihr auf den Arm.

Es war wieder eine Mail gekommen.

Sie hätte gern verhindert, dass Ruby das Foto sah, aber die hatte die Mail schon geöffnet und nach unten gescrollt. Yasmin sah in den Spiegel – die blauen Scheinwerfer waren unverändert weit hinter ihnen – und hielt an.

Auf dem Bildschirm war ein toter Vogel zu sehen. Er

glänzte schwarz, sogar Schnabel und Füße, auf den Federn lag ein fast metallischer Schimmer, die Augen traten ekelhaft hervor. Er wirkte richtiggehend dämonisch. Yasmin drehte sich der Magen um.

Sie erinnerte sich in allen grausigen Details an einen Schulausflug zum Tower von London, an die Raben, die blutgetränkte Kekse verschlangen und ein Kaninchen zerrissen. Während die anderen Mädchen wild kreischten, hatte sie, Yasmin, stumm und angeekelt dagestanden.

Raben waren in der westlichen Kultur seit Jahrhunderten als Todesboten verschrien. Aasvögel, die auf den Schlachtfeldern die Leichen fledderten.

Wieder suchte sie das Bild nach einem Hinweis auf den Fotografen oder den Ort ab, wo es gemacht worden war. Der tote Vogel lag im Licht einer Taschenlampe da, das aber zu schwach war, um zu erkennen, woran er gestorben war. Auf dem weißen Schnee ringsum war kein Blut zu sehen. Sonst gab es auf dem Bild nichts Auffälliges. Der Betreff lautete DSC_10021, unter dem Foto stand: 69051605 150116989.

Hinter ihr hatte auch der Lastwagen mit den blauen Lichtern angehalten. Sie konnte sich nicht weiter einreden, dass der Verfolger nur ihrem erschöpften, paranoiden Gehirn entsprang.

Eigentlich könnte sie sich jetzt an die Polizei wenden. Jemand wollte verhindern, dass sie Matt und Anaktue erreichte – das hieß, Matt musste am Leben sein. Aber was hatte sie? Makabre Fotos toter Tiere, abgeschickt von jemandem, der vielleicht Akiak hieß, vielleicht auch nicht. Womöglich tat die Polizei die beiden Mails als Spam oder Kuriosität ab, wie sie selbst es ja auch mit der ersten getan hatte. Und diese Straße war der einzige Highway durch

Alaska, wie also sollte sie beweisen, dass die Lichter dort hinten ihr Böses wollten, ohne neurotisch und paranoid zu klingen? Aber sie spürte nun ganz deutlich: Ruby und sie wurden bedroht.

Wenn sie keine Möglichkeit fand, die Polizei davon zu überzeugen, dass Matt lebte und man ihn retten musste, kam der schreckliche Augenblick der Entscheidung immer näher. Die grauenhafte Vorstellung, ihn im Stich zu lassen, die bisher nur als Schatten in ihrem Geist gelauert hatte, wurde irgendwo dort draußen auf der finsteren Straße vor ihnen zur Realität.

»Du kannst der Polizei sagen, dass Dad am Leben ist!«, sagte Ruby über Voice Magic. »Jetzt hat er uns schon zwei Mails geschickt.«

»Ruby –«

»Dad liebt Raben. Die sind supercool.«

Hatte sie nicht gemerkt, dass das Tier tot war?

»Bei den Iñupiat gibt es eine tolle Geschichte über einen Raben.«

In ihrer Angst und Erschöpfung konnte Yasmin den Klang der Maschine nicht mehr ertragen. Sie konnte nicht aushalten, dass Ruby nicht einmal versuchte, mit ihrer eigenen Stimme zu sprechen. Der Gedanke, dass eine einsame Zukunft auf ihre Tochter wartete, war ihr unerträglich.

»Bitte, Liebes, versuch, deine eigene Stimme zu benutzen. Versuch's einfach. Bitte.«

Ruby wandte sich von ihr ab.

Mum glaubt immer noch nicht, dass Dad uns diese Mails schickt. Das heißt, die Polizei wird es auch nicht glauben. Aber ich *weiß*, dass er es ist. Ich werde was über Raben in unserem Blog schreiben, das ist dann ein bisschen, als wäre

Daddy bei mir. Ich glaube, er wird sich freuen, dass ich schon angefangen habe, dann können wir den Blog veröffentlichen, sobald er mitmacht. Also lade ich das Foto und all die Zahlen hoch, denn wenn Dad die mitgeschickt hat, müssen sie wichtig sein.

Das mit dem Blog hatten wir beschlossen, kurz bevor wir in die Ferien nach Schottland fuhren, weil Dad gleich nach Schottland wieder nach Alaska gehen wollte.

Ich weinte auf meinem Bett, und Bosley versuchte mich mit dem Schwanz anzuwedeln, aber es klappte nicht so richtig, und ich machte sein ganzes Fell nass. Da kam Dad rein.

»Schule?«, fragte er und setzte sich neben mich.

Ich nickte.

»Hat das neue Schuljahr nicht so toll angefangen?«

»Nein.«

»Freunde oder Feinde?«

Das Tolle an Dad ist, dass er weiß, es ist schlimmer, wenn Freunde gemein sind, als wenn die Feinde fies sind.

»Ein Freund«, sagte ich. »Jimmy.«

»War er gemein zu dir?«, fragte Daddy, und er sah sehr verwundert aus, weil Jimmy immer mein bester Freund gewesen war.

»Nicht so wirklich«, sagte ich. »Ein bisschen.«

»Willst du's mir erzählen?«, fragte er. Als ich nur weiter Bosley streichelte und ein bisschen seine Ohren zupfte, was er total mag, sagte Dad: »Tut gut, wenn's rauskommt.« Das ist ein Witz, weil er es zum ersten Mal gesagt hat, als ich mal was Verdorbenes gegessen hatte, und ich fand es zwar eklig, aber auch lustig. Seither sagt er es immer, wenn er glaubt, ich würde was in mich reinfressen, und mich zum Lächeln bringen will.

Ich hörte auf, Bosley zu streicheln, aber er blieb mit dem Kopf auf meinem Schoß liegen. Ich erzählte Dad, dass ein paar Leute Jimmy damit aufgezogen hatten, ich wäre seine Freundin. Und deshalb wollte er sich nicht mehr mit mir blicken lassen.

»Will Jimmy denn eine Freundin?«, fragte Dad.

»Ich glaub nicht. Über so was reden wir nicht.«

»Wäre es ihm peinlich, wenn die Leute denken würden, er hätte eine Freundin?«

»Vielleicht.«

»Ich glaube, er mag es nicht, wenn man ihn aufzieht. Das mag eigentlich keiner.« Ich merkte, dass Dad intensiv über das Problem nachdachte. »Vor allem mit einer Freundin. Egal was für einer. Es hat nichts mit dir zu tun.«

Ich fing wieder an, Bosley zu streicheln, denn selbst wenn es nichts mit mir zu tun hatte, war es nun mal so, dass Jimmy bisher mein bester Freund gewesen war, und jetzt war er es nicht mehr. Und ich mochte ihn so gern, also, als besten Freund, und das konnte ich jetzt nicht mehr, aber es war trotzdem noch so. Und ich weiß nicht, wie ich ihm hätte erklären können, dass man jemanden mögen kann, ohne gleich irgendwie zusammen zu sein, denn über so was reden wir nicht.

»Ist es nicht ein bisschen früh, um mit solchen Sachen anzufangen?«, fragte Dad. »Mit zehn?«

»Zehneinhalb. Und ganz viele haben schon einen Freund oder eine Freundin.«

»Sorry. Da bin ich wohl nicht mehr auf dem Laufenden.«

Mit Dad ist es so: Er wartet, bis man wieder was sagt. Bosleys Schwanz wedelte ganz schnell, aber das machte mich nicht fröhlicher.

»Ich hab sonst keine Freunde, Dad.«

Dabei sah ich ihn nicht an. So was zu sagen ist beschämend.

»Du weißt doch, dass wir zu Weihnachten in Alaska sind?«, sagte er.

Ich nickte. Ich war es gewesen, die lieber zu ihm fliegen wollte, als dass er nach Hause kam. Aber bis Weihnachten war es noch eine Ewigkeit.

»Wir müssen dort nicht im Hotel bleiben. Wir können rausfahren und richtige Entdeckungstouren machen. Und du und ich können dann zusammen einen Blog über all die Tiere schreiben, die wir sehen.«

Das war eine supercoole Idee, und Dad merkte wohl, dass ich das fand.

»Wir können Fotos machen und sie auf dem Blog hochladen, und schreiben werden wir ihn gemeinsam. Auf Twitter kannst du ihn dann verlinken. Wir setzen einen Trend!«

Seit ich mit Twitter angefangen habe, kennt Dad sich damit auch total gut aus, also weiß er, dass es Quatsch ist, zu behaupten, wir würden einen Trend setzen, so was machen nur Popstars und Filmstars und solche Leute, aber ich fand die Vorstellung lustig.

Wir fingen an, unseren Blog zu gestalten, und Dad zeigte mir auf seinem iPad alle möglichen Tiere und Vögel, über die wir schreiben könnten. Und dann fuhren wir nach Schottland und übten dort.

Ich weiß, diese Mails sind von ihm. Ich weiß es.

Wenn ich die Augen schließe, kann ich Dad in Schottland genau vor mir sehen: sein Superman-T-Shirt und sein Lächeln, und er hatte sich nicht rasiert, deshalb war sein Gesicht ganz stoppelig. Aber ich kann ihn nicht vor mir sehen, wie er mir hier die Fotos schickt. Seinen Iñupiat-Parka mit der Pelzkapuze kann ich mir vorstellen, nur sein

Gesicht darin nicht. Es ist natürlich schwierig, weil er die Schneebrille trägt. Aber daran liegt es eigentlich nicht. Denn unter der dicken Kapuze und der Schneebrille ist gar nicht Dads Gesicht, sondern ein ganz anderes, unheimliches. Das von dem ekligen Schleimklumpen mit den blonden Haaren und dem grauen Scheitel und den Quallenhänden.

Mum sagt, wenn man müde ist, kommen einem schlimme Gedanken, und man kann sie nicht mehr abwehren. Das sagt sie abends, wenn ich am nächsten Morgen Schule habe. Ich glaube, sie hat recht. Denn auch wenn ich mir sein Gesicht gerade nicht richtig vorstellen kann, weiß ich doch, es ist Daddy, der uns die Bilder schickt.

Hinter uns sind ganz kleine blaue Lichter, die uns im Dunklen zu folgen scheinen.

Die Außentemperatur war auf minus fünfunddreißig Grad gesunken, und der Schneefall wurde stärker. Yasmin sehnte sich nach Schlaf, danach, nur ein paar Minuten lang die Augen zu schließen und nachzugeben. Sie wäre ein leichtes Folteropfer – zwei Nächte ohne Schlaf und im Dunkeln, und sie würde alles zugeben. Helles Licht als Foltermittel kam ihr momentan fast wie ein Segen vor.

»Tapfere Lady« hatte Coby sie genannt. Es war lange her, dass jemand sie tapfer gefunden hatte. Aber sie hatte die Veränderung in sich gespürt, hatte sie ihrer eigenen Stimme angehört, als sie mit Coby und den anderen Fahrern sprach. Dabei war ihr diese Stimme, dieses Ich nicht neu, ganz im Gegenteil, es war ihr tief vertraut. Es war ihr Wesen von damals: entschlossen, hartnäckig, mutig – nein, eher tollkühn.

Mit Schrecken begriff sie, dass sie sich jahrelang irgendwie farblos und stumpf gefühlt hatte. Die Persönlichkeiten aller Menschen um sie herum waren scharf umrissen. Nur ihre eigene nicht. Sie hatte Aufgaben und Pflichten und die Liebe zu Ruby gehabt, eine so unendlich große Liebe, aber wie hätte sie sich selbst beschrieben? Irgendwo zwischendrin war ihr das eigene Ich abhandengekommen.

Sie sah sich am anderen Ende der Welt in der Küche stehen. Der Kontrast zwischen jener Frau und dem, was sie hier tat, war schwindelerregend. Hier draußen in den wilden Weiten Alaskas sah sie, wie klaustrophobisch eng ihr Haus war, wie klaustrophobisch sie selbst. Sie erkannte, dass nicht die alte, noch immer vorhandene Trauer um ihre Mutter oder die – wirkliche oder metaphorische – Entfernung von Matt für ihre Einsamkeit verantwortlich gewesen waren, sondern die Tatsache, dass sie selbst sich gefehlt hatte, das Ich, das sie einmal gewesen war.

Erst hier, in dieser monotonen Landschaft auf der Kuppe des Planeten, begann sie, sich zu verstehen. Als wären erst der Abstand und der Kontrast zu ihrem Leben dort drüben erforderlich, um sich selbst klar zu erkennen.

Sie wünschte sich, sie könnte Matt davon erzählen und es ihm erklären.

Ich habe sie geküsst, weil ich dich vermisste.

Sie drückte fester aufs Gaspedal. Sie würde ihn finden.

12

Die blauen Lichter sind immer noch hinter uns. Mum schaut immer wieder in den Rückspiegel. Ziemlich oft sogar. Ich habe Angst, dass es der Schleimklumpen ist, der uns hinterherfährt, und dass ich daran schuld bin. Weil er uns auf dem Parkplatz in Fairbanks gefunden hat und sie ihn nicht gesehen hat. Ich hätte es ihr sagen sollen, denn in Fairbanks waren noch Mr. Azizi und viele andere Leute. Jetzt sind wir ganz allein.

Sein Gesicht war ganz dicht vor meinem, nur das Glas zwischen uns.

Ich schalte Voice Magic ein.

»Diese blauen Lichter hinter uns«, sage ich und merke, dass sie ein bisschen überrascht ist, dass ich die blauen Lichter bemerkt habe. »Weißt du, wer das ist?«

Ich hoffe ganz fest, dass sie es weiß. Oder dass sie es nicht schlimm findet, dass jemand hinter uns ist.

Sie schüttelt den Kopf. Ich kann sehen, dass sie sich Sorgen macht, auch wenn sie versucht, es nicht zu zeigen. Ich muss es ihr sagen.

»Vielleicht ist es der Schleimklumpen«, sage ich mit der ekligen Finger-in-der-Nase-Gebärde, damit sie weiß, wen ich meine.

»Ich gebe zu, der war unheimlich«, sagt sie, »aber das da hinten ist er nicht. Das ist nur ein Lastwagen wie alle anderen. Mach dir keine Sorgen.« Aber sie will mir nur die Angst ausreden.

»Als wir mit Mr. Azizi auf diesem Lasterparkplatz waren«, sage ich, »da war der Schleimklumpen auch da. Er wollte mit dir reden. Aber wir sind ihm vor der Nase weggefahren.«

»Er war auf dem Parkplatz?«

»Ja.«

»Meinst du, er hat uns losfahren sehen?«

»Ja. Hat er. Er wollte mit dir reden. Aber ich wollte nicht, dass du dir Sorgen machst. Wo du dir doch schon um Dad Sorgen machst.«

»Das war sehr lieb von dir«, sagt sie.

Aber in Wirklichkeit ist *sie* lieb. Sie hätte sich gewünscht, ich hätte ihr gleich davon erzählt.

»Er ist nur ein Schleimklumpen«, sagt sie mit der ekligen Gebärde, um mich aufzumuntern. »Um Schleimklumpen braucht man sich keine Gedanken zu machen. Schlaf jetzt ein bisschen.«

Sie will wirklich, dass ich schlafe, also schließe ich die Augen. Ich denke an Schottland, wie warm es da war und wie fröhlich wir waren und ohne Angst. Ich kann das Torfgras sehen, das federt wie ein Trampolin, und ganz viel Heidekraut, als hätte jemand lila Farbspritzer über die ganze Gegend gesprüht, und meine lächelnden Eltern.

An Silesian Stennet hatte Yasmin ja auch schon gedacht, aber der Gedanke, er könnte ihr aus einer Art unheilvoller Besessenheit heraus folgen, war ihr mit jedem Kilometer auf dieser tückischen Straße absurder erschienen.

Außer, er hatte etwas mit dem Brand zu tun.

Vielleicht steckte gar keine Fracking-Firma dahinter,

sondern es war Silesian Stennet, der etwas zu verbergen hatte und nicht wollte, dass sie Matt fand.

Er hatte sofort gewusst, wo Anaktue lag. Sicher, er hatte eine Erklärung dafür gehabt, aber trotzdem. Er hatte dem Fracking die Schuld an dem Brand geben wollen, was widersinnig war – schließlich konnte kein Feuer Dutzende von Kilometern in Schnee und Eis und Wind überspringen. Nun, da sie selbst hier war, kam ihr die Idee noch lächerlicher vor.

Aber Silesian Stennet war nicht lächerlich, sondern beunruhigend.

Und besser, es trifft ein kleines Dorf in Alaska als eine stark besiedelte Gegend. Wenn es unvermeidlich ist, dass ein Dorf ausgelöscht wird, um diesen Wahnsinn zu stoppen, dann muss es eben sein.

Und dabei hatte er ausgesehen, als stimuliere ihn der Gedanke – das war es, was sie so abgestoßen hatte. Vielleicht hatte er den Brand gelegt in der Überzeugung, der idealistische Zweck heilige selbst grässliche Mittel. Aber es hatte nicht wie gewünscht funktioniert. Niemand nahm ihm ab, dass das Dorf dem Fracking zum Opfer gefallen war. Hätte er sich an die Polizei oder die Medien gewandt, hätten die ihn ebenso ausgelacht wie die Männer am Flughafen. Vielleicht hatte er das nicht vorausgesehen. Und da die Polizei buchstäblich im Dunkeln tappte, hatte sie die Hinweise auf Brandstiftung übersehen und weder erkannt, dass es Mord war, noch über ein Motiv nachgedacht.

Er hatte bei einer Ölfirma gearbeitet, sogar in leitender Position. Er musste noch Kontakte haben. Sicher konnte er sich eine Mitfahrgelegenheit in einem Laster verschaffen oder sogar selbst einen fahren.

Sie dachte daran, wie er ihr angeboten hatte, auf Ruby

aufzupassen. *Ich kann das für Sie tun. Ich nehme sie zu mir.* Hatte er sie als eine Art Pfand haben wollen?

Ruby war eingeschlafen. Yasmin spürte, wie sich ihr Körper im Rhythmus ihrer Atemzüge ganz leicht bewegte.

Die Erschöpfung brandete in Wellen gegen sie an. Sie dachte an all die englischen Seebäder mit ihren trutzigen viktorianischen Uferbefestigungen und hoffte, ebenso standhaft zu sein, denn sie durfte nicht schlafen, noch nicht. Sie sehnte sich nach einem Morgen oder zumindest nach dem Wissen, dass einer kommen würde, dass sie nicht hinein in eine endlose Nacht fuhr.

Momentan waren die blauen Lichter nicht zu sehen. Der andere musste ein Stück zurückgefallen sein. Aber sie war davon überzeugt, dass er ihr noch folgte.

Sie fuhr einen steilen Hang hinauf. Ihr rechter Fuß schmerzte. Sie würde den unnatürlichen Winkel, in dem sie ihn wegen des Gaspedals knicken musste, nicht mehr viel länger aufrechterhalten können. Rubys Hand streifte sie. Ihre Tochter gebärdete im Schlaf. Allein das Adrenalin hielt Yasmin noch wach.

Kurz vor der Kuppe sah sie vor sich einen Lichtschein, als ginge die Sonne auf. Sie wusste, dass das nicht stimmte, dass es eine Fata Morgana sein musste wie in der Wüste. Sie halluzinierte den Sonnenaufgang nur, vor Erschöpfung und aus ihrem existenziellen Wunsch nach Licht heraus. Dann erreichte sie die Anhöhe, und vor ihr im Tal breitete sich eine Ansammlung von Gebäuden aus, geschmückt mit orangen Natriumdampflampen, Flutlichtern, flackerndem Neon. Coldfoot.

Als sie in den Ort hineinkamen, schlief Ruby noch immer. Coldfoot war winzig: ein paar schlichte niedrige Gebäude links und rechts der Straße. Im Schneckentempo kroch sie daran vorbei. Durch die Fenster fiel honigfarbenes Licht heraus auf den Schnee. Sie verspürte ein beinahe körperliches Bedürfnis nach Gesellschaft und Sicherheit. Jedes hell erleuchtete Haus sandte einen Lockruf aus.

Es gab eine geöffnete Tankstelle mit Lastwagen-Tankstutzen und dahinter einen provisorischen großen Parkplatz. Etwas weiter die Straße entlang lagen eine Bar im Ranch-Stil und ein Motel, das aus Häuschen derselben Bauweise bestand wie das auf ihrem Anhänger. So viele Jahre hatte sie in einer der geschäftigsten Städte dieser Welt gelebt, aber noch nie hatte sie die Zivilisation so deutlich wahrgenommen.

Vielleicht konnte sie Ruby hierlassen. Vielleicht wäre sie hier in Sicherheit. Aber was, wenn der Fahrer mit den blauen Lichtern kam und nach ihr, Yasmin, suchte? Sie stellte sich vor, wie er das Motel, die Bar nach ihr durchkämmte und stattdessen Ruby fand.

Coby würde sich um Ruby kümmern, davon war sie überzeugt. Sicher waren hier noch weitere anständige Männer, die sie beschützen würden. Aber sie würde Coby darum bitten müssen, sich vergewissern müssen, dass auch die anderen Männer vertrauenswürdig waren. Und sobald diese auch nur einen Blick auf sie geworfen hätten, würden sie sie daran hindern, weiterzufahren. Davon war sie überzeugt. Und sie konnte auch nicht Ruby bitten, Coby selbst zu suchen, während sie weiterfuhr – wie sollte Ruby ihn finden? Wer zum Teufel verstand hier mitten im Nirgendwo die Gebärdensprache? Ruby wäre völlig hilflos.

Sie fuhr auf den Parkplatz zu. Die zweispurige Zufahrt war schlecht beleuchtet, zwischen den Straßenlaternen nichts als Dunkelheit. Etwa fünfzehn Laster parkten hier schon, ein weiterer kam dicht vor ihr herein. Vermutlich wollten sie alle hier den Sturm abwarten.

Sie fuhr einmal im Kreis über den Parkplatz und wieder in Richtung Highway. Im dunklen Bereich zwischen zwei Laternen fuhr sie rechts ran. Von hier aus würde sie ihn kommen sehen. Und wenn er sie passiert hatte, würde sie unbemerkt wieder losfahren. Hoffentlich würde er lange nach ihr suchen, damit sie einen Vorsprung bekam.

Sie schaltete alle Lichter aus, auch das im Fahrerhaus, nur die Heizung ließ sie an. Geräuschlos und unerbittlich trieben Schneeflocken ans Fenster, eine zarte Armee, die versuchte, die riesige Windschutzscheibe zu erobern. In der Dunkelheit und Wärme erschlaffte alles in ihr vor Müdigkeit. Sie öffnete das Fenster einen Spalt weit. Das schmale Band eisiger Luft hielt sie wach.

Acht Minuten später näherten sich blaue Scheinwerfer dem Zufahrtsweg zum Parkplatz. Sie hatte einen fatalen Fehler gemacht: Wenn er an ihr vorbeikam, würden seine Scheinwerfer ihre Fahrerkabine gnadenlos ausleuchten. Sie duckte sich, kauerte sich über Ruby im vergeblichen Versuch, sich zu verstecken.

Wenige Momente, ehe sie sie erreichten, wurden die Scheinwerfer ausgeschaltet. Vielleicht wollte der Fahrer sich nicht durch sein markantes Licht verraten.

Sie rührte sich nicht, daher konnte sie nicht ins Fahrerhaus blicken, als er keinen Meter neben ihr vorbeifuhr. Sie erkannte nur, dass es ein Tanklaster war.

Sie startete Mr. Azizis Sattelzug und fuhr los. Erst auf dem Highway schaltete sie das Licht ein. Im Rückspiegel waren keinerlei blaue Scheinwerfer zu sehen, nur die schwindenden Lichter von Coldfoot.

Adeeb hatte ihr erzählt, dass Coldfoot seinen Namen

von Goldsuchern erhalten hatte, die diesen Punkt erreicht, aber dann sprichwörtlich kalte Füße bekommen hatten und umgekehrt waren. Sie konnte die kalten Füße verstehen. Coldfoot zu verlassen fühlte sich an, als würde man sich gegen ein Seil stemmen, das eine Verbindung zu Sicherheit und Geborgenheit darstellte. Nur noch ein bisschen, und es würde reißen, und man triebe fort aus dem flachen Wasser, hinaus auf die tiefe weite See. Die Leute, die Coldfoot gründeten, hatten wohl gespürt, dass es wider jede menschliche Vernunft wäre, noch weiter nach Norden zu gehen. Die schrumpfenden Lichter zerrten an ihr, versuchten sie zurück in ihre Wärme, ihren Schutz zu ziehen. Sie fuhr weiter. Der Widerschein von Coldfoot wurde schwächer, und dann fuhr sie um eine Kurve, und er war fort.

Im Rückspiegel nichts als Finsternis. Sie wusste, der Tanklaster würde nur so lange in Coldfoot bleiben, bis der Fahrer merkte, dass sie nicht mehr dort war. Dann würde er ihr weiter folgen. Sie lauschte dem Funkverkehr, aber über sie wurde kein Wort gesagt. Jeder, der ihr letztes Gespräch mit Coby gehört hatte, musste annehmen, sie sei auf dem Weg nach Coldfoot oder schon dort angekommen und warte den Sturm ab.

Ein Laster kam ihr entgegen in Richtung Coldfoot, die Scheinwerfer verschwommen im Schneetreiben, aber hell genug, um gleißend in ihr Fahrerhaus zu scheinen, als er an ihnen vorüberfuhr. Dann war er verschwunden, und sie waren wieder allein.

Es war sechs Uhr morgens. Yasmins Körper und Geist, die einen Vierundzwanzig-Stunden-Rhythmus gewöhnt waren, schienen in dieser Nacht gefangen zu sein wie in einer Zeitfalte. Jetzt würde es keine von Menschen erzeugten Lichter mehr geben, die ihr einen Sonnenaufgang vorgaukelten.

Sie kamen an einem Meilenpfosten vorbei: Es waren noch knapp dreihundertachtzig Kilometer bis Deadhorse. Ohne jegliche Art von Dienstleistung entlang der Straße.

Mit der Vorstellung im Nacken, dass der Tanklaster in der Finsternis wieder aufholen könnte, fuhr sie möglichst schnell. Neben ihr regte sich Ruby.

»Ist jetzt Morgen?«

»Ja.«

»Sind wir fast bei Dad?«

»Nein, es ist noch weit.«

Weiter ging es durch den morgenlosen Tagesanbruch. Der Schneefall wurde stärker, der Wind heftiger, Vorboten des heraufziehenden Sturms. Sie spürte, wie der Schlafmangel ihre Reflexe betäubte und ihre Glieder schwerer werden ließ. Die Zahl auf dem Meilenzähler konnte sie nur noch verschwommen sehen. Ihre Augenmuskeln waren nicht mehr in der Lage, ihren Blick scharf zu stellen. Um den Lichttunnel ihrer Scheinwerfer herum glaubte sie zu sehen, wie die Finsternis sich bewegte, zu einer Gestalt wurde, mit Sehnen und einem Puls. Und dann, plötzlich, verflüssigte sie sich und wurde zu schwarzem Wasser, das sie rundum einhüllte.

Ein paar Meter vor ihnen war eine Überholbucht. Es gelang ihr, den Laster hineinzusteuern. In ihre mentale Kalkulation hatte sie keine Pause eingeplant, aber ihr Körper konnte einfach nicht mehr. Sie bat Ruby, sie in fünfzehn Minuten zu wecken, und schloss die Augen.

In der stillen Dunkelheit dachte sie an ihren ersten Ausflug mit Matt nach Cley zurück, an das Ein- und Ausatmen der See neben ihnen. Sie hatten sich im Dunkeln ausgezogen, und ihr war klar geworden, dass sie seinen Geruch und den Klang seiner Stimme ebenso sehr mochte wie seine Erscheinung und die Ungezwungenheit, mit der er über wirklich wichtige Dinge sprechen konnte.

Er hatte gesagt, es sei unglaublich, dass sie sich in einer Vorlesung zu einem Fach kennengelernt hatten, das keiner von ihnen studierte. Wie groß seien da die Chancen? Sie hatte erwidert, dass vor etwa vier Milliarden Jahren die Erde von Kometen getroffen worden sei, die Eis mit sich brachten, das auf der Erde zu Wasser schmolz.

»Hast du dafür einen Beweis?«, fragte er.

»Ja, man hat mal einen Satelliten in einen Kometen sausen lassen und die Wassermenge gemessen.«

»Und?«

»Das sind die reinsten Wasserbomben. Eine Milliarde Liter. Die Kometen sind auf die Erde geprasselt, Vulkane sind ausgebrochen, der Dampf wurde zu Wolken, und es regnete Tausende von Jahren lang. Es wird noch darüber gestritten, wie viel Wasser genau es war und woher es kam, aber egal, hier ist es …« Sie zeigte aufs Meer. Sie sagte, die Chance, dass ein Planet mit Wasser Leben entwickele, stehe Abertrillionen zu eins, sei also unvorstellbar minimal. Und das sei das eigentliche Wunder. Dass zwei Studenten verschiedener Studienfächer sich vier Milliarden Jahre später kennenlernten, sei gar nichts dagegen.

Sie erinnerte sich an seine Wärme neben ihr und den unebenen Kies unter ihrer Decke, und dann war es, als fiele sie geradewegs in den Erdkern hinein, zu Matt.

13

Ruby neben ihr schlief. Yasmin machte das Licht im Fahrerhaus an und sah ihr eigenes Gesicht wie ein Chiaroscuro-Gemälde in der dunklen Windschutzscheibe gespiegelt.

Sie schaltete die Scheinwerfer ein, aber draußen blieb es stockdunkel. Die Schwärze war massiv. Ihre alte Angst, in einem Sarg unter der Erde gefangen zu sein, kroch in ihr hoch. Ihr Atem wurde flach und schnell. Wahllos betätigte sie Schalter. Die Scheibenwischer erwachten zum Leben, schoben wie Schneepflüge die dicke Schneeschicht von der Windschutzscheibe.

Im Strahl der Scheinwerfer sah sie, dass es wie verrückt schneite, heftige Böen wirbelten den Schnee wild über die Straße vor ihnen. Sie blickte auf die Uhr. Zwei Stunden hatte sie geschlafen. Hastig schaute sie in den Rückspiegel, aber von den blauen Scheinwerfern war nichts zu sehen. An einem Leitpfosten konnte sie ablesen, dass in der Zeit, die sie geschlafen hatte, dreißig Zentimeter Schnee gefallen waren. Das Thermometer zeigte minus vierzig Grad Außentemperatur an.

Sie schaltete das Funkgerät ein. Die Fahrer, die sich unterhielten, parkten im Depot in Deadhorse oder Fairbanks oder an der Raststätte in Coldfoot. Niemand, den sie hörte, war noch auf der Straße.

Auf Rubys Notebook war eine weitere Mail angekommen. Er hatte sie geschickt, während sie geschlafen hatte.

Das Foto schien nur Schnee zu zeigen. Erleichterung durchströmte sie. Das Licht der Taschenlampe war schwächer als auf den vorhergehenden Fotos, das Weiß des Schnees nur in einem kleinen Radius in dem Dunkel ringsum sichtbar. Widerstrebend zoomte sie in das Bild hinein. Nun fielen ihr schwarze Punkte auf. Unter dem Schnee waren Tiere, halb begraben, dank dem weißen Fell kaum davon zu unterscheiden. Nur die schwarzen Fellstreifen um ihre toten Augen und die schwarzen Nasenspitzen verrieten sie. Es waren fünf, vielleicht auch mehr. Sie versuchte zu erkennen, wie sie getötet worden waren, konnte aber weder Blut noch Wunden sehen. Vielleicht war das Taschenlampenlicht ja auch zu schwach. Wollte er sie warnen, dass auch ihnen das blühte – spurlos unter dem Schnee begraben zu werden?

Der Betreff lautete DSC_10025; unter dem Foto stand 68945304 149992659. Sie erhöhte die Bildschirmhelligkeit auf die maximale Stufe. In der unteren rechten Ecke des Fotos erkannte man gerade noch den undeutlichen Umriss eines Huskys. Ein Teil des Geschirrs, vielleicht eine Schnalle, funkelte schwach. Also war dieser Mann, wer immer er war, mit einem Hundeschlitten unterwegs, geräuschlos und unsichtbar in der Nacht. Wie nahe war er ihnen?

Von dem Licht wachte Ruby auf. Yasmin wollte das Notebook schließen, aber Ruby hatte das Foto schon gesehen.

»Polarwölfe«, sagte sie.

Vielleicht hat Dad uns das Foto geschickt, um zu zeigen, was Wilderer anrichten können. Denn niemand außer den Menschen tötet Wölfe.

Aber ein Wilderer hätte ihnen das wunderschöne weiße Fell abgezogen – und das haben sie noch.

Sie müssen in einen Schneesturm geraten und begraben worden sein. Vielleicht ist eine Schneewehe auf sie gefallen oder sogar eine Lawine.

»Wir müssen der Polizei sagen, dass Dad lebt«, sage ich, denn jetzt, wo wir schon *drei* Mails von ihm haben, muss Mum doch einsehen, dass sie von Dad sind.

Aber Mum sagt nichts, und ich weiß, dass sie mir *immer noch nicht* glaubt, also würde auch die Polizei es nicht tun. Ich weiß nicht, wie ich irgendwen dazu bringen kann, mir zu glauben. Im Scheinwerferlicht treiben riesige Schneeschleier, wie gestaltwandelnde Gespenster, die auf der Straße spuken.

Weiter ging es. Der Schnee fiel dicht und schnell gegen die Windschutzscheibe, die Scheibenwischer arbeiteten auf höchster Stufe.

Plötzlich erloschen die Scheinwerfer, und sie fuhren in totaler Finsternis. Yasmin bremste vorsichtig ab, um nicht ins Rutschen zu kommen, und betete, dass sie auf der Straße bleiben würden. Im nächsten Moment fiel eine zentimeterdicke Schneeplatte von der Windschutzscheibe ab. Sie hatte sich während Yasmins Schlaf auf dem Dach gesammelt und war über die Scheibe gerutscht wie eine Augenbinde.

Über Funk kam Cobys Stimme, nicht ganz so unerschütterlich wie bisher. »Hat eigentlich jemand diese verrückte Frau gesehen?«

Inzwischen galt sie offenbar nicht mehr als tapfer, sondern als verrückt. Und sie konnte das durchaus nachvollziehen.

»Ich bin hier«, sagte sie.

»Meine Güte, Yasmin. Ich hab mir schon Sorgen um dich gemacht.«

»Ich bin eingeschlafen.«

»In deinem Fahrerhaus? Ich hab gerade alle Laster abgesucht.«

Sie hätte ihm gern die Wahrheit gesagt, aber vielleicht suchte der Fahrer des Tanklasters noch in Coldfoot nach ihr und hörte gerade mit.

»Yasmin?«

Andererseits hatte er inzwischen sicher schon bemerkt, dass sie nicht in Coldfoot war, und war wieder hinter ihr her. Während sie noch innerlich mit sich kämpfte, was sie sagen sollte, erriet Coby die Wahrheit.

»Du bist vorbeigefahren?«

Sie schwieg.

»Herrgott, in drei Stunden kommt der Sturm.«

Drei Stunden. Dann hatte sie keine Chance, Matt noch zu erreichen. Sie würde nicht einmal die Hälfte der Strecke nach Deadhorse schaffen.

»So bald? Bist du sicher?«, fragte sie.

»Der kommt rasend schnell. Du musst umdrehen.«

»Mein Ehemann ist da draußen. Der überlebt das nicht.«

»Das tut mir wirklich leid«, sagte ein anderer Fahrer. »Aber Sie schaffen es nicht mehr nach Deadhorse, und es gibt auf der gesamten Strecke keinen sicheren Ort. Sobald Sie die Berge hinter sich haben, sind Sie auf einer platten Ebene, ohne einen einzigen Baum, der den Wind abhält.

So wie die Stürme da drüberfegen, ist die Hölle gemütlicher. Achtundachtzigtausend Quadratmeilen Nichts. Wissen Sie, wie groß das ist? So groß wie Utah. Ach, noch größer.«

»Wirklich, das ist keine Option«, sagte eine weitere Männerstimme. »Die Windböen werden Sie einfach umwerfen, der Schnee kann Sie unter sich begraben, Sie können nicht aus dem Wagen raus, um irgendwas draußen zu erledigen, also können Sie nichts reparieren, wenn was kaputtgeht – die Bremsen, ein Kabel, irgendwas. Wenn der Motor absäuft, erfrieren Sie in Ihrer Kabine.«

Dann Cobys Stimme, langsam und freundlich. »Bis nach Deadhorse ist es schlicht und einfach zu weit, Yasmin. Du würdest im Leben nicht hinkommen, nicht mal mit einem Turbolaster und im Juli, verstehst du? Du musst den Sturm in Coldfoot abwarten. Dein Mann muss auf dich warten.«

In einem solchen Sturm, ohne Schutz? Wenn selbst erfahrene Trucker mit ihren schweren Sattelzügen samt warmen Fahrerkabinen Schutz und Unterschlupf suchten? Durch die geschlossenen Fenster hörte sie den Wind heulen.

»Du drehst jetzt um, verstehst du mich?«, sagte Coby. »Aber zuerst musst du die Schneeketten aufziehen. Es kommt schon ganz schön was runter, da wird's ein bisschen rutschig.«

Ein bisschen rutschig. So würde ein kleines Mädchen von einem polierten Parkettboden reden, über den sie auf Socken schlittert. Einen Moment lang liebte sie Coby für diese Untertreibung.

»Also brauchst du die Ketten. Selbst wenn du dich umbringen und weiterfahren willst, brauchst du die Ketten. Weißt du, wie man sie aufzieht?«

Sie begriff: Zuerst würde er sie überreden, die Schneeketten aufzuziehen, und dann würde er sie zum Umkehren bewegen wollen. Einen Schritt nach dem anderen, geduldig und liebevoll.

»Nein.«

»Okay. Die Ketten stecken an der Unterseite des Trucks, neben den Rädern. Du musst sie vor die Räder legen und auf sie draufrollen, dann musst du sie festhaken.«

»Okay.«

»Und dann schaust du dich nach einem Platz zum Wenden um.«

»Danke.«

Sie hängte das Funkgerät ein und blickte in den Rückspiegel. Niemand hinter ihr. Sie hielt an. Ruby hatte Voice Magic eingeschaltet und dem Gespräch zugehört.

»Aber wir fahren weiter zu Dad«, sagte sie. »Du hast den Leuten schon vorhin gesagt, wir würden in Coldfoot anhalten, aber das haben wir nicht gemacht, also fahren wir trotzdem weiter zu Dad.«

Eine Feststellung, keine Frage. Weil es undenkbar war, dass sie ihn in einem Polarsturm allein ließen. Yasmins Grauen davor, ihn im Stich zu lassen, hatte zuerst ihre Gedanken heimgesucht und sich dann in etwas verwandelt, das in der Finsternis dicht vor ihnen lauerte.

Nun, zunächst musste sie sich darauf konzentrieren, die Schneeketten aufzuziehen. Denn egal was sie tat, sie würden sie brauchen.

Während sie sich die Polarkleidung überzog, sah sie sich selbst vor vielen Jahren, wie sie über den sonnigen Bürgersteig auf den Zeitungskiosk zuging. Sie sah das zerbeulte Auto auf den Bürgersteig rasen und Matt, wie er sie zur

Seite stieß. Durch das Heulen des arktischen Windes hörte sie das dröhnende Krachen, mit dem das Auto den Laternenpfahl gerammt hatte, und die grelle und sinnlose Hupe, als der gerade mal sechzehn Jahre alte Fahrer aufs Lenkrad geprallt war.

An jenem Abend hatten Matt und sie miteinander gesprochen, und sie hatte endlich gewusst, warum sie heiraten konnten. Nicht, weil er sich zwischen sie und das Auto geworfen hatte, sondern weil sie über den Jungen geredet hatten – warum er das wohl getan hatte, was für ein Elternhaus er gehabt haben mochte und wie hoffnungslos er sich gefühlt haben musste – und weil Matt sich mit seinem ganzen Intellekt bemühte, den Vorfall zu begreifen.

Und weil Matt um den Jungen trauerte, während ihre Nachbarn sich in empörten Mails darüber ausließen, dass dies nur die gerechte Strafe für den jugendlichen Tunichtgut sei, und »Gott sei Dank wurde kein Unschuldiger schwer verletzt«. Weil er am folgenden Tag am Laternenpfahl die Mutter mit ihrem Strauß Nelken in Klarsichtfolie traf und am Kiosk Paketband kaufte und ihr half, die Blumen am Pfahl festzukleben.

»Du bist mein Märchenprinz«, sagte Yasmin zu ihm. »Und mein Gutenachtkuss und der Aschenputtelschuh, der passt. Mit dir gibt es kein Vakuum mehr in der Welt und in mir auch nicht, und ich liebe dich.«

Der Schnee reicht vom Himmel zum Boden wie dicke weiße Gardinen, eine hinter der anderen. Mum zieht ihre komplette Polarkleidung an, weil wir die Schneeketten aufziehen müssen.

»Ich kann dir helfen«, sage ich.

Sie schüttelt den Kopf.

»Ich kann dir wieder die Taschenlampe halten. Wenn mir zu kalt wird, geh ich zurück in den Laster.«

»Danke«, sagt sie. »Aber ich will wirklich nicht, dass du rauskommst, ja?«

»Okay.«

»Versprochen?«

»Okay.«

Mum schaut mich immer noch an. Wartet.

»Na gut, versprochen.«

Sie würde Ruby nicht mehr nach draußen lassen. Kinder kühlten schneller aus als Erwachsene. Sie zog sich die Polar-Arbeitshandschuhe über die Innenhandschuhe, stieg aus und schloss so schnell wie möglich die Tür hinter sich.

Die Kälte war ein Schock. Sie hatte gedacht, Kälte sei weiß wie Schnee oder vielleicht blau wie der Punkt auf einem Kaltwasserhahn. Aber diese Kälte entsprang einem Ort der Nacht und war schwarz, ohne jegliche Farbe oder Licht.

Ein gellendes Kreischen ertönte, dann begriff sie, dass es der Wind war, der Neuschnee über den festgefahrenen Schnee am Boden trieb, weiße Geister, die über Straße und Ödnis tanzten.

Mit Hilfe von Adeebs Taschenlampe fand sie die Ketten. Sie versuchte sie von den Haken zu lösen, konnte aber nicht gleichzeitig die Lampe halten. Also steckte sie diese so in den Schnee, dass sie die Wagenunterseite beleuchtete. Die Ketten schienen von der Kälte an den Haken festgeschweißt zu sein. Es war schwierig, sie richtig zu fassen zu bekommen. Nach drei Versuchen gelang es ihr, und sie zerrte sie mit aller Kraft frei.

Um die Räder zu beleuchten, musste sie erst die Taschenlampe anders ausrichten. Dann breitete sie die Ketten davor aus.

Der Schnee um die Räder verfärbte sich bläulich. In der Finsternis weit hinter ihr waren Scheinwerfer aufgetaucht.

Er hatte festgestellt, dass sie nicht in Coldfoot war, und war ihr gefolgt. Ihr Gespräch mit Coby über Funk hatte es ihm nur bestätigt. Es war ihr nicht möglich zu schätzen, wie weit er noch entfernt war.

Sie spürte, dass der Mann im Tanklaster und derjenige, der ihr die schrecklichen Fotos schickte, zusammenarbeiteten. Und die Falle zog sich zu.

Der Wind wurde zu einer jaulenden Sirene, immer lauter. Das entsetzte Gesicht des Jungen in der Dunkelheit. Er war schon tot gewesen, als sie am Auto ankamen.

In der extremen Kälte beschlug ihre Polarbrille. Sie tastete nach den Stufen zum Fahrerhaus, schaffte es, hinaufzusteigen und hineinzuklettern, konnte aber den Griff nicht finden, um die Tür hinter sich zuzuziehen.

Ich ziehe meine Handschuhe an, dann beuge ich mich über Mum und ziehe die Tür zu. Ich kann Mums Augen hinter ihrer Brille nicht sehen, das heißt, sie sieht auch nichts. Ich helfe ihr, sie abzunehmen, dann putze ich sie. Mum fährt ganz langsam los, nur ein winziges Stück. Dann zieht sie Gesichtsmaske und Brille wieder an und geht nach draußen. Ich schaue ihr aus dem Fenster zu, falls ich ihr doch helfen muss.

Während sie neben dem Wagen kauerte, beobachtete Yasmin die Scheinwerfer des Tanklasters. Sie wurden nicht größer, also hatte er ebenfalls angehalten. Als wartete er ab.

Im Luftwiderstand ihres Lasters wurde das Kreischen des Windes zu einem tiefen Stöhnen. Sie hatte die Taschenlampe im Schnee stecken lassen, auf die Räder gerichtet, aber sie war schon zugeschneit. Sie tastete danach, doch ihre Handschuhe waren zu dick. Sie zog sie aus und tastete weiter, nur noch mit den Innenhandschuhen. Nach zwei Minuten fand sie sie, zog die Handschuhe sofort wieder an und schaltete die Taschenlampe ein. Im Lichtkegel sah sie, dass die Reifen ein paar Zentimeter neben die Ketten gerollt waren. Sie würde alles noch einmal machen müssen, und zwar schnell, doch das war unmöglich.

Sie spürte, wie die Zeit ihr durch die Finger rann, weggerissen wurde vom peitschenden Schnee.

Sie würde Matt auf keinen Fall vor dem Sturm erreichen.

Das Stöhnen des Windes und der Tanklaster hinter ihr bewirkten, dass sich ihre Angst zu einem harten Klumpen zusammenballte.

Sie hob den Blick zum Fahrerhaus. Im bernsteinfarbenen Licht klebte Rubys kleines Gesicht am Fenster.

Sie sah in die Schwärze hinaus und sah den verstümmelten Ochsen, den Raben, die begrabenen Wölfe. Hörte, wie der Sturm Kraft sammelte.

Grauenvolle Klarheit erfasste sie. Die Entscheidung, die sie treffen musste, schälte sich in aller Schärfe aus der Finsternis, direkt vor ihr. Sie musste umdrehen. Nichts sonst kam mehr in Frage. Das würde auch Matt wollen. Sie spürte es, ohne den Gedanken formulieren zu müssen. Rubys Leben wog schwerer als alles andere.

Sie würde wieder an Matt denken, sobald Ruby in Sicherheit war. Wenn sie jetzt an ihn dachte, würde sie es nicht schaffen, die Schneeketten aufzuziehen, einzusteigen und loszufahren. Dann wäre sie unfähig, auch nur zu atmen, zu blinzeln oder zu schlucken.

Noch zweimal misslang es ihr innerhalb der nächsten dunklen Stunde, die Räder auf die Schneeketten zu manövrieren, und sie musste einen neuen Versuch starten. Die Scheinwerfer des Tanklasters bewegten sich nicht, er stand in der eisigen Finsternis und wartete.

Während sie im Schnee nach der Lampe getastet hatte, war ihr aufgefallen, dass das Metall der beiden Eheringe in den arktischen Temperaturen kälter wurde, und dann war die weiche Haut ihres Fingers am Metall festgeklebt, wie Lippen an einer gefrorenen eisernen Leitplanke. Es war keine Ausrede gewesen, dass Matt den Ring ausziehen musste, wenn er arbeitete.

Sie dachte daran zurück, wie sie den Ring auf der Polizeistation entgegengenommen hatte. Wie warm er von der Berührung anderer Hände gewesen war.

14

In den letzten fünfzehn Minuten war die Temperatur um zwei Grad gefallen. Endlich hatte Yasmin die Schneeketten aufgezogen. Sie ging zurück zum Fahrerhaus. Durchs Fenster sah sie, dass Ruby ganz bleich war und zitterte. Hastig kletterte sie hinein.

Das Notebook war aufgeklappt. Das Foto in der neuen Mail zeigte einen toten Polarfuchs mit sanft gerundeten Ohren, großen Augen und weichem weißem Pelz. Yasmin hätte ihn gern als niedliches Plüschtier wahrgenommen, wie es sie zu kaufen gab, nicht als einst lebendiges Wesen, aber die kindlich anmutende Hilflosigkeit und weiche Schönheit hatten so viel von Ruby, dass ihr der Atem stockte. Die Taschenlampe beleuchtete nur das Gesicht des Welpen. Sein Maul war blutverschmiert.

Der Betreff lautete DSC_10027; unter dem Foto stand 68733615 149695998. Die Mail war vor vier Minuten abgeschickt worden.

Ruby war völlig verstört, aber Yasmin hatte keine Zeit, sie zu trösten. Sie musste sie in Sicherheit bringen. Eilig schaltete sie den Motor ein und machte sich auf die Suche nach einem geeigneten Wendeplatz.

Als ich mit Bosley weinte und Dad reinkam und wir über die Schule und Jimmy redeten und er sagte, dass wir einen

Blog zusammen machen könnten, zeigte er mir auf seinem iPad Fotos von wunderschönen Tieren und Vögeln. Da war auch ein Foto von einem Polarfuchswelpen. Dad sagte, jedes Mal, wenn er einen Polarfuchswelpen sähe und sein süßes Gesicht anschaute, könne er mich ganz klar vor sich sehen. Genau wie Mum mit dem Peridot in dem Ring.

Der Fuchswelpe auf dem Foto ist tot.

So ein Foto würde Dad Mum niemals schicken.

Die Mails sind nicht von ihm.

Als ich noch dachte, die Mails wären von Dad, war ich davon überzeugt, dass er in Sicherheit war, weil er ein Notebook und ein Satellitenterminal haben musste und es ihm offenbar so gut ging, dass er schreiben und Mails verschicken konnte.

Draußen fallen Massen von Schneeflocken vom Himmel. Es ist wie bei einem Heer Siafu-Ameisen: Eine winzige Ameisenflocke kann einem nichts tun, aber Millionen und Abermillionen können alles töten, selbst Menschen. Dad hat vielleicht gar nichts dabei. Kein Notebook, keine Decke, nicht mal ein Messer. Was, wenn der Schnee ihn angreift, und er kann sich nirgendwohin retten?

Wenn ich »Daddy« gebärden will, forme ich die Finger zum Buchstaben D. Die Form macht mich so traurig, dass ich weinen muss, aber ich gebe mir große Mühe, es zu unterdrücken. Und es hat sowieso keinen Sinn zu gebärden, weil Mum fahren muss und mich nicht anschauen kann, also schalte ich Voice Magic ein.

»Um ein Aputiak zu bauen, braucht Dad ein Messer«, sage ich. »Vielleicht hat er keins.«

»Ich glaube, er hat seine Überlebensausrüstung dabei«, sagt Mum. »Und alle Werkzeuge, die er braucht.«

Ich lese ihre Worte auf Voice Magic, immer und immer

wieder. Ich wünschte, ich wäre wieder ein Vorschulkind und könnte ihr glauben, dass Dad in Sicherheit ist.

Aber ich bin in der Sechsten. Und im September komme ich auf die neue Schule.

Ich schaue aus dem Fenster in den Siafu-Ameisen-Schnee hinaus, als müsste ich nur fest genug hinstarren, damit er weggeht, aber es sieht aus, als würde es nur immer mehr. Mum hat etwas gesagt, denn jetzt erscheint auf Voice Magic: »Wir müssen nach Coldfoot zurück und dort den Sturm abwarten.«

Das kann sie nicht ernst meinen.

»Sobald der Sturm vorbei ist, fahren wir weiter zu Daddy, und zwar so schnell wie möglich. Versprochen.«

»Nein! Wir können ihn nicht allein lassen!«

Ich würde gern schreien, aber Voice Magic schreit nicht.

»Er stirbt vielleicht! Bitte, Mum!«

Es ist nicht meine Stimme, sondern die blöde vakante Staubsaugerbeutelstimme.

»Dann bin ich ganz allein!«

Ich schreibe etwas und schiebe ihr das Notebook hin. Sie steuert den Laster in eine riesige Überholbucht. Ich weiß, jetzt will sie umdrehen und Dad im Stich lassen.

Sie hält an, aber der Motor läuft noch. Ich spüre es unter mir summen.

»Daddy geht es gut«, sagt sie. »Er hat sich bestimmt einen Unterschlupf gebaut.«

Ich schüttle den Kopf so heftig, dass mir davon übel wird.

»Szenario zwei ist eingetreten, Ruby. Daddy war unterwegs zum Filmen und hat seine Überlebensausrüstung dabei.«

Aber sie glaubt nicht wirklich, dass es ein Szenario zwei

gibt. Sie will es nur glauben. Schon am Flughafen, als sie es zum ersten Mal sagte, war das so. Ich hatte es nicht in Worten gedacht, aber gespürt hatte ich es. Es war mir nur egal, denn ganz lange dachte ich, dass Dad alle wichtigen Sachen dabei hat, zum Beispiel seinen Satellitenempfänger und das Notebook von einem Freund und ein Messer.

Da sagt Mum: »Bisher habe ich nur so getan, als würde ich daran glauben, dass Dad auf lange Filmtouren geht.« Ich bin so überrascht, dass etwas in mir einen Flickflack macht. »Ich habe es der Polizei und dir und sogar mir selbst eingeredet. Aber jetzt habe ich Fotos von einem Moschusochsen und Polarwölfen und einem Polarfuchs und einem Raben und die Flügelabdrücke eines Alpenschneehuhns gesehen, und wer weiß, was für Tiere da draußen noch herumlaufen.«

»Flussotter«, sage ich. »Und Schneeeulen und Schneeschuhhasen. Massenhaft Tiere.«

»Genau«, sagt Mum. »Und Daddy ist wirklich hergekommen, um sie zu filmen. Und ich glaube, dass er wirklich unterwegs war, um zu filmen, als das Dorf in Brand geriet. Also hat er seine Überlebensausrüstung dabei, mit allem, was er braucht.«

Sie lächelt mich an, und ich weiß: Jetzt glaubt sie es plötzlich.

»Er hat mir gesagt, bei einem Sturm hat ein Aputiak die ideale Form«, sage ich. »Weil es rund ist und der Wind einfach drüber hinwegbläst.«

»Stimmt, darüber habe ich noch nie nachgedacht. Na dann, in seiner Überlebensausrüstung hat er alle nötigen Werkzeuge, um ein Aputiak zu bauen, und jetzt sitzt er drin und hat es kuschelig warm.«

Als ihr Ehering und der von Matt an ihrem Finger festfroren, war der Matt, den sie gekannt und geliebt hatte, in ihr Gedächtnis zurückkatapultiert worden. Seine Ehrlichkeit und seine Anständigkeit waren förmlich auf sie eingestürzt. Er hatte sie bezüglich seines Eherings nicht angelogen. Und er hatte auch nicht gelogen, als er gesagt hatte, dass er wegen der Tiere gekommen sei.

Die bedrohlichen Mails und der Tanklaster hinter ihnen waren zwar beängstigend, nährten aber auch ihre Hoffnung, dass Matt am Leben war, denn nur dann würde ja jemand verhindern wollen, dass sie ihn fand.

Sie würde Ruby nach Coldfoot bringen und Coby bitten, auf sie aufzupassen, und dann würde sie allein weitersuchen. Wenn die Trucker sie vom Weiterfahren abhalten wollten, würde sie sich eben durchkämpfen müssen.

Sie legte den Gang ein und blickte, ehe sie wendete, in den Rückspiegel. Grelles Licht überwältigte sie, einen Moment lang sah sie überhaupt nichts mehr. Mit aufgeblendeten Scheinwerfern brauste der Tanklaster genau auf sie zu. Ihr blieb nichts anderes übrig, als Gas zu geben, um zu verhindern, dass er sie rammte. Sie schoss aus der Bucht heraus – nach wie vor in Richtung Norden.

Um wenden zu können, musste sie Abstand zu ihm gewinnen. Sicherlich würde wieder eine so breite Stelle kommen.

Aber selbst wenn sie wenden konnte, würde sie kurz darauf an ihm vorbeifahren müssen. Jetzt war klar: er scheute nicht vor Gewalt zurück. Er würde sie von der Straße abdrängen, und sie waren im Gebirge. Auf der einen Seite ging es steil hinunter.

Rasch nahm sie Rubys Hand und drückte sie. Dann griff sie nach dem Funkgerät.

»Coby, bist du da?«

»Yasmin, gut, dich zu hören. Kommst du jetzt nach Coldfoot?«

»Ich kann nicht umdrehen. Als ich wenden wollte, hat ein Tanklaster versucht, mich zu rammen.«

»Um Gottes willen!«

»Er folgt mir schon seit geraumer Zeit. Kannst du bitte die Polizei rufen?«

»Klar. Bleib dran, ja? Die Polizei wird sich auf dieser Frequenz melden.«

Sie sah in den Rückspiegel. Der Tanklaster hatte das Fernlicht ausgeschaltet und angehalten. Sicher hörte er diese Unterhaltung mit. Er würde ihr nicht so dicht im Nacken sitzen wollen, wenn die Polizei kam.

Das hieß, sie konnte ebenfalls anhalten. Einen Moment lang verspürte sie überwältigende Erleichterung über die kurze Pause.

»Tut mir leid, Mummy«, sagte Ruby. »Ich hab das nicht gewollt.«

Yasmin wusste, dass Ruby sich gerade zu Tode erschreckt hatte, und staunte, dass ihre Tochter in dieser Situation überhaupt noch die Kraft fand, so etwas zu sagen. Sie wusste auch, dass Ruby es ernst gemeint hatte.

Yasmin dachte daran, wie sie zu Adeeb gesagt hatte, Ruby sei ohne ihren Vater verloren, und wie bestürzt sie über ihre eigene Wortwahl gewesen war. Die Erkenntnis hatte sie getroffen, als käme sie von jemand anderem, als hätte sie sie nicht schon lange in sich gespürt. Ruby wäre verloren ohne ihren Vater, ja. Am Boden zerstört. Verzweifelt. Ja, all das. Aber sie wäre nicht allein.

Über das Funkgerät ertönte eine Männerstimme. »Mrs. Alfredson? Hier ist Lieutenant Reeve.«

Der Polizist aus Fairbanks. Der Funkspruch musste an ihn weitergeleitet worden sein.

»Sie sind draußen auf dem Dalton Highway?« Er klang entgeistert.

»Ja.«

»Wo ist Ihre Tochter, Mrs. Alfredson?«

»Bei mir.«

Der Fahrer des Tanklasters hörte mit. Wenn es Silesian Stennet war, wusste er bereits, dass sie Ruby bei sich hatte. Ein anderer vielleicht nicht. Würde das seine Gewaltbereitschaft senken? Oder würde er womöglich versuchen, diese Information zu seinem Vorteil zu nutzen?

Im Funkgerät herrschte Stille. Sie stellte sich vor, was diejenigen, die das hörten, wohl von ihr dachten. Was für eine Mutter brachte ihr Kind in eine solche Gefahr?

»Mir wurde gesagt, jemand habe versucht, Sie zu rammen?«

»Er hat mich daran gehindert, umzudrehen. Er folgt uns schon seit mindestens hundertfünfzig Kilometern, vielleicht schon seit Fairbanks.«

»Fahren Sie mit Azizis Truck?«, fragte eine andere Stimme, von der sie glaubte, sie schon einmal gehört zu haben.

»Ja. Er … «

Der andere unterbrach sie. »Ich bin gerade bei MP 181, Richtung Süden unterwegs. Vor etwa dreißig Kilometern bin ich an Azizis Truck vorbeigekommen. Hinter der Dame ist keiner.«

Das musste der Mann sein, der sie gefragt hatte, ob sie eine Waffe dabeihatte.

»Den nächsten Wagen nach Norden hab ich erst zwanzig Minuten später passiert«, fuhr der Mann fort. »Und das war kein Tanklaster, sondern ein ganz normaler Truck. Wie gesagt, hinter ihr ist niemand.«

»Sie lügen«, sagte Yasmin. »Sie fahren doch den Tanklaster mit den blauen Scheinwerfern, oder? Sie fahren nach Norden, nicht nach Süden. Direkt hinter mir.«

»Jetzt werden Sie mal nicht paranoid, Lady.«

Lieutenant Reeve schaltete sich wieder ein. »Passen Sie auf, Mrs. Alfredson. Sie suchen sich jetzt einen sicheren Platz, wo Sie stehen bleiben können, und wir schicken Ihnen und Ihrer Tochter einen Rettungshubschrauber. Ja?«

Er sprach sehr ruhig, bewusst vernünftig, wie man wohl auf jemanden einreden würde, der gerade auf einem Brückengeländer steht.

»Ja.«

Sie wollte ihm von den Mails, der möglichen Brandstiftung und von Silesian Stennet erzählen, aber momentan hatte sie nichts in der Hand – sie war eine Verrückte, die ihren Mann verloren, einen Sattelzug gestohlen, ihr Kind in Gefahr gebracht hatte und sich einbildete, von einem Tanklaster gejagt zu werden.

Aber wenn der Hubschrauber käme, würde er sehen, dass hinter ihr auf dem Highway ein Tanklaster war. Dann würden sie wissen, dass der Mann gelogen hatte. Sie würden ihr zuhören müssen. Und sie würde sie davon überzeugen können, dass Matt am Leben war und höchstwahrscheinlich etwas über Anaktue wusste, was so brisant war, dass jemand verhindern wollte, dass sie ihn erreichte.

Die blauen Lichter hinter ihnen wurden größer. Der Tanklaster kam näher. Vor ihr war die Straße ein paar Hundert Meter lang zweispurig – nicht breit genug, um mit einem großen Laster zu wenden, aber breit genug, damit er überholen konnte. Wenn er das tat, konnte er behaupten, er wäre nie hinter ihr gewesen.

Sie fuhr an, um in dem Schneetreiben vor ihm zu bleiben. Sie musste ihn nur so lange am Überholen hindern, bis die Polizei kam. Die dicken Scheibenwischer schoben die Flockenschwärme von der Windschutzscheibe, kaum dass sie auf das Glas trafen, trotzdem sah sie kaum noch etwas.

Die Straße wurde wieder schmaler und wand sich um eine Bergflanke herum. Hier konnte der Tanklaster nicht überholen, also verlangsamte sie und hielt. Der Tanklaster war gezwungen, hinter ihr zu halten. Hier würde sie auf die Polizei warten. Vor sich sah sie zwei mickrige, vom Wind gebeugte Fichten.

»Es ist alles meine Schuld«, sagte Ruby. »Ich bin eingeschlafen.«

»Nichts ist deine Schuld.«

»Aber wenn ich dich geweckt hätte, hätten wir dem Laster davonfahren können und wären jetzt schon näher an Daddy dran.«

»Das hätte nichts daran geändert.«

Ruby schüttelte den Kopf.

»Nein, wirklich nicht.«

Nie, nie vor dieser schrecklichen Reise hatte Yasmin erkannt, wie großmütig Ruby ihr gegenüber war. Sie nahm alle Schuld auf sich, wo doch alles – wirklich alles – ganz allein Yasmins eigene Schuld war.

Über Funk erklang Lieutenant Reeves Stimme. »Es tut mir leid. Ich habe mit unserem Rettungsteam gesprochen. Bei diesen Wetterbedingungen kann der Hubschrauber unmöglich fliegen.«

Sofort schaltete Yasmin den Motor ein und fuhr an. Sie

wusste, jetzt würde der Tanklasterfahrer, der das ja auch hörte, Ernst machen.

»Selbst wenn man Sie erreichen würde, und schon das ist fraglich«, fuhr Lieutenant Reeve fort, »wäre der Rückflug in diesem Wind für Sie und Ihre Tochter ein großes Risiko. Die Böen wehen schon mit achtzig Stundenkilometern, und es sieht aus, als würde es noch heftiger werden. Wir erwarten einen Sturm in Orkanstärke. Besser, Sie warten ihn im Fahrerhaus ab.«

»Nach Anaktue ist aber ein Hubschrauber geflogen«, sagte Yasmin. »Obwohl es gestürmt hat ... «

»Der Sturm war nicht ganz so stark. Der Flug war riskant, aber heute wäre er schlicht und einfach selbstmörderisch. Dieser Sturm hier wird weit schlimmer.«

»Direkt hinter uns ist ein Tanklaster mit blauen Scheinwerfern. Er wird versuchen, uns von der Straße zu schieben. Bitte, Sie müssen mir glauben.«

»Wir haben das überprüft. Keine der Ölfirmen hat jetzt noch einen Wagen draußen. Alle Fahrer stehen in Deadhorse, Coldfoot oder Fairbanks. Außer Ihnen ist niemand bei diesen Bedingungen unterwegs. Wir kommen Sie holen, sobald es geht.«

Die blauen Lichter behielten ihre Größe bei, also hielt er mit ihnen Schritt. Vielleicht konnte sie versuchen, ihm davonzufahren. Aber die Straße war steil und glatt, es stürmte, und das Schneetreiben wurde immer stärker.

Wir fahren ganz langsam, weil man im Schnee kaum etwas sehen kann. Der Tanklaster hinter uns fährt genauso langsam. Eine Verfolgung in Zeitlupe. Aber es ist auf jeden Fall eine Verfolgung.

Ich sehe ein Schild mit der Aufschrift NÖRDLICHSTE

FICHTE – BITTE NICHT ABSCHLAGEN. Daneben steht ein toter Baum, ganz weiß vor Schnee und Eis, der aussieht, als würde er aus winzigen Knochen bestehen. Der letzte lebendige Baum liegt wahrscheinlich schon kilometerweit hinter uns.

Die blauen Lichter des Tanklasters in ihrem Rückspiegel scherten plötzlich zur Seite aus, dann leuchteten sie wieder geradeaus. Offenbar war der Wagen seitlich abgerutscht. Vielleicht hatte der Fahrer seine Schneeketten nicht aufgezogen. Vielleicht würde er einfach die verdammte Bergflanke hinunterrutschen – und tschüs. Oder er würde die Schneeketten aufziehen müssen, und das würde eine Stunde dauern, weil er sich in dem Sturm auch nicht geschickter anstellen würde als sie, und sie würden immerhin einen großen Vorsprung gewinnen.

Durch den Schnee erhaschte sie einen Blick auf den Meilenpfosten MP 242. Von Adeebs Karte wusste sie, dass sie sich dem Atigun-Pass näherten, dem höchsten Gebirgspass Alaskas. Jenseits davon lag die endlose flache Tundra, die bis zum Polarmeer reichte.

Die Finsternis und der Schnee wurden nur von ihren Scheinwerfern und denen des Tanklasters durchdrungen. Aber noch etwas folgte ihr durch die Dunkelheit: ihre Schuld. Die Schuld, Ruby in eine solche Gefahr gebracht zu haben, aber dahinter noch eine andere, leisere Schuld. *Dann bin ich ganz allein.*

15

Der Wind blies den Schnee frontal auf die Windschutzscheibe, ihr Sattelzug schob sich hindurch wie ein Schneepflug. Yasmin sah nicht einmal mehr den Straßenrand, sondern verließ sich ganz auf das orange Aufblitzen der Leitpfosten. Der riesige Laster schwankte spürbar im stärker werdenden Wind.

Nach ihrem Gespräch mit Lieutenant Reeve hatte sie das Funkgerät ausgeschaltet und hatte nicht vor, es wieder einzuschalten. Sie hatte keine Lust mehr auf die Stimme des Tanklasterfahrers, auch wenn sie sich danach gesehnt hätte, die von Coby zu hören, einem Mann, den sie vermutlich nie von Angesicht zu Angesicht treffen würde.

Die Sicht war so schlecht, dass sie keine Ahnung hatte, wie dicht ihr der Tanklaster folgte. Schon seit einer halben Stunde waren seine Scheinwerfer nicht mehr zu erkennen.

Der Tanklaster versteckt sich in der Dunkelheit und im Schnee hinter uns. Wir wissen nicht, wo. Mum hält an. Sie bittet mich, Mr. Azizis leuchtend oranges Westending aus dem Fach in meiner Tür zu holen. Es sieht aus wie das Teil, das ich beim Fahrradfahren tragen muss. Mr. Azizi hat es angehabt, als er in Fairbanks den Laster kontrollierte.

Sie fährt an den Straßenrand, direkt neben den steilen Abhang, und öffnet das Fenster. Der Laster schwankt, als würde der Wind mit den Fingern durchs Fenster greifen und ihn schütteln. Unmengen Schnee wehen herein und landen so schnell auf Mums Schoß, dass man meinen könnte, sie würde über und über mit Schnee paniert, wenn sie das Fenster zu lange offen lässt, wie eine Schneefrau.

Mum wirft die grellorange Weste aus dem Fenster. Der Wind packt sie und wirbelt sie davon. Dann bittet sie mich, Kleider aus Mr. Azizis Koffer zu holen, und als ich sie ihr gebe, wirft sie die Sachen ebenfalls hinaus. Nur seinen Parka nicht, wahrscheinlich, weil Polarparkas superteuer sind. Dann schließt sie das Fenster. Wir haben beide nach den blauen Lichtern Ausschau gehalten, aber sie sind immer noch nicht zu sehen.

Mum fährt rückwärts, von dem Steilabfall weg, dann wieder vorwärts, genau auf den Abhang zu. Dann macht sie das Gleiche noch mal. Mir wird ein bisschen übel. Sie sagt, unsere Spuren müssen ganz tief sein, damit der Schnee sie nicht gleich wieder auffüllt.

Yasmin war immer eine Mutter gewesen, die Märchen beim Vorlesen verändert hatte, indem sie die psychopathischen Stiefmütter herauskürzte. Sie hatte darauf geachtet, dass Ruby keine Filme sah, die nicht für ihr Alter freigegeben waren. Jetzt erzählte sie Ruby, dass der Mann in dem Tanklaster die Kleidung und ihre Spuren sehen und denken würde, sie wären über die Steilkante gerutscht. Und das Schlimme war: Es war der einzige Trost, den sie ihr bieten konnte.

»Aber er wird doch die Spuren sehen, mit denen wir weggefahren sind«, wandte Ruby ein.

»Nein. Die sind nicht so tief, die werden bald vom Schnee verdeckt sein.«

»Aber wenn der Wind das orange Ding und die anderen Kleider den Hang runterweht?«

»Das wäre auch völlig in Ordnung.«

Weil der Mann dann denken würde, sie seien tot, und das war gut. Egal wie alles ausgehen würde, dachte Yasmin, für sie würde diese Reise das Ende von Rubys Kindheit bedeuten.

Die Straße ist steil, manchmal ragen auf einer Seite Berge auf, dicht neben uns, wie riesige steigende Pferde, die uns unter ihren Hufen zerstampfen wollen. Auf der anderen Seite ist nur Schwärze, und das ist noch gruseliger, weil wir von der Straßenkante rutschen und einfach in die Tiefe fallen könnten.

Mr. Azizi hat mir erzählt, dass der Atigun-Pass vierhundert Meter hoch ist. Das hat er erzählt, als wir noch nicht wussten, dass wir da allein hoch müssen. Oder dass dabei ein Schneesturm wüten wird oder wir verfolgt werden. Ich weiß nicht, ob er es mir gesagt hätte, wenn er das schon gewusst hätte. Am Straßenrand sind Schutzbarrieren, von denen Mum sagt, sie würden uns daran hindern, über die Kante zu rutschen, aber ich habe mir gerade eine davon genauer angeschaut, und ich finde, sie sieht ein bisschen dünn aus. Ich glaube nicht, dass sie einen Laster wie unseren mit einem ganzen Haus oben drauf aufhalten kann.

Manchmal sieht man im Scheinwerferlicht ein kleines Schild, auf dem nur ein Pfeil nach rechts oder nach links ist. Es zeigt an, wohin Mum lenken muss, damit wir nicht einfach in die Luft fahren und vierhundert Meter nach unten fallen. Ich weiß nicht, wie lange das dauern würde.

Der Schnee fiel so dicht, dass man das Gefühl hatte, davon erdrückt zu werden. Yasmin konnte die Leitpfosten am Straßenrand nur sporadisch erkennen und verfiel jedes Mal in Panik, dass der Pfosten, der zu ihrer Rechten auftauchte, eigentlich der linke sei und dass sie gleich von der Straße abkommen würde. Sie verlor das Gefühl für rechts und links, oben und unten, Tag und Nacht, manchmal benebelten Dunkelheit und Schnee ihren Verstand so sehr, dass sie nicht einmal wusste, vor wem oder was sie floh. Vielleicht waren die blauen Scheinwerfer, die ihnen unsichtbar folgten, nur ein Phantom, ihre Gestalt gewordene Angst um Matt, die sich nicht abschütteln ließ. Nein, falsch, es war ihr schlechtes Gewissen, das sie verfolgte, weil sie als Mutter versagt hatte. Und sie konnte sich nicht umdrehen und sich dem einen oder anderen stellen – nicht, bevor sie Ruby nicht sicher über diesen Pass gebracht hatte.

Ich weiß nicht, woher Mum weiß, wohin sie steuern muss. Wenn ich fahren müsste, hätte ich keine Ahnung, wo die Straße ist. Manchmal, wenn wir einen Pfosten passieren, leuchtet er im Licht unseres Scheinwerfers orange, aber nur ganz schwach. Ich glaube, so muss es für Piloten in der Nacht sein, wenn sie am Boden all die kleinen Lichter sehen, an denen sie sich orientieren müssen. Aber während die Flugzeuge sinken, werden die Lichter größer, und sie stehen in einer geraden Linie. Diese hier bleiben winzig und führen im Zickzack um den Berg herum.

Mein Armband vibriert plötzlich, und der Laster vibriert auch. Die Vibrationen dringen mir bis in die Knochen, als wären wir Harfen, Mum und ich. Der Gedanke ist schön, aber das Geräusch muss unangenehm sein, denn Mum sieht total erschrocken aus.

Zuerst dachte Yasmin, da explodiere etwas, aber dazu hielt der Lärm zu lange an – als hätten sich die Erde, der Fels und das Eis der Berge in Donner verwandelt. Hinter ihnen toste die Lawine. Sie wusste nicht, wie weit entfernt sie war oder ob sie sich gar bis zu ihnen verbreitern würde. Möglichst rasch versuchte sie Abstand zu gewinnen. Dann wurde das Donnern leiser und verstummte ganz. Wieder war nur der wütende Wind zu hören, der jeden Moment einen weiteren Lavastrom aus Schnee in Bewegung setzen konnte.

Mum sagt, das war eine Lawine. Sie sagt, das ist einerseits gut und andererseits schlecht. Schlecht ist, dass die Lawine wahrscheinlich die Straße hinter uns blockiert, weshalb wir nicht nach Coldfoot zurück können und niemand uns von Coldfoot aus erreichen kann. Ich finde das eigentlich gar nicht schlecht, weil ich bloß näher an Dad herankommen will.

»Und was ist das Gute daran?«, frage ich.

»Dass der Tanklaster vielleicht auf der anderen Seite der Lawine ist.«

»Oder sie ist auf ihn draufgefallen!«

Wir lachen beide, jedenfalls ein bisschen, denn die Straße ist zwar steil und kurvig und man sieht kaum was, aber am meisten Angst hat uns der Tanklaster gemacht, und der ist jetzt vielleicht nicht mehr da.

Sonst reden wir nicht viel, weil Mum ihre gesamte Konzentration zum Fahren braucht. Deshalb haben wir nicht mehr über denjenigen geredet, der uns die Mails schickt, seit mir klar geworden ist, dass es nicht Daddy sein kann. Ich glaube, es ist der Mann im Tanklaster oder ein Freund von ihm.

Mum hat ihren Sicherheitsgurt ausgezogen, damit sie sich vorbeugen kann. Ihr Gesicht ist total dicht vor der Windschutzscheibe. Ihre Hände packen das Lenkrad ganz fest von beiden Seiten, als könnte sie uns so auf der Straße halten.

Der Orkan tobte jetzt mit voller Macht, der Schnee wurde gegen die Windschutzscheibe geschmettert, und sie hatte das Gefühl, als steuerte sie den Sattelzug mitten durch das Auge des Sturms. Aber ihre größte Angst war, dass auch der Tanklaster vor der Lawine durchgekommen war und ihnen dichtauf folgte.

Sie hätte gern Rubys Notebook genommen und einen Hilferuf per Mail geschickt oder über Funk um Hilfe gerufen, aber die Polizei hatte ihr ja schon gesagt, dass es erst nach dem Sturm möglich sein würde, sie zu erreichen.

Und so gern sie über Funk mit Coby oder anderen Fahrern geredet hätte, sie wollte auf keinen Fall, dass der Tanklasterfahrer, sollte er es durch die Lawine geschafft haben, sie hörte. Noch hatte sie die Hoffnung – klein, aber hartnäckig –, dass ihre List funktioniert hatte und er glaubte, sie sei in den Abgrund gestürzt.

Plötzlich senkte sich die Nase des Lastwagens. Sie begriff, dass sie die Passhöhe erreicht hatten und der Abstieg begann. Falls jetzt noch eine Lawine käme, wäre sie nicht in der Lage, durch Beschleunigen davor zu fliehen. Sie würde ins Schlingern geraten und von der Straße abkommen.

Zweimal verlor sie die Kontrolle, und sie rutschten ein paar Meter, bis sie den Laster via Stotterbremse wieder verlangsamt hatte. Die Leitpfosten waren kaum zu erkennen, manchmal schienen ihr ihre Augen das Aufblitzen der orangenen Reflektoren nur vorzugaukeln – visuelle Sirenen, die sie in die Leere und auf den Fels vierhundert Meter unter ihnen locken wollten.

Ruby atmete flach und schnell. Yasmin wusste, welche Angst sie haben musste, aber sie konnte ihr keinen Trost bieten, sie musste sich voll und ganz aufs Fahren konzentrieren.

Und dann erreichten sie endlich den Fuß des Berges.

Im Licht ihrer Scheinwerfer sah sie eine rasende Flut aus Schnee, die sich über die arktische Tundra wälzte. In ihrem Rücken ragte das Gebirge auf, das Alaska als tausend Kilometer breite Barriere in zwei Teile schnitt. Es ein zweites Mal zu durchqueren oder gar zu umgehen war unmöglich. Vor ihnen, noch fast dreihundert Kilometer entfernt, lagen Deadhorse und der arktische Ozean. *Achtundachtzigtausend Quadratmeilen Nichts,* kam ihr die Stimme jenes namenlosen Lastwagenfahrers in den Sinn. *Ohne einen einzigen Baum, der den Wind abhält. So wie die Stürme da drüberfegen, ist die Hölle gemütlicher …*

Der Wind ist megaheftig. Es schneit sogar noch mehr als vorher – als wäre über uns eine Decke aus Schnee, die gerade zusammenbricht.

Wir holpern immer stärker. Ich denke, das ist der Wind, der an uns zerrt, aber Mum sagt, das Holpern liegt nicht am Wind, sondern wir haben Eis an den Reifen, deshalb drehen sie sich nicht richtig. Sie muss das Eis weghacken. Sie sagt zwar nicht: »Sonst kriegt uns vielleicht der Tanklaster«, aber ich weiß, dass sie das meint. Wir wissen nicht, ob die Lawine ihn wirklich aufgehalten hat. Und Mums Plan mit Mr. Azizis Kleidern hat vielleicht auch nicht funktioniert.

Kennt ihr dieses große Theater unter freiem Himmel in Rom? Wo sie früher einen Sklaven in die Arena gejagt und einen Löwen auf ihn gehetzt haben? Ich habe das Gefühl, als wären wir in so einem riesigen finsteren Theater, aber auf uns wird kein Löwe gehetzt, sondern ein Mensch, der schon einen Moschusochsen und einen Raben und Wölfe und einen Polarfuchswelpen getötet hat, die ihm überhaupt nichts getan haben.

Eilig zog Yasmin sich ihre Polarkleidung über, frustriert davon, wie lange man dafür brauchte – all die Schichten, die innere, mittlere und äußere. Fieberhaft mühten sich ihre Finger ab, die Reiß- und Klettverschlüsse schneller zu schließen. Jede Sekunde konnte den Tanklaster näher bringen. Aber draußen herrschten minus zweiund-vierzig Grad, im Wind würde es noch viel kälter wirken. Sie brauchte jeden verfügbaren Schutz, denn wenn sie sich eine Unterkühlung und Erfrierungen zuzog, würde es niemanden mehr geben, der Ruby beistehen konnte. Ihre linke, vom Eis verbrannte Hand schmerzte, aber darüber war sie froh, denn sie war sich ziemlich sicher, dass erfrorene Glieder nicht mehr schmerzten. Sie holte einen Hammer aus Adeebs Werkzeugkiste und steckte ihn sich in die Tasche, in die rechte Hand nahm sie die Taschenlampe. Am liebsten hätte sie die dicken Fäustlinge angezogen, aber dann würde sie den Hammer nicht richtig greifen können, also streifte sie sich die Polar-Arbeitshandschuhe über die Innenhandschuhe.

Sie ließ die Heizung laufen und stieg aus – aber erst, nachdem sie auch Ruby dazu gebracht hatte, etwas überzuziehen, um vor dem Schwall eisiger Luft geschützt zu sein, wenn sie die Tür öffnete.

Kaum stand sie auf der obersten Stufe, da wurde sie, das Gesicht voran, gegen den Laster geschleudert und im nächsten Moment zu Boden geworfen. Vor Schmerz blieb ihr die Luft weg. Sie warf sich herum, um sich gegen den Angreifer zu wehren – sicher war es der Tanklasterfahrer –, aber da war niemand. Es war der Sturm, der sie gepackt hatte. Er heulte, wie sie noch nie etwas hatte heulen hören, was natürlichen Ursprungs war – wie ein Düsenjet, der über die Tundra dröhnte. Ihre Rechte umklammerte noch immer die Taschenlampe, ihrem Selbsterhaltungstrieb war das Licht wichtiger gewesen als die eigene Unversehrtheit. Sie war froh um die dicke Kleidung, die den Sturz abgefangen hatte.

Der Schnee fiel so dicht, dass er ihr wie eine kompakte Wand vorkam. Erst auf Händen und Knien, dann auf Ellbogen und Bauch kroch sie zur Unterseite des Lasters.

Ihre Augen stachen, als blinzle sie in heiße Asche, und die Haut darunter brannte. Durch ihren Fall war die Schneebrille verrutscht. Es fiel ihr zunehmend schwer, zu blinzeln, und sie hatte das Gefühl, als klebten ihre Wimpern zusammen.

Die Kälte umgab sie ganz, sie war wie ein Raubtier aus Finsternis.

Beim Kriechen stieß sie an den Hammer, der ihr aus der Tasche gefallen war. Sie hob ihn auf und wühlte sich unter den Laster. Hier war es windgeschützt. Ihre Augen waren zugefroren – die Wimpern klebten zusammen und ließen sich nicht mehr trennen. Sie rieb sich das Gesicht am Ärmel, wieder und wieder, aber es half nichts. Das einzig Warme, was sie besaß, war ihr Atem. Sie zog sich die Sturmhaube über die Augen, sodass Augen und Mund sich im selben Mikroklima befanden. Nach und nach erwärmte der Atem ihre Augenlider, bis sie sie endlich wieder öffnen und sehen konnte. Sie setzte die Schneebrille auf, aber an den Rändern hatte sich Eis gebildet, und sie saß nicht mehr so fest, wie sie sollte.

Im Licht der Taschenlampe sah sie jetzt, dass wie befürchtet Eisbrocken in den Rillen der Reifen steckten. Sie hieb mit dem Hammer dagegen, aber sie waren hart wie Metall und gaben nicht nach. Wieder und wieder versuchte sie es. Mit jedem Schlag fiel es ihr schwerer, den Hammer zu halten. Sie dachte an die Fahrt mit dem Küstenbus nach Cley, damals mit Matt. Erster Halt Holme-next-the-Sea, dann Thornham, Titchwell, Brancaster, Brancaster Staithe. Bei jedem Hieb gegen das Eis dachte sie an den nächsten Küstenort. Burnham Deepdale, Burnham Market, Burnham Overy, Holkham, Wells, Cley.

Beim zwanzigsten Schlag konnte sie sich nicht mehr erinnern, welcher Ort als nächster kam, oder überhaupt an ihre Namen, und vermochte den Hammer nicht mehr zu halten. Gedächtnisschwäche und Kraftverlust waren Warnzeichen für Unterkühlung. Sie musste zurück in den Laster.

Yasmin richtete die Taschenlampe auf die Umgebung. Land, Himmel und Schnee waren zu einer einzigen unendlichen, fremden Einheit verschmolzen. So musste Verzweiflung aussehen, dachte sie, so hatte es in ihr ausgesehen, als ihre Mutter gestorben war. Genauso eine trostlose, leere, ununterscheidbare Einsamkeit.

Irgendwo da drin war Matt.

So laut sie konnte, brüllte sie seinen Namen in die Finsternis hinaus. Ihre Lippen formten den Laut, und ihre Lungen verstärkten ihn zu einem Schrei, aber der Wind löschte sofort alles aus – sie hätte nicht sagen können, ob sie überhaupt ein Geräusch von sich gegeben hatte. Es war, als hätte sich um sie herum ein Raum aus Nichts gebildet und sie könnte sich nicht mehr sicher sein, ob sie überhaupt noch da war.

Sie kletterte zurück ins Fahrerhaus. Der Sturm versuchte sie von der Leiter zu zerren, ihre Füße waren taub.

Im Licht der Scheinwerfer, die sie nicht ausgeschaltet hatte, sah sie von der obersten Stufe aus etwa zehn Meter vor ihnen eine Felsformation, etwas höher als der Laster. Die Straße führte seitlich daran vorbei. Ein notdürftiger Schutz, wo sie den Sturm abwarten konnten.

Sie blickte nach hinten, ob der Tanklaster zu sehen war, doch Schneefall und Finsternis waren unmöglich zu durchdringen, und bei dem heulenden Sturm hätte sie auch keine Motorgeräusche hören können. Aber auch er würde nicht in der Lage sein, sie zu hören oder zu sehen. Und so wie der Sturm nun tobte, würde auch er nicht weiterfahren können. Er würde ihn aussitzen müssen, genau wie sie.

Mum kommt wieder herein. Sie hat rote wunde Stellen im Gesicht, und um die Schneebrille herum blutet sie sogar, als hätte die Kälte sie angenagt. Ich nehme ihr die Handschuhe ab, die völlig vereist sind. Die Heizung ist voll aufgedreht.

Sie fährt an, nur mit der rechten Hand am Lenkrad. Ich glaube, die linke tut ihr zu weh. Draußen ist so viel Schnee, als wären wir mitten in einer Schneeflocke.

Der Laster rumpelt immer noch schrecklich, ich werde auf meinem Sitz hin und her geworfen, und der Gurt schneidet in meinen Körper ein.

Mum hält an. Vor uns sind kleine Lücken im Schnee.

»Hier können wir den Sturm ganz gut abwarten«, sagt sie.

An dieser Stelle kann der Wind uns nicht umwerfen. Er rüttelt nur an uns, als bekäme er uns nicht richtig zu fassen.

Mum lächelt mich an. »Selbst wenn der Tanklaster es über den Pass geschafft hat, bei dem Wetter findet er uns nicht.«

Ich hatte solche Angst vor dem Sturm gehabt und vor dem Fahrer des Tanklasters und vor dem Mann, der uns die Mails geschickt hat, dass ich gar nicht mehr dazu in der Lage war, noch Angst um Daddy zu haben.

Ich mache die D-Gebärde.

Mum nimmt mich in den Arm. Sie trägt noch ihren Parka, und die Ärmel sind voller Eis. Sie zieht ihn aus, damit ich nicht friere.

»Er ist in seinem Aputiak«, sagt sie. »Ihm geht es gut. Die Iñupiat haben jahrhundertelang Stürme wie diesen hier überlebt.«

Ich spüre, dass sie es wirklich so meint. Ein Aputiak ist viel besser als ein Zelt. Ein Zelt würde ja einfach weggeweht werden.

Yasmin wusste jetzt, dass Matt ehrlich gewesen war, was seinen Ehering betraf. Auch die Tatsache, dass er zum Arbeiten hergekommen war, entsprach der Wahrheit. Und er hatte Ruby gegenüber erwähnt, dass er wusste, wie man ein Aputiak baut. All das glaubte sie ihm jetzt. Matt zu vertrauen bedeutete, es gab eine Chance, dass er in Sicherheit war.

Die furchtbare Angst, die sie um ihn hatte, war wie etwas Lebendiges in ihr, aber sie konnte sich nicht erlauben, an ihn zu denken, noch nicht. Ihre Priorität, das Einzige, was sie momentan tun konnte, war, Ruby unbeschadet durch den Sturm zu bringen.

16

Mum holt alle unsere Kleider aus den Koffern, und wir ziehen alles an. Zuerst die engsten Sachen und obendrüber die weiteren. Die Ärmel gehen am schwersten. Mum hilft mir, einen Ärmel über den nächsten zu ziehen, auch wenn sie ihre linke Hand nicht richtig benutzen kann, weil die vom Eis verbrannt ist. Sie hilft mir auch, Mr. Azizis Parka über alles andere zu ziehen. Er riecht ein bisschen zitronig, weil Mr. Azizi nach Zitronenseife roch, aber das wird mir erst jetzt klar, als ich den Duft wahrnehme und an ihn denken muss. Ich hätte lieber, dass Mum den Parka anzieht, aber sie weigert sich.

Unsere Scheinwerfer sind ausgeschaltet, deshalb sieht man draußen gar nichts. Manchmal fühlt es sich an, als würden wir fahren, aber das ist der Wind, der am Laster rüttelt. Anscheinend hört Mum ab und zu irgendwas, denn sie erstarrt immer wieder für Sekunden – als würden wir Versteinern spielen.

Mum sagt, wenn die Polizei kommt und uns in ihrem Hubschrauber mitnimmt, wird sie sie überzeugen, dass Dad am Leben ist, und sie zwingen, nach Anaktue zu fahren und nach ihm zu suchen. Sie sagt, wenn es sein muss, entführt sie den verdammten Hubschrauber. Ich habe noch nie das Wort »verdammt« auf ihren Lippen gelesen, aber Daddy sagt es ziemlich oft, bei allen möglichen Sachen, einem Stau beispielsweise. Ich mag es, wie ihr Mund dabei aussieht und wie ihre Lippen sich gegen Ende des Worts schließen – verdaMMt – als wäre sie echt wild entschlossen.

Sie steckt mich in Mr. Azizis Schlafsack, der auch zitronig riecht. Sie sagt, ich soll eine Runde schlafen, weil die Zeit schneller vergeht, wenn man schläft. Als ich klein war, sagte sie mir, schlafen wäre wie eine Weltraumreise. Man geht nur für ganz kurze Zeit weg, aber wenn man zurück auf die Erde kommt, ist dort viel mehr Zeit vergangen. Also schließe ich die Augen.

Yasmin war froh, dass Ruby das grausige Heulen nicht hören konnte, mit dem der Polarwirbel hoch oben in der arktischen Stratosphäre als Orkan zu ihnen herunterraste, am Sattelzug zerrte und waagrechte Lawinen aus Schnee über die Tundra schleuderte.

Das Thermometer zeigte minus zweiundvierzig Grad an, die gefühlte Kälte durch den Wind musste weitaus höher sein. Im Fahrerhaus herrschten zehn Grad plus. Sie trugen alle Kleidung, die sie besaßen, aber sie wusste nicht, wie lange sie überleben konnten, wenn der Motor ausging.

Sie schaltete das Funkgerät ein in der Hoffnung, die Polizei habe sich doch entschlossen, Sturm und Schnee zu trotzen und sie zu holen, obwohl ihr klar war, wie verrückt das wäre. Doch die einzigen Stimmen, die man hörte, waren die der Trucker, die in Deadhorse, Fairbanks oder Coldfoot festsaßen und sich über die Verzögerung und den Lohnausfall beklagten. Dennoch hatten die Stimmen etwas Tröstliches, deshalb ließ sie den Funk eingeschaltet.

Ruby war eingeschlafen. Yasmin dachte daran, wie bleich

sie gewesen war und wie sie gezittert hatte, als sie das Foto von dem Polarfuchswelpen gesehen und begriffen hatte, dass die Mails nicht von ihrem Vater kamen. Wie überzeugt sie gewesen war, dass er keine Überlebensausrüstung, keinen Schutz bei sich hatte.

Sie erinnerte sich, wie sie nach einem Platz zum Wenden Ausschau gehalten hatte.

Nein! Wir können ihn nicht allein lassen!

Wie sie die Ausweichbucht vor sich gesehen hatte.

Er stirbt vielleicht! Bitte, Mum!

Wie Ruby ihr das Notebook hingeschoben hatte, als sie in die Bucht eingeschert war.

Dann bin ich ganz allein!

Und gleich hinter ihr der Tanklaster, die blendenden Scheinwerfer. Sie hatte weiterfahren müssen, auf dieser steilen, gewundenen, trügerischen Straße, und hatte keine Zeit gehabt, über das nachzudenken, was Ruby gesagt, oder zu lesen, was sie geschrieben hatte. Nur ihr Versagen als Mutter war ihr in die Finsternis gefolgt.

Sie öffnete das neueste Dokument auf Rubys Notebook.

Das sind meine Worte, Mummy. So spreche ich.

Und so SCHREIE ich!

Das ist meine Stimme.

Das bin ich.

Matt hatte das verstanden. Dafür liebte sie ihn plötzlich noch mehr.

Sie strich über den weichen Fleecestoff von Rubys Gesichtsmaske, als könnte sie die Linien der Angst und Müdigkeit auf dem kleinen Gesicht darunter glätten.

Dann öffnete sie Rubys Blog.

einewocheinalaskablog.com

Hi, das hier ist ein Blog über unsere Zeit in Alaska von Matthew Alfredson, Naturfilmer, und Ruby Alfredson.

(Glaubst Du, das ist so okay, Dad? Du würdest wahrscheinlich was viel Besseres schreiben, und ich hab überhaupt kein Problem damit, wenn Du es änderst. Ich werde nichts online stellen, bevor Du nicht dabei bist. Ich stelle als Erstes das Foto von dem Moschusochsen rein. Und diesen Text löschen wir natürlich, bevor wir den Blog online stellen!)

Ruby hatte das Foto von dem verstümmelten Moschusochsen hochgeladen und auch die Ziffern darunter kopiert.

(Ist das für Deinen Job, Daddy? Ich hoffe es, weil den Leuten, die unseren Blog lesen, vielleicht schlecht wird, wenn sie es sehen. Ich glaube, Du hast ihn fotografiert, weil es ein großer Moschusochse ist, und die werden doch normalerweise nicht von Wölfen getötet? War er krank oder verletzt? Aber wir werden auch lebendige Moschusochsen sehen, oder? Dann schreibe ich jetzt was über Moschusochsen, und später können wir ein anderes Foto hochladen, und Du kannst alles einfügen, was ich vergessen habe.)

Yasmin erinnerte sich an Rubys Gesicht, als sie so verzweifelt versucht hatte, sich das grausige Foto als Teil der Natur zu erklären, als etwas, was ihr Vater ihnen hätte schicken können. Und an ihre eigene Erkenntnis, dass Ruby ihr nicht mehr alles unbesehen glaubte, sondern selbst einen Beweis dafür finden musste, dass ihr Vater am Leben war. In ihr stieg bittere Wut darüber auf, dass Ruby dazu verleitet worden war, zu glauben, die Fotos seien das Werk ihres Vaters, und dass sie deshalb alles, was dieser Unbekannte geschickt hatte, so liebevoll in ihren Blog integriert hatte.

Moschusochsen sehen total groß und gefährlich aus, aber sie sind sanfte Vegetarier und haben nur deshalb so große Hufe, damit sie das Eis aufhacken und an Wasser gelangen können und damit sie nicht einsinken, wenn sie auf dem Schnee rumlaufen. Die Iñupiat nennen Moschusochsen »umingmak«, das heißt »Bärtige«.

Sie erinnerte sich: Ruby hatte ihr etwas über Moschusochsen erzählen wollen, aber sie hatte sie unterbrochen und stattdessen aufgefordert, ihre Stimme zu benutzen. Sie hatte sich völlig darauf versteift, dass Ruby mit ihrer Sprechstimme sprechen sollte. Und Ruby hatte offenbar gespürt, wie wenig ihre Mutter das Thema interessierte. Sie las weiter, las, was Ruby ihr erzählt hätte, wenn sie es zugelassen hätte.

Moschusochsen sind sehr mutig. Wenn Wolfsrudel Moschusochsen jagen, suchen sie sich immer das kleinste Tier aus (zumindest fast immer). Wenn die erwachsenen Moschusochsen ein Wolfsrudel sehen, bilden sie einen Kreis um die Jungen und Halbwüchsigen. Die Hintern nach innen und die Hörner nach außen, damit sie bedrohlich wirken. Vor etwa hundert Jahren, als sie von den Menschen gejagt wurden, haben die Moschusochsen ihren Kreis um die Jungen gebildet und sich nicht bewegt, und die Menschen haben sie einfach erschossen, einen nach dem anderen. Immer wenn einer von ihnen verletzt wurde, haben sie ihn in den Kreis eingeschlossen und versucht, ihn zu beschützen. Die Jäger dachten, sie wären dumm, aber in Wirklichkeit waren sie mutig.

Es rührte sie, was Ruby über die Moschusochsen geschrieben hatte – und wie viel sie darüber wusste. Sie klickte die nächste Seite an.

Ruby hatte das Foto von dem toten Raben hochgeladen und auch diesmal die Ziffern dazugeschrieben.

(Du hast mir so viel über Raben erzählt, deshalb schreibe ich das auf, was ich noch weiß, und Du kannst ergänzen, was ich ausgelassen habe.)
Raben sind die größten Singvögel und können ganz viele verschiedene Lieder singen. Sie singen, wenn sie Angst haben, und manchmal auch, um miteinander zu reden. Sie können krächzen und keckern, aber am liebsten singen sie.
Raben suchen sich einen Mann oder eine Frau und bleiben ihr ganzes Leben zusammen. Sie sind sehr treu. Manchmal werden sie miteinander bis zu dreißig Jahre alt.

Wenn sie fliegen, schlagen sie gern Purzelbäume und machen Loopings. Manchmal tragen sie Federn oder Stöckchen im Schnabel, die werfen sie sich im Flug zu, als würden sie am Himmel Ball spielen.

Yasmin sah förmlich vor sich, wie Matt ihrer Tochter von den Raben erzählte und wie sehr sich Ruby dafür begeisterte. Sie glaubte die Wärme zwischen den beiden zu spüren.

Wenn Rabenbabys zur Welt kommen, bleiben sie ein Jahr lang bei den Eltern. Manchmal gibt es einen dritten Raben, eine Art Paten, der den Eltern hilft, Futter für die Jungen zu suchen und ihnen alles beizubringen. Raben sind supergute Nachmacher und Spaßmacher. Sie können andere Tiere und sogar Menschen imitieren.
Die Raben bleiben den ganzen Winter in Alaska. Sie rutschen gern von Schneehügeln runter, als würden sie Schlitten fahren, und zwar immer ganz ordentlich einer nach dem anderen. Und sie spielen nicht nur miteinander, sondern auch mit anderen Tieren, selbst mit Wölfen oder Bären. Verrückt, was?

Ja, dachte Yasmin, das ist wirklich verrückt. Sie betrachtete noch einmal das Foto, und statt des dämonisierten Vogels aus der Literatur und der hässlichen, symbolbefrachteten Kreaturen im Tower of London sah sie nun Vögel, die sangen, Schlitten fuhren und sich fürs ganze Leben mit einem Partner zusammentaten. Kein Wunder, dass Ruby und ihr Vater Raben so sehr liebten. Dass es hier zu dieser Jahreszeit etwas für Matt zu filmen gab, hatte sie ja schon begriffen, jetzt aber begann sie zu verstehen, warum ihn das so reizte.

Ruby hatte ihr eine Iñupiat-Geschichte über einen Raben erzählen wollen. Aber sie hatte sie ermahnt, ihre Stimme zu benutzen. Und als Ruby dann schwieg, hatte sie gedacht, dass es vielleicht gar keine Geschichte gab.

Sie klickte die nächste Seite des Blogs an.

Auf dem Bildschirm erschien das Foto von den toten, fast unter dem Schnee begrabenen Wölfen. Wieder erkannte sie in der rechten unteren Ecke das Aufblitzen von Geschirr, den kaum sichtbaren Husky.

Über Wölfe hatte Ruby ihr nichts erzählt. Nicht das kleinste bisschen. Sie hatte es nicht einmal versucht.

Wie oft hatte sie Ruby zum Schweigen gebracht, ohne sich dessen überhaupt bewusst zu sein?

(Warum hast Du das Foto gemacht, Dad? Weil die armen Wölfe im Schnee verschüttet worden sind? Ich dachte, Tiere in Alaska wären so schlau, dass sie nie verschüttet werden. Ich glaube, diese Fotos sind nicht für unseren Blog, sondern für deine Arbeit. Und wenn wir uns sehen, erzählst Du mir, was da los war.
Aber ich werde trotzdem unseren Blog weiterschreiben, denn dann ist es, als wärst Du bei mir.
Und wir werden lebendige Wölfe sehen, mit einem dicken weißen Pelz, nicht? Über die schreibe ich jetzt einfach, über die Wölfe, die wir zusammen sehen werden.)

Plötzlich hörte Yasmin im Funkgerät ihren Namen.

»Okay, Yasmin, ich baue darauf, dass du dein Funkgerät angeschaltet hast.«

Bisher war der Funk für sie nur der Trost gewesen, lebende Stimmen bei sich zu haben, aber jetzt drehte sie die Lautstärke höher. Es war Coby.

»Wenn du mich schon die letzten hundert Male gehört hast, dann entschuldige, wenn ich mich wiederhole. Und jedem, *jedem*, der mich jetzt unterbricht, weil ihn nervt, was ich sage, erzähle ich persönlich was, wenn er nach Coldfoot kommt.«

Es war, als hätte der tobende Sturm ein ruhiges, mildes Gegenüber bekommen.

»Also, du hast ein Kind bei dir«, fuhr Coby fort. Er musste sie zutiefst dafür verurteilen, trotzdem blieb seine Stimme warm. »Wir müssen uns um deine Tochter kümmern, ja? Du musst sie und dich warm halten, damit ihr beide heil durch diesen Sturm kommt. Ich hab mich mit den Kumpels hier beraten, und wir haben einen Spickzettel mit den wichtigsten Infos für euch zusammengestellt.«

Wenn die ganze Sache hier vorüber war, dachte sie, würde sie sich über die Idee eines Spickzettels, wie man einen Polarsturm mitten in der Tundra überlebte, köstlich amüsieren. Cobys Stimme stärkte ihren Glauben, dass das Ganze irgendwann überstanden sein würde.

»Zuerst zieht ihr euch jedes kleinste Fitzelchen Kleidung an, das ihr habt. Wenn ihr drei Mützen habt, dann zieht ihr drei Mützen an, ja? Und ihr wickelt euch Schlafsäcke, Handtücher und all solches Zeug um.«

Es hatte etwas von einem Wettspiel, bei dem am Schluss ein Preis winkte. Sie hätte gern damit geprahlt, dass sie genau das schon getan hatte.

»Wahrscheinlich habt ihr die Heizung volle Pulle laufen, oder? Aber du musst sichergehen, dass ihr kein Kohlenmonoxid aus dem Auspuff abkriegt.«

Yasmin hatte gehört, dass Menschen, die im Winter in Autos ausharren mussten, manchmal an Kohlenmonoxidvergiftung starben, weil Schnee den Auspuff verstopfte. Aber da der Auspuff des Lasters so hoch oben war, hatte sie darin keine Gefahr gesehen.

»Kannst du sehen, was aus deinem Auspuff kommt?«, fragte Coby. »Falls ja, sieht es komisch aus? Ist es zum Beispiel dicker Qualm? Das wäre ein Anzeichen dafür, dass etwas kaputt ist.«

Also war nicht der Schnee das Problem, sondern ein Schaden am Auspuffrohr. Aber in Finsternis und Schneesturm war es unmöglich, die Abgase zu sehen. Und selbst wenn, hätte der Wind sie sofort zerstreut.

»Ich nehme an, der Wind brüllt wie irre, aber hast du, bevor der Orkan so krass geworden ist, irgendwas vom Unterboden des Trucks gehört? Ein lautes Rumpeln? So ’n Loch kann sich anhören, als ob es rumpelt.«

Yasmin hatte keine verdächtigen Geräusche gehört, aber bei all dem, womit ihre Gedanken beschäftigt gewesen waren, hätte sie wahrscheinlich sowieso nichts bemerkt. Sie dachte an das Eis in den Reifen, stahlhart und zerstörerisch. Gut möglich, dass es Löcher ins Auspuffsystem gerissen hatte. Und falls die sich in dem Abschnitt unter dem Fahrerhaus befanden, konnte Kohlenmonoxid eindringen. Schon einmal, als sie kurz nach Coldfoot eingeschlafen war, hatte sie die Heizung im Stehen laufen lassen, aber seither hatte der Laster einiges mehr aushalten müssen.

Sie zog Ruby den Schlafsack bis unters Kinn, dann schaltete sie den Motor aus. Sofort erloschen Licht und Heizung.

Im Dunkeln ertönte weiter Cobys Stimme.

»Nehmen wir mal das Schlimmste an, und ihr habt ’nen

Schaden. Wenn du dann den Motor laufen lässt, lass die Fenster ganz leicht offen, auf beiden Seiten, damit frische Luft durchzieht und das Gas sich nicht ansammeln kann. Brady hier sagt, man kann den Motor pro Stunde zehn Minuten lang laufen lassen, also denke ich, es wäre okay, ihn jede halbe Stunde fünf Minuten laufen zu lassen.«

Sie sah auf die Zeitanzeige von Rubys voll aufgeladenem, beleuchtetem Notebook. In einer halben Stunde würde sie den Motor wieder einschalten.

»Im Wagen ist garantiert ein Werkzeugkasten«, fuhr Coby mit seiner sanften, ruhigen Stimme fort. »Wenn das Fahrerhaus so eingerichtet ist wie meins, vermutlich in der Mittelkonsole. In dem Werkzeugkasten muss ein Messer sein. Du musst die Sitze aufschneiden und die Isolierung rausholen. Damit müsst ihr euch einpacken. Auch die Köpfe.«

Yasmin schaute in die verschiedenen Fächer im Fahrerhaus und fand ein Teppichmesser, dickes Klebeband, einige Schraubenzieher und einen kleinen Eispickel. Sie nahm das Teppichmesser heraus.

»Ich weiß nicht, ob du die Funkbotschaft der Polizei an euch gehört hast?«, fuhr Coby fort. »Egal, die haben jedenfalls gesagt, ihr sollt auf keinen Fall aussteigen. Nicht, solange der Sturm tobt. Wart mal kurz, die anderen sagen mir, was ich vergessen hab.«

Sie stellte sich vor, wie die Fahrer im Rasthof von Coldfoot um einen Tisch saßen, mit heißem Kaffee vor sich, vielleicht stampften sie ein bisschen mit den Füßen, um sich warm zu halten, denn nach ihrer Vorstellung war es selbst drinnen kühl. Sie wussten nicht, ob sie am Leben war, geschweige denn zuhörte. Sie war gerührt, dass sie ihr trotzdem zu helfen versuchten.

»Okay, hör zu, Yasmin. Was ich jetzt sage, ist besonders wichtig. Du musst wach bleiben, denn du musst daran denken, die Heizung ein- und auszuschalten. Wenn dir kalt wird, dann bewege Arme und Beine, damit dein Kreislauf in Schwung bleibt. Ich weiß, die Kabine ist nicht besonders groß, aber beweg dich, so gut es geht.«

Sie war schon dabei, mit dem Teppichmesser den Sitz aufzuschneiden. Darin befand sich eine Polsterfüllung. Wenn sie den Schnitt lang genug machte, würde sie diese in einem Stück herausziehen und als zusätzliche Schicht um Ruby wickeln können.

»Mein Kumpel Gabe sagt, sobald es nicht mehr gefährlich ist, nach draußen zu gehen, solltest du was Farbiges um die Funkantenne wickeln. Aber ich denke, von einem Hubschrauber aus sieht man euch auch so ganz gut, außer euch gibt es ja nichts da draußen auf der Straße, also keine Sorge.«

Er verstummte, und Yasmin befürchtete schon, er wäre weg.

»Ich weiß, du willst nicht über Funk antworten«, ertönte wieder seine Stimme. »Du glaubst, hinter dir ist 'n Psycho her. Keine Ahnung, ob das stimmt, aber nehmen wir mal an, es wäre so – du glaubst es, also geh ich davon aus –, dann heißt das, du antwortest nicht, um dich nicht zu verraten, stimmt's? Also mach ich einfach mit meiner kleinen Radiosendung weiter, bis der Sturm nachlässt. Kapiert? Gut.«

Sie wünschte, sie könnte ihm danken.

Draußen herrschten minus dreiundvierzig Grad, drinnen waren es noch immer plus zehn. Sie wusste nicht, wie schnell die Temperatur im Fahrerhaus sinken würde. Wenn es gegen null ginge, würde sie Ruby wecken und sie zwingen, sich zu bewegen, damit ihr Kreislauf in Schwung blieb.

Sie saß in der dunklen Fahrerkabine, Ruby fest an sich gedrückt, und las deren Blog weiter.

Ich weiß, dass viele Leute Angst vor Wölfen haben, weil sie denken, die wären wie der Wolf in *Rotkäppchen*: böse Tiere, die gern andere umbringen. Oder weil Wölfe ein so unheimliches Geräusch machen. Aber Wölfe sind überhaupt nicht so, und Polarwölfe am allerwenigsten. Die sind wunderschön, mit dickem weißem Pelz, der extra dafür gedacht ist, die Kälte abzuhalten. Und Polarwölfe sind auch gar nicht groß. Ich glaube, was die Leute am wenigsten an Wölfen mögen, ist, dass sie in Rudeln jagen und andere Tiere einkreisen, zum Beispiel eine Herde Moschusochsen, und dann das Kleinste davon trennen und es töten. Aber Wölfe sind so viel kleiner als Moschusochsen, also können sie es nur im Rudel. Und sie müssen essen, sonst sterben sie. Sie haben nicht so viel Energie für die Jagd, weil es in Alaska schon ein Vollzeitjob ist, sich warm zu halten, deshalb suchen sie sich das Tier aus, für das sie am wenigsten Energie brauchen.
Außerdem, wir essen auch lieber Lamm als alten Hammel, oder? Wobei ich glaube, den Wölfen ist es nicht so wichtig, wie ein Moschusochse schmeckt.

Yasmin stellte sich vor, wie Matt über diese Sätze lächelte, wie er sich an Rubys Art zu schreiben freute. Und sie verstand die Wölfe – verstand, was es hieß, alle verfügbare Energie ins Überleben investieren zu müssen.

Sie hatte geglaubt, Ruby sei einsam, wenn sie am Notebook saß – abgeschottet von der realen Welt, im Cyberspace, wo es nur Fremde gab. Erst jetzt ahnte sie, was für vertraute, intime Welten man dort finden konnte.

Wie wütend sie damals in Schottland gewesen war, dass Ruby einen Blog beginnen wollte. Sie hatte nicht begriffen, dass es um Matt und Ruby ging. Dass der Blog ein Ort war, an dem die beiden sich treffen konnten. Einer von vielen Orten. Und dass auch sie Orte hätte finden können – finden müssen –, wo sie Ruby treffen konnte.

Der Blog hatte noch eine weitere Seite. Sie hatte gedacht, Ruby hätte beim Anblick des toten Polarfuchswelpen mit dem blutverschmierten niedlichen Gesicht endlich erkannt, dass die Fotos nicht von ihrem Vater waren, und aufgehört zu schreiben.

Die Temperatur im Fahrerhaus fiel jetzt rasant. Noch ein Grad plus. Sie nahm ihren rechten Handschuh ab und fühlte die Stirn ihrer Tochter, wie so oft, wenn Ruby krank war. Sie war warm. Also konnte Yasmin sie noch ein bisschen schlafen lassen. Sie machte sich daran, die letzte Seite zu lesen.

(Ich hab heute was Supercooles gesehen, Dad! Und ich würde in diesem Blog gern über alles schreiben, was in Alaska faszinierend ist. Ich hoffe, das ist okay. Ich hab kein Foto davon, aber vielleicht schaffen wir mal, eines zu machen, wenn du wieder bei uns bist.)

Ich habe drei Monde gesehen!

Echt!

Einmal den normalen und daneben noch zwei, auf jeder Seite einen. Sie heißen Nebenmonde. Mum hat mir alles über sie erzählt. Eigentlich heißen sie Paraselenae. Sie sind aus Licht gemacht, das von Eiskristallen abprallt. Sie sind wunderschön. Die drei Monde sahen aus, als hätten sie den Himmel unter sich aufgeteilt.

Im Fahrerhaus herrschten jetzt minus zwei Grad, draußen weiterhin minus dreiundvierzig. Erst in fünfzehn Minuten durfte sie die Heizung wieder anstellen.

Sie öffnete ein neues Dokument auf Rubys Notebook und schrieb:

Man kann unseren Atem sehen wie Rauch. Es riecht nicht mehr zitronig nach Mr. Azizi, es riecht nach überhaupt nichts mehr, die Kälte hat alle Gerüche verschluckt.

Der Wind zerrt an unserem Laster, als wären wir eine Galeere auf hoher See.

Mum ist der Kapitän, sie hat befohlen, dass wir all unsere Sachen anziehen – *alles, Ruby*. Also nehmen wir sogar die Waschlappen und stopfen sie als zusätzliche Schicht unter unsere Mützen. Wenn es wieder warm ist, riechen meine Haare bestimmt nach Zahnpasta. Und aus meinen Schulheften (weil ich so lange fehlen werde, habe ich Extra-Aufgaben mitbekommen) reißen wir alle Seiten, die ich mir als zusätzliche Schicht in die Kleider stopfe. Das wird die beste Entschuldigung, die es gibt: »Ich *musste* meine Hausaufgaben zerreißen, damit ich keine Unterkühlung kriege!«

Auch Mr. Azizis Landkarte hab ich auseinandergefaltet und unter mein Fleece gesteckt, aber sehr vorsichtig, weil da Anaktue drauf ist, und dort ist Dad, also dürfen wir sie nicht zerreißen.

Mum schaut aufs Thermometer. Hier drin sind es minus sechs Grad und draußen minus vierundvierzig. Wir haben das kleine Licht im Fahrerhaus und Voice Magic eingeschaltet. Und wir haben die Spezialhandschuhe von Dad angezogen, damit wir gebärden können. Wenn wir nicht mehr miteinander reden könnten, hätte ich schon ein bisschen Angst.

Mum sagt, sie glaubt, wir sind jetzt im Auge des Sturms. Ich schaue aus dem Fenster, ob da ein böses Auge ist, das uns beobachtet, wie Sauron in *Herr der Ringe*. Aber da ist nur das Spiegelbild unserer Gesichter. Allerdings sehen sie nicht wie unsere Gesichter aus, weil wir Schneebrillen und Gesichtsmasken und ganz viele Mützen anhaben.

Wir stampfen mit den Füßen auf und rudern mit den Armen, und Mum sagt, wir müssen »wach und aufmerksam« bleiben. Sie sagt, jeder von uns hat die Aufgabe, den anderen wach zu halten. Also sollen wir uns spannende Sachen erzählen. Ich bin zuerst dran, aber ich weiß nicht, was ich ihr erzählen soll. Ich glaube, sie merkt, dass ich es nicht weiß.

»Kannst du mir vielleicht die Geschichte von dem Iñupiaq-Jäger auf dem Treibeis erzählen?«, fragt sie.

Das wollte ich schon vor Ewigkeiten, als wir noch mit Mr. Azizi unterwegs waren, weil es eine Geschichte zum Freuen ist, und ich dachte, ich könnte sie damit aufheitern. Aber da interessierte sie sich nicht dafür.

»Soll ich wirklich?«, frage ich.

»Ja, unbedingt«, sagt sie, und ich kann sehen, dass sie unter ihrer Maske ganz breit lächelt.

»Okay. Ein Jäger saß ganz allein neben einem Luftloch auf dem gefrorenen Meer. Das Eis war so dick, dass man meinen könnte, es wäre ein Teil vom festen Land.«

Sie nickt mir zu, damit ich weitermache, als fände sie es wirklich interessant.

»Er musste ganz still sitzen. Stundenlang. Der Wind wurde stärker und stärker, vielleicht so wie jetzt. Das Eis wurde vom Land abgerissen, und es trieb aufs Meer hinaus. Zuerst merkte der Jäger nicht, dass das Eis, auf dem er saß, abgebrochen war. Er wusste nicht, dass zwischen ihm und dem Ufer tiefes Meer war. Der arme Jäger trieb immer weiter und weiter aufs Meer hinaus. Dad hat gesagt, manchmal ertrinken Jäger oder erfrieren. Aber die Familien verlieren nie die Hoffnung.«

Das hatte Dad gesagt – sie verloren nie die Hoffnung. Dabei finde ich, es sollte heißen, »sie hielten die Hoffnung fest«, weil Hoffnung etwas Warmes ist, was man gern ganz dicht an sich drückt.

»Ruby? Die Familie verlor nie die Hoffnung?«

Sie hat Angst, dass ich nicht »aufmerksam« bin. Aber ich denke nur über die Hoffnung nach.

»Ja. Weil der Mann ein Isiqsuruk war« – ich buchstabiere *isiqsuruk* –, »das heißt, ein starker und ausdauernder Jäger. Er trieb auf seiner Eisscholle bis ganz nach Sibirien. Und im nächsten Winter kam er über das gefrorene Meer zurück zu seiner Familie.«

Mum lächelt mich an, aber durch ihre Schneebrille sehe ich Tränen in ihren Augen, und ich glaube, die Tränen tun ihr weh, denn ihre Augen sehen noch röter aus als vorher.

»Das ist eine wunderschöne Geschichte, Ruby.«

Finde ich auch, aber ich wünschte, Dad hätte sie ihr erzählt. Er erzählt sie nämlich viel besser als ich.

Wir stampfen jetzt mit den Füßen in unseren dicken Stiefeln auf, die total eng sitzen, weil wir so viele Socken anhaben. Dabei tun wir so, als marschierten wir vor dem Buckingham Palace auf und ab, und Touristen fotografierten uns, und ich stelle mir den Buckingham Palace im Schnee vor, und die Soldaten mit ihren Bärenfellmützen hören auf zu marschieren und machen eine Schneeballschlacht, deshalb renne ich jetzt auf der Stelle und schleudere die Arme hin und her, als würde ich werfen, und Mum sagt, das mache ich großartig. Für sie ist es schwieriger als für mich, weil sie sich ducken muss, während sie so tut, als würde sie marschieren und eine Schneeballschlacht machen.

Mr. Azizis Thermometer zeigt hier drin minus acht Grad an und draußen minus fünfundvierzig.

Jetzt hüpfe ich auf und ab und Mum auch, nur gebückt,

und wir schwenken die Arme, als wollten wir jemandem zujubeln, der ein Rennen gewinnt. Wir beschließen, dass es Bosley ist, der ein Hunderennen gewinnt, obwohl Bosley nur mit wedelndem Schwanz in die Zuschauermenge rennen würde, damit jemand ihn streichelt. Unsere Arme stoßen dauernd aneinander, deshalb können wir sie nicht besonders weit schwenken.

Mum sagt, ich bin jetzt eine von den Leuten am Flughafen mit Flaggen, die den Flugzeugen zeigen, wo sie parken müssen, und der Pilot im Jumbojet vor mir ist kurzsichtig, also muss ich ganz große Bewegungen machen.

»Du hast Mr. Azizi gesagt, dass du Musik magst?«, fragt sie und buchstabiert »Brahms«.

Ich wusste gar nicht, dass sie mitbekommen hat, wie ich mich mit Mr. Azizi unterhalten habe.

»In der Sinfonie von Brahms gibt es eine Galeere im Sturm«, sage ich. Mum lächelt. Ich denke, vielleicht fühlt sich Mum auch so, als wären wir in der Musik drin.

»Was für Musik magst du noch?«

Eigentlich ist jetzt sie an der Reihe, spannende Sachen zu erzählen.

»Bitte, Ruby, ich würde es wirklich gern wissen.«

»Ich mag auch Pop«, sage ich. »Am meisten die Beatles, wegen den ganzen Bildern in ihren Liedern.«

»›Yellow Submarine‹?«, fragt Mum. »Den Song liebe ich.«

»Ja, und ›Octopus's Garden‹. Am liebsten mag ich ›Lucy in the Sky with Diamonds‹. Und den Diamonds-and-Stars-Song von Rihanna mag ich auch.«

Das Gebärden macht müde, als hätten meine Hände ein langes Rennen hinter sich gebracht. Man sieht unsere Gesichter nicht mehr in der Windschutzscheibe, die jetzt innen voller Eis in Wirbelmustern ist.

»Ruby? Wir reden über Musik?«

»Manchmal tanze ich gern dazu«, sage ich. »Wenn die Musik laut genug ist.«

Ich benutze die amerikanische Gebärde für »tanzen«. Man bildet mit der linken Hand einen Tanzboden und tanzt mit zwei Fingern der Rechten.

Ich schaue Mum an und sehe ihren Augen hinter der Brille an, dass sie das freut. Ich wünschte, ich hätte ihr schon früher mal davon erzählt.

»Wenn kein Teppich da ist, kann ich die Musik irgendwie im Boden spüren und dann im ganzen Körper. Und ich mache nach, wie die anderen tanzen, und wenn sie den Text mitgebärden, ist das richtig toll.«

Jimmy sagte mal, ich würde superhypermäßig grooven. (Da war »groovy« gerade unser Wort der Woche. Wir fanden, es war ein Hippies-in-lila-Schlaghosen-Wort.)

»Wo hast du denn schon getanzt?«, fragt Mum. Sie hat sich immer gewünscht, dass ich in der Schule Ballett mache, aber ich mag kein Ballett.

»Bei Jimmy«, sage ich. »Seine Mum schreit immer herum, er soll die Musik leiser stellen, aber er macht es nicht.«

Sie sagte, von der Musik »würde man ja taub«! Das fanden Jimmy und ich total witzig.

»Klasse von Jimmy«, meint Mum. »Ich hab eine tolle Idee. Lass uns tanzen!«

Die Luft sticht beim Atmen, wie wenn man Siafu-Ameisen mit ihren scharfen Beißwerkzeugen einatmet. Ich glaube, wenn man ohne Handschuhe den Türgriff anfassen würde, würde die Hand daran festfrieren.

»Ich singe«, sagt Mum. »Rihanna!«

Ich schneide eine Grimasse, was man nicht richtig sehen kann, weil ich die Gesichtsmaske aufhabe. Aber sie merkt es, und ich kann erkennen, dass sie lacht.

»Na gut, dann bin ich eben John Lennon«, sagt sie, und ihre Augen lächeln immer noch hinter der Brille. Sie zieht die Gesichtsmaske runter, damit ich sehe, wie sie »Lucy in the Sky with Diamonds« singt und dabei gebärdet. Dad sagt, singen ist schön, weil es schön klingt, selbst wenn man die Worte nicht versteht. Aber ich finde, gebärden ist genauso schön, einfach weil es schön aussieht.

Eigentlich fast wie tanzen.

Mum singt und gebärdet über Mandarinenbäume und Marmeladenhimmel. Es ist schön, an so was zu denken, weil es einen davon abhält, an die Kälte zu denken und dass man Angst hat.

Mums Worte kommen als kleine weiße Wölkchen. Es ist lustig, dass Worte so aussehen können – dass man sieht, dass sie aus Atem bestehen. Ich frage mich, ob jedes Wort seine eigene Form hat. Die Sprachtherapeuten haben mir was von Hauchlauten erzählt. Jetzt sehe ich sie. Wenn wir immer irgendwo leben würden, wo es so kalt ist, könnte ich vielleicht lernen, die Form von Worten in der Luft zu lesen.

Jetzt singt Mum das Lied von Rihanna. Wir fangen beide fast an zu kichern, als sie von der Sternschnuppe singt. Das hab ich noch niemandem erzählt, aber vor Kurzem hat Mum mit mir über Sex geredet. Weil ich nächstes Jahr doch in die weiterführende Schule komme und erwachsene Sachen wissen muss. Sie hat mir erzählt, dass die Gebärde für »Stern« ganz ähnlich aussieht wie die für »Vagina«, deshalb muss man gut aufpassen, wenn man »Stern« gebärdet. Dann haben wir beide ewig lange kichern müssen, und sie hat gesagt, sie fände »Stern« einen hübschen Namen dafür. Deshalb lachen wir, als sie in Rihannas Song »Stern« gebärdet, aber das Lachen tut weh, weil die Siafu-Ameisen einen bis ganz tief unten stechen.

Mum sagt, so was wie Sternschnuppen gibt es eigentlich gar nicht. In Wirklichkeit sind das kleine Staubteilchen und Steinchen, die in die Erdatmosphäre eindringen und dort verglühen. Ich finde, darüber könnte man einen noch viel besseren Song machen, weil das total spannend ist, und außerdem müsste man dann nicht aufpassen wegen dem Stern/Vagina-Problem.

Richtig tanzen können wir nicht, wir bewegen uns nur so gut wir können und tun so, als tanzten wir. Dann hört sie auf zu gebärden und zu tanzen, und ihre Augen kräuseln sich nicht mehr vor Lächeln.

»Du machst gar nicht mehr so viel mit Jimmy, oder?«, sagt sie.

Die anderen haben immer so ein Lied gesungen:

Jimmy knutscht die Ruby, so ein schlimmer Bubi,
unter einer Brück, und Ruby knutscht zurück!

Bei uns gibt's gar keine Brücke. Und selbst wenn, würde ich lieber obendrauf als darunter stehen. Allerhöchstens würde ich darunter eine Hütte bauen. Das Lied ist falsch und blöd.

»Ruby?«, sagt Mum.

Yasmin wartete, aber Ruby gebärdete nicht weiter. Matt hatte ihr erzählt, dass die Freundschaft zwischen Ruby und Jimmy nicht mehr so harmonisch war. Das hatte ihr für Ruby leidgetan, aber insgeheim hatte sie gehofft, es werde sie anspornen, sich neue Freunde zu suchen.

Ruby war auf einmal so still. Da war eine schreckliche Einsamkeit in diesem steifen, reglosen Körper.

»Ach komm, Ruby, tanzen wir weiter!«

Sie hätte sie nicht auf Jimmy ansprechen sollen. Ruby musste sich bewegen. Wenn sie nur laufen, rennen und richtig auf- und abhüpfen könnten, aber bis der Sturm abebbte, mussten sie sich mit diesem winzigen Fahrerhäuschen begnügen. Sie hatte ihre Gesichtsmaske nicht wieder hochgezogen, damit Ruby ihre Lippen ebenso gut sehen konnte wie ihre Finger – sie würde alles tun, damit Ruby wach blieb.

Im Fahrerhaus war es jetzt minus zwölf Grad kalt, draußen minus sechsundvierzig. Noch zwölf Minuten, bis sie den Motor wieder anstellen durfte, aber sie war sich nicht sicher, ob Ruby so lange aushalten würde.

Es fällt mir immer schwerer zu atmen, meine Lungen füllen sich mit Ameisen, und für Luft ist kein Platz mehr. Draußen im Dunkeln ist ein Monster aus Kälte mit scharfen Kanten aus Beton, und es schneidet sich durch die Windschutzscheibe und die Türen. Die einzige Waffe dagegen ist Wärme, aber wir haben keine Wärme. Ich halte Mums Hand fest und versuche zu tanzen, damit das Monster verschwindet, aber ich kann nicht tanzen, meine Beine wollen sich nicht bewegen. Das Monster kommt näher, es fletscht die Zähne, ganz viele Zahnreihen, rasiermesserscharf, es wird mich in kleine Stücke reißen. Ich gebärde Mum: »Hilf mir!«

Sie schaltet den Motor ein. Ohne zu zögern.

Die Heizung läuft seit drei Minuten, und Mum hat das große Licht angeschaltet. Mein Notebook hängt am Ladegerät. Das Fenster muss offen stehen, aber nur ein winziges bisschen. Das Eis auf der Windschutzscheibe ist immer noch dick und wirbelig, und man sieht unseren Atem, aber die Luft sticht beim Einatmen nicht mehr so sehr, und das Monster ist ein bisschen von uns weggekrochen. Aber es beobachtet uns aus dem Dunkeln heraus. Mum öffnet meinen Blog. Ich wünschte, sie würde das bleiben lassen.

»Wie lange haben wir noch?«, frage ich.

»Zwei Minuten.«

Ich versuche, keine Angst vor dem Moment zu haben, wenn die Heizung wieder abgeschaltet werden muss.

»Dein Blog ist toll, Ruby. Ich habe ihn gelesen, während du geschlafen hast.«

Ich schüttle wütend den Kopf. Wie blöd von mir zu denken, diese Mails wären von Dad.

»Ich hab dir auch etwas geschrieben. Keinen Blog. Nur was Interessantes.«

Ich schaue auf mein Notebook, klicke auf den Blog und sehe, dass sie einen großen Punkt getippt hat. Er nimmt eine ganze Seite ein.

»Was soll das sein?«

»Das erfährst du gleich. Ich hebe es mir noch auf und erzähle es dir zum Wachhalten.«

Noch eine Minute. Das Monster schleicht um uns herum, kratzt mit den Klauen an der Windschutzscheibe, wartet darauf, dass es sie durchbrechen kann. Mum merkt das wohl auch, denn sie greift nach meiner Hand und drückt sie. Dann nimmt sie ihre Hand weg, damit sie gebärden kann, und sagt: »Der Sturm geht vorbei. Wir kommen heil hier raus.«

Ich versuche, wie sie zu sein – tapfer und mutig.

»Ich muss den Motor jetzt wieder ausschalten. Tut mir leid.«

Während der Motor lief, hatte sich das Fahrerhaus auf minus zwei Grad erwärmt, nicht einmal bis zum Gefrierpunkt. Jetzt würde die Temperatur wieder sinken. Noch viel tiefer als zuvor, fürchtete Yasmin.

»Also, du winkst mit den Armen ein Flugzeug ein, und ich erzähle dir das Interessante.«

»Über den Punkt?« Rubys Gebärden waren langsam geworden.

»Ja.«

Ruby stand auf. Yasmin sah, dass es ihr schwerfiel, das Gleichgewicht zu halten. Sie hatte sich nicht genügend aufwärmen können. Yasmin würde den Motor bald wieder einschalten müssen, aber sie wollte so lange wie möglich damit warten.

»Wenn du diese Seite ausdrucken würdest«, sagt Mum, »wäre das weiße Papier der Weltraum, und der Punkt wäre die Erde.«

Ich sehe den kleinen Punkt an und stelle mir vor, dass Mum und Dad und ich auf einem solchen Punkt leben und wie wir da draufpassen.

»Der Maßstab ist nicht sehr genau«, sagt Mum. »Eigentlich müsste der Punkt in einem ganzen Buch voller leerer Seiten stehen. Nein, in hunderttausend leeren Büchern in Tausenden von Bibliotheken.«

Ich sehe den Punkt an. Wir sind so klitzeklitzeklein. Als wären wir total unbedeutend.

Mum lächelt. »Und weißt du, was daran so faszinierend ist?«

Ich schüttle den Kopf.

»Dass es diesen Punkt gibt! Dass es einen faszinierenden Planeten namens Erde gibt, mit Wasser und einer

Atmosphäre, in der Leben möglich ist. Und dass wir hier sind. Wie groß ist die Wahrscheinlichkeit dafür, Ruby?«

Ich versuche zurückzulächeln, aber die Lippen zu einem Lächeln zu verziehen macht so müde.

»Schlenker weiter mit den Armen«, sagt Mum. Aber ich kann nicht mehr mit den Armen schlenkern. Mein Jumbojet wird ins Flugzeug nebenan krachen.

»Erzähl mir von deinem Besuch in der Gehörlosenschule«, sagt Mum.

Sie weiß genau, dass das etwas ist, was mich wieder wach macht. Aber ich hätte gern, dass sie mir mehr über unsere Punkt-Erde erzählt. Und eigentlich ist sie ja dran mit dem Interessante-Sachen-Erzählen.

»Es würde mich wirklich sehr interessieren«, sagt sie.

Yasmin dachte daran, wie Matt und Ruby von der Gehörlosenschule zurückgekommen waren. Ruby hatte gesagt: »War nur eine Schule, Mum«, und sie war erleichtert gewesen, dass ihre Tochter nicht darum gebettelt hatte, dorthin zu dürfen.

Aber hinter dem Satz »War nur eine Schule, Mum« steckte so viel. Rubys Alltag in der Regelschule war einsam, aufreibend, oft grausam. Nie »nur Schule«.

Ruby gebärdete, aber ihre Gesten waren ungenau, und Yasmin verstand sie nicht.

Ich will Mum erzählen, dass ich dort nicht »das taube Mädchen« war, sondern Ruby. Aber meine Finger können die Gebärden nicht mehr richtig machen. Ich will ihr erzählen, dass es auf der Gehörlosenschule Kinder gibt, die gut im Witzige-Grimassen-Schneiden sind, und welche, die totale Nieten in Mathe sind, aber in der Pause denken sich alle tolle Spiele aus und erzählen total lustige Lügengeschichten, und alle kapieren die Witze, die man macht, und verstehen einen sofort und lernen einen so kennen, wie man ist. Vielleicht nicht sofort, aber irgendwann. Und das Beste ist: Wenn die Leute am Anfang was Falsches von einem denken, kann man das ändern. Wahrscheinlich mögen die Mädchen dort auch lieber Ponys und Kätzchen als Flussotter, aber ich kann ihnen wenigstens erzählen, warum Flussotter so supercool sind.

Meine Gedanken sind wie der kleine falsche Hase, der über die Rennbahn saust, und meine Finger sind die Windhunde, die versuchen, die Gedanken zu fangen und zu Worten zu formen, aber sie sind zu langsam, und ich kann nicht gebärden.

Und der kleine Hase wird auch langsamer und langsamer, und dann legt er sich hin. Der Schlaf packt mich, ich weiß, ich sollte *wach und aufmerksam* bleiben, aber im Schlaf wird mir warm werden. Mein Kopf ist ganz schwer, wie der von einem Wackeldackel. Es fühlt sich so an, als wäre ich nur noch mein Kopf, und der Rest von mir bestünde aus Gummi.

Mum rüttelt mich, sie gebärdet und sagt: »Du musst wach bleiben, Ruby!«

Das Monster ist genau hinter mir. Ich kann nicht wegrennen, meine Beine sind zu schwer. Das Monster schlägt sein Gebiss in mein Gesicht und meine Arme und Beine und beißt mich mit seinen rasiermesserscharfen Zähnen überallhin.

Ruby dämmerte weg. Ungeschickt drehte Yasmin den Schlüssel im Zündschloss und schaltete den Motor ein. Die Kohlenmonoxidvergiftung war ein ungewisses Risiko, aber wenn sie Ruby nicht warm hielt, würde ihre Tochter auf jeden Fall an Unterkühlung sterben. Im Fahrerhaus war die Temperatur auf minus zwanzig Grad gefallen. Draußen waren es minus achtundvierzig. Ruby war bewusstlos.

Die Heizung lief seit zehn Minuten. Im Fahrerhaus herrschten minus fünfzehn Grad. Yasmin hatte Ruby die Gesichtsmaske abgenommen und sah, wie bleich sie war. Sie beugte sich über sie und blies ihr warme Atemluft auf die kalte Haut. Sie wünschte, sie könnte sie rufen, sie durch Schallwellen wecken, die dicht neben ihrem bewusstlosen Gehirn auf ihre Trommelfelle trafen. Aber ihr blieben nur Berührungen. Und davon wachte Ruby nicht auf.

Wie hatte sie Ruby das nur antun können? Sie bekam nicht mehr die einzelnen Schritte und Entscheidungen zusammen, die dazu geführt hatten, dass Ruby nun bewusstlos neben ihr lag. Konnte sich nicht mehr an ihre Gründe und Rechtfertigungen erinnern. Aber sie durfte ihre Energie nicht für Selbsthass verwenden, noch nicht. Sie musste Ruby vom Sterben abhalten.

Sie wusste, was sie tun musste, wusste aber nicht genau, woher und ob sie sich tatsächlich richtig erinnerte. Es widersprach ihrer Intuition, aber mit schmerzenden, kaum noch beweglichen Fingern zog sie sich aus. In der warmen Heizungsluft wich die Hülle aus Taubheit von ihrem Körper, und es fühlte sich an, als zöge die Kälte ihr bei lebendigem Leib die Haut ab. Auch Ruby zog sie bis auf die Gesichtsmaske und Mütze aus – soweit es ihr möglich war, ohne sie aus dem Schlafsack zu holen. Dann zwängte sie sich zu ihr hinein und umarmte sie. Ruby kam ihr leichter und dünner vor als sonst, als hätte die Kälte sie gewichtslos gemacht.

Ruby zitterte heftig. Yasmin spürte ihren eigenen Körper kälter werden und hoffte, dass die Wärme in Ruby überging.

Bisher hatte sie die Kälte als Raubtier betrachtet, aus Finsternis geformt, als etwas Lebendiges. Jetzt erkannte sie, wie grausam unpersönlich sie war: gefrorene Finsternis, die alles in sich einsog. Sie spürte, wie diese Finsternis all ihre Hohlräume ausfüllte, sich als eisiges Mark in ihren Knochen festsetzte. Schließlich sickerte ihr Bewusstsein aus ihr hinaus in die arktische Schwärze.

17

Ruby zitterte nicht mehr. Namenloses Entsetzen ergriff Yasmin. Dann hörte sie Rubys Atem, gleichmäßig und stetig, und spürte, wie warm ihre Haut war. Das Thermometer zeigte im Inneren des Fahrerhauses plus zwölf Grad an, draußen waren es minus sechsundzwanzig.

Yasmin hatte beinahe zwei Stunden geschlafen, bei laufendem Motor und voll aufgedrehter Heizung. Es war reines Glück, dass sich im Auspuffsystem unter dem Fahrerhaus kein Leck befand, durch das Kohlenmonoxid austreten konnte. Aber ein bisschen Glück hatten sie sich verdient. Das Eis innen an der Windschutzscheibe war zu Pfützen geschmolzen.

Mum weckt mich auf und lächelt mich an, und ich bin fröhlich, ohne zu wissen, warum.

Der Sturm ist vorbei! Es ist *nicht mehr kalt!* Das Eismonster hat sich in Wasser auf dem Armaturenbrett verwandelt, und ich schenke Mum sprudelnden Sekt ein und lasse Partyböller platzen und kribble vor Leben, als würde jede einzelne meiner Zellen vor Freude jubeln und ein Feuerwerk veranstalten.

Das Fahrerhaus schwankt nicht mehr, nicht das kleinste bisschen. Und es gibt wieder Gerüche. Meine Haare riechen wirklich nach Zahnpasta! Mum gebärdet mir, dass die Polizei bald da sein wird. »Und du bringst sie dazu, mit ihrem verdammten Hubschrauber nach Dad zu suchen?«, frage ich. »Auf jeden Fall!«, sagt Mum, und dass ich nicht fluchen und mir was anziehen soll. Eigentlich sollte es sich komisch anfühlen, dass ich gar nichts anhabe, aber das tut es nicht.

Mum sagt, ich bin ein sehr tapferes Mädchen.

Als sie im Sturm hier angelangt waren, hatte Yasmin nur wenige Meter weit sehen können. Jetzt breitete sich vor ihnen eine schneebedeckte Ebene aus, die sich erstreckte, so weit das Licht der Scheinwerfer reichte, und noch weiter in die Finsternis bis zum Arktischen Ozean. Sie wusste jetzt, dass da draußen Tiere waren, die in Kälte und Dunkelheit überleben konnten, und dieses Wissen milderte die trostlose Ödnis der Landschaft und verlieh ihr pochende Wärme.

»Und wenn es total schwer ist, den Polizeihubschrauber zu entführen?«, fragte Ruby.

»Ich glaube nicht, dass wir ihn entführen müssen. Ich denke, indem wir das Gebirge überquert haben, einer Lawine entkommen sind und mitten in der Tundra einen Polarsturm überlebt haben, haben wir ihren Respekt gewonnen. Jetzt werden sie uns zuhören.«

Ruby lachte. »Oh ja.«

Die Polizei würde ihnen nun auch glauben, dass der Tanklaster hinter ihnen her war, denn kein Mensch würde wegen eines Phantoms in einem Polarsturm über den Atigun-Pass fahren.

»Aber wenn sie denken, wir sind den Berg runtergestürzt?«, fragte Ruby. »Wir haben doch Mr. Azizis Kleider rausgeworfen und extra Spuren gemacht?«

»Inzwischen hat der Schnee diese Spuren verwischt und die Kleider unter sich begraben. Die Polizei wird uns bald finden.«

Eine Weile sagen wir nichts, sondern fühlen uns nur warm und glücklich. Dann gebärdet Mum mir: »Warum möchtest du nicht mit dem Mund sprechen?«

Ich habe Angst, dass sie mit mir schimpfen und mir sagen will, dass sie enttäuscht von mir ist. Aber das will sie nicht. Das kann ich sehen. Diesmal will sie es wirklich wissen.

»Wenn ich gebärde oder schreibe, sehe ich dieselben Worte wie derjenige, mit dem ich rede«, erkläre ich ihr. »Wie jetzt. Du siehst meine Hände, und ich sehe meine Hände, und wir beide sehen die Worte. Aber wenn ich mit dem Mund spreche, können nur die hörenden Leute meine Worte hören. Ich nicht.«

Ich breche ab, weil ich sie enttäusche, aber dann sage ich es doch. »Ich habe Angst, wenn ich mit meinem Mund rede.«

Mum umarmt mich nicht, und das ist gut, weil ich nicht will, dass sie mich umarmt. Sie schaut mich ganz ernst an, als wollte sie noch mehr hören.

»Für mich ist das, als wäre ich nicht mehr da«, sage ich. »Wenn ich mit dem Mund spreche, verschwinde ich.«

Mum nickt. Ich sehe, dass sie mich versteht.

Yasmin musste daran denken, wie sie im Sturm Matts Namen gebrüllt hatte. Obwohl ihr Mund und ihre Zunge sich richtig geformt und ihre Lungen die Luft mit aller Kraft ausgestoßen hatten, war der geschriene Name vom Wind verschluckt worden, und sie hatte nicht gewusst, ob sie ein Geräusch von sich gegeben hatte. Sie hatte sich orientierungslos und ausgeliefert gefühlt, als hätte sie ein Vakuum um sich erschaffen. Egal wie viel Kraft Ruby in ihren Atem legte, egal wie perfekt sie Lippen, Zunge und Gaumen koordinierte, ihre Stimme würde für sie nie zu hören sein, die Welt um sie würde still blieben. Schon mit drei Jahren hatte Ruby sich einen Spiegel in jedem Zimmer gewünscht. Jetzt verstand Yasmin, warum es ihr ein Bedürfnis war, sich ihrer eigenen Anwesenheit an einem Ort zu versichern.

Sie zogen sich ihre Polarkleidung über. Die mörderische Kälte des Sturms war vorüber, aber minus fünfundzwanzig Grad waren noch immer kalt genug, und es war nach wie vor dunkel.

Wir steigen aus dem Laster, steif wie Puppen, die in einer zu kleinen Verpackung gelegen haben. Ich wette, Dad macht jetzt das Gleiche wie wir, denn ein Aputiak ist auch nicht besonders groß, also streckt er sich bestimmt auch und macht riesengroße Schritte. Ich schaue mich nach Tieren um, aber im Dunkeln sieht man nichts. Und ich will nicht zu genau hinschauen, weil ich Angst habe, dass ich den Mann sehen könnte, der die Tiere umgebracht hat. Wobei der uns seit Ewigkeiten nicht mehr gemailt hat. Mum sagt, vielleicht hat er aufgegeben. Und überhaupt ist bald die Polizei da.

Mum tippt mir auf die Schulter. Im Licht aus dem Fahrerhaus bedeuten mir ihre Hände, nach oben zu schauen.

Und das ist voll hammersuperwunderschön! Über uns sind Milliarden von Sternen, und überall, wohin man schaut, glitzert und funkelt es, an der Decke und an den Wänden des Himmels. Nicht wie zu Hause, wenn man Sterne sieht, denn hier ist es *wirklich dunkel.* Überall.

Schwarz schwarz schwarz. Aber in der gigantischen Schwärze funkeln Diamanten und laserhelle Pünktchen und tausend Fitzelchen Sonnenlicht, vom Himmel eingefangen und hochgehalten. Wie Glitzersamt oder Licht, das sich in Glas bricht, total magisch, aber dabei ganz real!

Mum starrt ebenfalls nach oben, sie hat den Kopf zurückgelegt, und ich kann sehen, dass sie auch denkt: Voll hammersuperwunderschön!

Yasmin hatte noch nie einen derart vollkommenen, klaren, herrlichen Nachthimmel gesehen. Nirgends die geringste Lichtverschmutzung, die Luft war wie reingewaschen. Während des Sturms hatte sie sich an den Glauben geklammert, dass Matt es überstehen würde. Dieser unwahrscheinliche Nachthimmel bestärkte sie in ihrem Glauben. Er hatte überlebt, die Polizei würde ihn finden, und sie würden alle wieder zusammen sein.

Sie suchte nach dem Polarstern. Seit sie dreizehn war, hatte sie in die Sterne geschaut, zuerst mit dem Fernglas, später mit dem Teleskop und in Observatorien, und jedes einzelne Mal hatte sie sich orientiert, indem sie Polaris gesucht hatte, den Fixstern, der nach Norden wies. Und sie hatte sich den Seefahrern und Entdeckern vergangener Jahrhunderte verbunden gefühlt, die den Kurs ihrer Schiffe nach diesem Stern ausgerichtet hatten.

Sie fand den Nordstern. Er stand genau über ihnen. Sie befanden sich auf dem Scheitel des Planeten.

Wir halten am Himmel nach dem Polizeihubschrauber Ausschau, und währenddessen zeigt mir Mum den Großen Wagen und wie man von dort aus den Polarstern findet, der immer nach Norden zeigt.

»Ist der Polarstern dasselbe wie der Nordstern?«, frage ich.

»Ja. Wir sind ganz oben auf der Erde, Ruby«, sagt sie. »Die Welt dreht sich um uns.«

Ich lache, aber sie sagt: »Nein, wirklich! Stell dir eine unsichtbare Schnur vor, die vom Weltraum aus mitten durch die Erde geht, und zwar genau durch die Stelle, wo wir gerade stehen, und am unteren Ende – dem Südpol – wieder rauskommt. Um diese Schnur dreht sich die Erde. Also um uns.«

Das finde ich toll.

Sie schaut immer noch in den Himmel, aber ihr Gesicht wird plötzlich ganz ernst.

»Darf ich dein Notebook benutzen?«, fragt sie.

Sie steigt in den Laster, und ich komme mit, weil ich ihr etwas erzählen will, was sie vielleicht nicht weiß. Dad hat mir gesagt, dass Vögel sich, wenn sie im Winter nach Süden fliegen, am Nordstern orientieren, um zu wissen, wo sie sind. Schon die kleinen Vogelbabys schauen sich in der Nacht den Sternenhimmel an, um das zu lernen. Das stimmt wirklich! So finden sie im Dunkeln nach Hause. Ich finde, Mum und Dad sollten sich mal über diesen supercoolen Nordstern austauschen.

Inzwischen hat sie mein Notebook geöffnet und schaut sich das Foto von dem armen zerrissenen Moschusochsen an, dann scrollt sie runter zu den Zahlen: 68950119 149994621.

»Ich dachte, die Zahlen hätten mit dieser DSC-Zahl im Betreff zu tun, aber das stimmt gar nicht«, sagt sie. »Die DSC-Zahl ist wahrscheinlich die Fotonummer der Kamera, aber diese längeren Zahlen sind etwas anderes.«

Offenbar wirke ich ziemlich verwirrt, denn sie gebärdet besonders sorgfältig.

»Die Erde«, sagt sie, »wurde von den Menschen in Segmente eingeteilt, so ähnlich wie Orangenschnitze. Die Trennlinien zwischen den Schnitzen nennt man Längengrade. Sie treffen sich alle am Nordpol, gar nicht weit von hier, und am Südpol, wo die unsichtbare Schnur auf der Unterseite rauskommt.«

Sie öffnet das Foto von den armen Wölfen. Ich kann sehen, dass sie es total eilig hat, aber sie nimmt sich die Zeit, es mir mit den Händen zu erklären.

»Und außerdem gibt es Ringe, die quer dazu um die Erde verlaufen, wie Hula-Hoop-Reifen. Die heißen Breitengrade. Einer der wichtigsten Hula-Hoop-Reifen ist der Polarkreis. Wenn ich mich recht erinnere, liegt er etwa auf sechsundsechzig Komma sechs Grad nördlicher Breite. Der südliche Polarkreis hat genau dieselbe Zahl, nur mit einem S davor, für Süden.«

Sie zeigt auf die Zahlen unter dem Wolfsfoto: 68945304 149992659.

»Mit einem Dezimalpunkt hinter den ersten Stellen wird die erste Zahl zu einer Breitenangabe – ein Stück nördlich des Polarkreises.«

Ich kapiere nichts mehr, aber das ist egal, weil sie eher für sich selbst gebärdet. Dad hab ich das schon manchmal machen sehen, aber Mum noch nie.

Sie schreibt die Zahl 68.945304 auf.

»Wenn man das Gleiche mit der zweiten Zahl macht, mit einem Minuszeichen davor, ist es ziemlich sicher eine Längenangabe westlicher Länge.«

Sie schreibt: -149.992659. Ich habe keine Ahnung, was das soll. Dann öffnet sie jede Mail und schreibt alle

Zahlen auf die Rückseite von Mr. Azizis Landkarte. Sie sagt, meine Aufgabe ist es, währenddessen nach dem Polizeihubschrauber Ausschau zu halten.

Abgesehen davon, dass sie praktisch waren, hatte Yasmin in den Längen- und Breitengraden stets auch eine Methode gesehen, wie die Menschheit die Erde für sich beanspruchte. Sie mochte diese unsichtbaren erdumspannenden Markierungen viel lieber als die zufälligen, blutigen Pinselstriche der Staatsgrenzen. Die umfassende Natur der Linien, ihre unparteiische mathematische Logik und wissenschaftliche Präzision verliehen der Welt etwas Sicheres, Verlässliches. Außerdem gefiel ihr, dass diese historische Art, die Erde einzuteilen, in Form von Navigationssystemen Einzug ins moderne Alltagsleben gehalten hatte, ohne dass den Leuten bewusst war, dass es Längen- und Breitenkoordinaten waren, von denen sie sicher ans Ziel geführt wurden, errechnet durch die Triangulation von Satellitensignalen im Weltraum.

Vielleicht deshalb, weil Längen- und Breitengrade für sie immer mit Ordnung und Sicherheit verbunden gewesen waren, hatte sie die Zahlen nicht gleich erkannt. Die Paarung mit den grausamen Fotos hatte sie getarnt, hatte sie unbemerkt an ihrem sonst so logisch denkenden Gehirn vorbeigeschleust. Oder vielleicht lag es einfach daran, dass ihre ganze Aufmerksamkeit den schrecklichen Fotos gegolten hatte. In ihrer Angst und Erschöpfung hatte sie nicht die Ruhe oder geistige Klarheit besessen, auf mehr zu achten.

Sie versuchte ihre Besorgnis zu unterdrücken und öffnete auf Rubys Computer Google Earth. Die Zahlen würden die Position des Fotografen auf wenige Meter genau angeben. Bald würde aus ihm eine physische Präsenz an einem bestimmten Ort dort draußen in der Dunkelheit werden.

Sie gab die Ziffern des Moschusochsenfotos in das Suchfeld ein, erweitert durch ein Minuszeichen und einen Dezimalpunkt: 68.950119, -149.994621.

Auf dem Bildschirm erschien die Erdkugel, dann drehte sie sich Richtung Norden – Russland, Kanada, Alaska –, es wurde nach Alaska hineingezoomt, dann war Schluss.

Hier musste der Moschusochse getötet und fotografiert worden sein.

Sie setzte an dieser Stelle eine Ortsmarke und klickte mit dem Mauszeiger in die Karte, um die Umgebung genauer sehen zu können.

Auf dem Bildschirm erschien Anaktue.

Mit der Messfunktion bestimmte sie die Entfernung zwischen Anaktue und dem Ochsen. Sie betrug zwölf Kilometer.

Warum hatte der Absender ihr seine Position mitgeschickt? Bestimmt unabsichtlich. Vielleicht hatte sein Satellitenterminal eine eingebaute GPS-Funktion und hatte das Foto automatisch damit versehen, ohne dass es ihm aufgefallen war.

Sie kopierte die Ziffern vom Rabenfoto ins Suchfeld: 69.051605, -150.116989.

Die Position des Raben stimmte genau mit Anaktue überein. War Matt mit diesem Mann zusammengetroffen?

Sie war sich nicht sicher, ob der Zeitabstand, in dem die Mails eingetroffen waren, der jeweiligen Reisezeit des Fotografen entsprach. Beim Versenden von Mails an so entlegenen Orten gab es vermutlich eine gewisse Zeitverzögerung.

Sie gab die Ziffern ein, die unter dem Wolfsfoto standen: 68.945304, -149.992659. Wieder markierte sie die Stelle und maß die Entfernung. Die Wölfe waren keinen Kilometer von dem Moschusochsen entfernt fotografiert worden.

Dann tippte sie die letzten Zahlen ein, die von dem Polarfuchswelpen: 68.733615, -149.695998.

Diese Stelle lag über fünfundzwanzig Kilometer von den Wölfen entfernt, in einer Richtung, die von Anaktue wegführte.

Sie öffnete ihr Postfach. Vor einer Stunde, während sie geschlafen hatten, war wieder eine Mail gekommen.

Das ist das allerschlimmste Foto. Eine Familie von Flussottern. Mutter und Vater und drei Babys. Flussotter sind wahnsinnig scheu, aber wenn niemand zuschaut, spielen sie miteinander, auch die Erwachsenen: Verstecken und Fangen und alles Mögliche. Und sie können ganz toll schwimmen und bauen supercoole Baue, mit nur einer klitzekleinen Öffnung zum Rein- und Rausgehen, damit ihnen keiner was tun kann. Aber das hat ihnen nichts genützt.

Mum bittet mich, die Koordinaten in Google Earth einzugeben. Ich glaube, sie will, dass ich nicht mehr an die armen Otter denken muss, aber selbst wenn ich das Foto nicht anschaue, sehe ich sie immer noch ganz deutlich vor mir.

Yasmin stieg aus dem Laster und blieb auf der obersten Stufe stehen. Sie suchte den Himmel nach einem Hubschrauber ab, doch außer den Sternen waren keine Lichter zu erkennen. Sie horchte, aber da war nichts. Nicht einmal Wind. Nur unendliche, reglose Stille.

Sie glaubte Atemzüge und einen Schritt zu hören. Einbildung. Sie war überreizt.

Von drinnen pochte Ruby ans Seitenfenster.

Eine weitere Mail war gekommen.

Der Bildschirm zeigte Sterne, Abertausende Lichtpunkte in der Finsternis. Derselbe Himmel, der jetzt über ihnen stand. Mit einem Mal fühlte Yasmin sich entsetzlich verwundbar, als stünde sie nackt vor diesem Menschen. Woher hatte er die Idee, ihr so etwas zu schicken? Als kannte er die geheimsten Zufluchtsorte ihres Geistes.

Ruby hatte die Koordinaten der Otter in Google Earth eingegeben. Sie lagen fünfzehn Kilometer von dem Fuchswelpen entfernt, in noch größerem Abstand zu Anaktue.

Sie gab die Koordinaten des Sternenfotos ein: 69.602132, -147.680371.

Das Sternenfoto war weitere zehn Kilometer entfernt aufgenommen worden, der Abstand zu Anaktue wuchs.

Er musste auf der Flucht sein.

Das Sternenfoto war wohl als krönender Akt der Einschüchterung gedacht. Aber statt ihr zu drohen, hatte er ihr seinen Standort verraten. Sie konnte der Polizei ganz genau sagen, wo er war.

Sie nahm das Funkgerät zur Hand.

Es kam keine Verbindung zustande.

Sie versuchte es wieder und wieder, aber die Verbindung baute sich nicht auf. Sie spürte, wie sich die Angst anschlich.

»Pass auf«, sagte sie zu Ruby, »ich will, dass du die Polizei anmailst und ihnen sagst, sie sollen bitte bald zu uns kommen. Sag ihnen, unser Funkgerät funktioniert nicht mehr. Kannst du das versuchen?«

Ruby nickte.

»Super. Ich hacke das Eis aus den Reifen. Ich will Mr. Azizis Laster nicht zurücklassen. Ich will ihn so vorbereiten, dass ein Polizist ihn zurückfahren kann.«

Hoffentlich bemerkte Ruby nicht, dass sie log, denn in Wirklichkeit wollte sie so schnell wie möglich von hier weg. Sie zog sich sorgfältig die Handschuhe an, nahm den Eispickel aus Adeebs Werkzeugkiste und stieg nach draußen.

Auf der obersten Stufe lauschte sie wieder auf Atemzüge und Schritte, aber da war nichts. Der Schnee um den Laster lag nicht so hoch, wie sie befürchtet hatte. Der Orkan hatte ihn gleichmäßig über der Tundra verteilt.

Mit Adeebs Taschenlampe kroch sie unter den Sattelzug. Dort steckte sie die Lampe in den Schnee und holte den Eispickel heraus. Ihre vom Frostbrand betroffene linke Hand, mit der sie sich abstützte, schmerzte heftig, während sie mit der rechten auf das Eis einhackte.

Mum und Dad lassen mich nie allein was googeln, und wenn wir für die Hausaufgaben das Internet brauchen, geben uns die Lehrer die entsprechende Webadresse. Deshalb hab ich noch nie so was gemacht wie jetzt. Ich habe »Polizei« und »Alaska« in die Suchmaske eingegeben, und es sind ganz viele Treffer aufgetaucht, und ich weiß nicht, welches der richtige ist. Ich dachte, ich hätte eine Seite gefunden, die uns weiterhelfen kann, aber es geht nur um Jobs und Ausbildung. Ich schreibe »Polizei in Fairbanks«, weil das außer Deadhorse die einzige Stadt in Alaska ist, die ich kenne. Keine Ahnung, ob Deadhorse überhaupt eine eigene Polizei hat. Da ist eine Webseite mit Telefonnummern, aber wir haben kein Telefon. Ich suche weiter, aber ich finde keine Mailadresse, und ich weiß nicht, was ich machen soll.

Mein Armband vibriert, und im selben Moment ist die Internetverbindung weg.

Mum rennt auf das Fahrerhaus zu, dann klettert sie ganz schnell die Treppe herauf und steigt ein. Sie sieht mich, und ihr ganzes Gesicht scheint zu lächeln, obwohl sie total besorgt aussieht. Sie sagt, ich soll mich anschnallen, aber bevor ich damit fertig bin startet sie schon den Motor und fährt an. Sie muss das Eis entfernt haben, denn der Laster holpert nicht mehr.

Mum atmet ganz schnell, das sehe ich selbst durch ihre dicken Kleider hindurch. Mein Armband vibriert nur dann, wenn ein total lautes Geräusch ertönt.

Ich schalte Voice Magic ein, weil Mum ja nicht gebärden kann, wenn sie fährt. Für Voice Magic brauche ich kein Internet.

»Hast du der Polizei Bescheid gegeben?«, fragt sie.

»Es ging nicht, tut mir leid«, sage ich.

Sie schaut nur geradeaus und fährt. Nach einer kleinen Weile spürt sie wohl, wie schlecht ich mich fühle, denn ihr Gesicht wird ganz weich, und sie sagt: »Ist schon okay. Die Polizei ist sicher auf dem Weg.«

Yasmin hatte gerade die schlimmsten Eisbrocken weggehackt, da durchbrach ein Schuss die frostige Stille und schlug krachend in den Sattelzug ein. Die Satellitenschüssel plumpste in den Schnee. Während sie zu Ruby hastete, sah sie den Schein einer Taschenlampe die Straße entlangirrlichtern, weg von ihr. Flüchtig blitzte das Metall des Tanklasters auf.

Der Fahrer war also gar nicht jenseits der Lawine gewesen, sondern hatte wie sie den Sturm abgewartet. Und dann hatte er sich im Dunkeln heimlich angeschlichen, hatte die Funkantenne abgebrochen und nun den Satellitenempfänger abgeschossen.

Wahrscheinlich hatte er noch Schlimmeres vorgehabt und wollte vorher nur sichergehen, dass sie nicht über Funk oder Satellit um Hilfe rufen konnten.

Sie fuhr so schnell sie sich traute. Zweimal musste sie einen Schlenker machen, um Schneewehen auf der Straße auszuweichen.

»Was war das für ein lautes Geräusch?«, fragte Ruby.

Yasmin wusste nicht, was sie sagen sollte.

»Mum?«

»Jemand hat die Satellitenschüssel kaputtgemacht«, erklärte sie. »Ich glaube, derjenige will verhindern, dass wir mit jemandem reden. Aber die Polizei kommt sicher bald.«

Immerhin würde die Polizei sie mühelos sehen können. Weit und breit gab es keine Bäume oder auch nur Büsche, zudem hatten sie ein verdammt großes Haus auf ihrem Laster. Es konnte doch nicht so schwer sein, sie zu bemerken?

Sie hatten keinen Funk mehr. Keine Satellitenverbindung. Der nächste Ort, wo jemand lebte, lag über hundertfünfzig Kilometer entfernt.

Ich hätte jemandem aus der Schule mailen sollen, Jimmy zum Beispiel, denn seine Mailadresse kann ich auswendig. Kurz habe ich sogar daran gedacht, aber dann ist mir eingefallen, dass in England sowieso Nacht ist und er meine Mail erst am Morgen lesen würde, und das würde zu lange dauern. Aber ich weiß gar nicht, ob zu Hause wirklich Nacht ist. Ich weiß nicht mal, ob hier Nacht ist. Es ist, als wäre überall Nacht, als hätte die Nacht alle Tage verschlungen.

Ich schaue aus dem Fenster, weil ich hoffe, ich sehe wieder Alpenschneehuhnflügelspuren, aber da ist nichts als Eis und Schnee und Dunkelheit.

Plötzlich weiß ich, was ich hätte tun sollen, und mir wird richtig schlecht.

»Ich hätte twittern sollen«, sage ich zu Mum.

»Du konntest nichts tun. Wirklich nicht.«

Wahrscheinlich denkt sie, es wäre eine blöde Idee. Aber das ist es nicht. Und jetzt ist es zu spät.

Bevor Dad nach Alaska ging, hat er gesagt, er will sichergehen, dass sich keine Trolle in meine Follower eingeschlichen haben, wie in dem Märchen von den drei Ziegenböcken und dem Riesentroll, wobei ich einer der Ziegenböcke wäre. »Deine Follower retweeten dich wie verrückt«, sagte er. »Als wären es sechshundert Dreilappglockenvogelküken.« Er sagte das deshalb, weil Dreilappglockenvögel wahnsinnig laut sind.

»Wobei der Prachtleierschwanz nach Meinung einiger Leute noch lauter ist«, fügte er hinzu.

Ich lachte, weil Prachtleierschwanz ein ziemlich cooler Name für einen Vogel ist.

»Ich könnte dich Prachtruby nennen«, sagte er. »Wie wäre das?«

Also, das wäre total megapeinlich.

»Hast du gesehen, Puggle? Du hast überall Follower. In Amerika, Australien, Japan, Kanada und ganz Europa.«

Also wäre es auf jeden Fall irgendwo Tag gewesen, und jemand wäre wach gewesen und hätte meinen Hilfetweet gesehen, und wahrscheinlich wäre es ein Erwachsener gewesen, der gewusst hätte, was man tun muss.

Jetzt ist es zu spät.

Mum drückt mir die Hand. »Es ist okay«, sagt sie. »Wirklich.«

Aber ich glaube, es ist nicht okay.

»Hinter uns sind keine Lichter mehr«, sagt Mum. »Er muss umgekehrt sein.«

Ich drehe mich um und schaue. Sie hat recht. Hinter uns ist alles schwarz. Ich schaue ewig lange, aber da ist immer noch niemand.

»Er weiß, dass ein Polizeihubschrauber nach uns sucht, und will nicht, dass der auch ihn findet«, sagt Mum. »Er rennt davon. Und der Kerl, der uns die Mails geschickt hat, auch.«

Ich mache eine »Hurra«-Gebärde, und Mum muss lachen.

Dann fahren wir weiter, stundenlang, und ich schaue immer wieder nach hinten, aber da ist immer noch keiner.

Ruby tippte ihr auf den Arm. Am Straßenrand ragte ein Pfosten aus dem Schnee, an dem noch Holzsplitter hingen, wo einmal ein Schild gewesen war. Neben dem zerstörten Wegweiser war eine Abzweigung.

Hätte Ruby nicht aus dem Beifahrerfenster geschaut und sie darauf aufmerksam gemacht, Yasmin hätte sie nie bemerkt. Sie erinnerte sich, wie sie auf Adeebs Karte nach einer Flussstraße Richtung Anaktue gesucht hatte, dort, wo der Fluss Alatnak eine Schleife in die Nähe des Highways machte. Etwa an dieser Stelle befanden sie sich jetzt. Adeeb hatte gesagt, die Flussstraße sei nur befahrbar, wenn ein Verbindungsweg zum Highway bestehe. Das hier musste er sein. Offenbar hatte Soagil Energy schon mit dem Aufbau einer Infrastruktur begonnen.

Nach Anaktue waren es fünfzig Kilometer. Falls die Flussstraße benutzbar war, konnte sie in weniger als zwei Stunden bei Matt sein. Der Polizeihubschrauber würde sie trotzdem sehen, sie waren ja nicht allzu weit vom Dalton Highway entfernt, und ihr Sattelzug war riesig. Sie konnte die Polizei zu Matt führen.

Also verließ sie den Dalton Highway und bog auf die rudimentäre Verbindungsstraße ab.

18

Die Verbindungsstraße endete am Fluss. Auf dem zugefrorenen Fluss gab es keinerlei Markierungen oder Anzeichen, dass in nördlicher Richtung, wo Anaktue lag, schon einmal ein Fahrzeug unterwegs gewesen war. Nach etwa dreißig Metern machte der Fluss eine scharfe Biegung. Was dahinter lag, war nicht zu sehen. In der anderen Richtung war das Eis mit Leitpfosten versehen und zweifellos schon als Straße genutzt worden. Den Koordinaten nach konnte das der Weg sein, auf dem der Mann, der die Tiere getötet und ihr die Mails geschickt hatte, von Anaktue geflohen war.

Es wäre viel zu gefährlich, auf dem unmarkierten und nicht geprüften Eis zu Matt zu fahren. Sie musste zurück auf den Highway. Doch ihr Versuch umzudrehen scheiterte, der Laster war zu lang und schwerfällig und der Wendekreis viel zu groß.

Sie würde in drei Zügen wenden müssen. Zuerst nach rechts auf die markierte Flussstraße Richtung Süden, dann rückwärts auf den unmarkierten Fluss Richtung Anaktue und schließlich zurück auf die Verbindungsstraße.

Ohne Schwierigkeiten bog sie nach rechts auf den markierten Fluss ab. Dann legte sie den Rückwärtsgang ein. Als die hinteren Räder den unmarkierten Flussabschnitt erreichten, ging ein Beben durch den Sattelzug. Angst packte sie, dass das Eis zu dünn sein könnte. Sie fuhr wieder vorwärts, bis der Sattelzug in voller Länge auf der markierten Flussstraße stand. Aus dieser Position konnte sie nicht rückwärts auf die Verbindungsstraße fahren – die Kurve wäre zu eng. Sie würden hier warten müssen.

Yasmin öffnete das Fenster, stellte den Motor ab und lauschte angestrengt nach dem Dröhnen eines Hubschraubers. Stattdessen hörte sie Eis knacken. Sie waren zu schwer, selbst für den markierten Bereich. Wahrscheinlich waren die Fahrzeuge, die bisher hier gefahren waren, nicht so schwer wie ihres gewesen. Sie hatte keine Ahnung, wie man den Auflieger des Sattelzugs abkuppelte, damit sie leichter wurden, und sie schreckte davor zurück, es auch nur zu versuchen, denn die Erfahrung mit den Schneeketten hatte sie gelehrt: Selbst wenn sie wusste, was sie tat (was hier nicht der Fall war), hätte sie kaum eine Chance, die Aktion bei diesen Temperaturen schnell hinter sich zu bringen. Sie hatte keine Wahl – sie würde einfach langsam weiterfahren müssen, um das Eis gleichmäßig zu belasten.

Die Polizei würde den Truck dennoch leicht sehen können. Sie waren nicht weit vom Highway entfernt, und die Flussstraße war weithin sichtbar.

Stellt euch einen riesigen Fluss vor. Dann stellt euch vor, er ist ganz zugefroren und liegt im Dunkeln. Und wir fahren darauf! Mum sagt, das Eis ist so dick, dass wir nicht einbrechen werden, und andere Leute sind hier auch schon gefahren, das sieht man an den Leitpfosten, so nennt man die Dinger nämlich. Die Vorstellung ist lustig, dass unter uns vielleicht Frösche sind, tief unten am Grund des Flusses, wo es am wärmsten ist. Und massenhaft Fische sind da auch, aber über Fische weiß ich nicht so viel.

»Sollen wir uns noch mehr spannende Sachen erzählen?«, fragt Mum. Vielleicht hat sie auch ein bisschen Angst.

»Ja.«

»Willst du anfangen?«

»Na gut. Du hattest mich doch nach der Schule für Gehörlose gefragt?«

Mum nickt. Jetzt, wo meine Finger wieder funktionieren, kann ich es ihr erzählen.

»Ein Mädchen dort hat mir gesagt, dass man in der Gehörlosen-Community manchmal einen Gebärdennamen kriegt.«

»Gehörlosen-Community« klingt zwar total offiziell, aber Anna, das nette Mädchen, hat gemeint, die sei echt cool. Ich habe nachgefragt: »Supercool?« Und sie hat sofort geantwortet: »Ja, supercool!«

»Was für einen Namen?«, fragt Mum.

»Annas Gebärdenname ist ›Kicher‹, weil sie so viel lacht. Und Annas Dad hat mal im Pub über einen Witz gelacht – Anna sagt, alle in ihrer Familie lachen ganz viel – und sich dabei komplett mit Bier überschüttet, und jetzt heißt er ›Sabber‹.«

»Sabber? Wirklich?«

»Ja. Aber viele Leute haben auch Namen, die nicht so lustig sind.«

»Wie würdest du heißen wollen?«

»Das kann man sich nicht aussuchen. Den suchen die anderen für einen aus.«

Ich finde, Mum guckt ein bisschen traurig.

»Ich würde ja trotzdem noch Ruby heißen«, erkläre ich. »Aber das andere auch. Das heißt, ich bin ich, aber gleichzeitig noch mehr als ich.«

Mum sagt eine Weile nichts, und ich mache mir schon Sorgen, dass sie es schrecklich finden könnte, weil sie und Dad doch den Namen Ruby für mich ausgesucht haben.

»Das klingt toll«, sagt Mum.

Finde ich auch, solange man nicht »Sabber« heißt.

»Was soll ich dir erzählen?«, fragt sie dann.

»Etwas über den Weltraum.«

»Okay. Wusstest du, dass es im Weltraum vollkommen still ist? Selbst wenn Sterne explodieren, machen sie überhaupt kein Geräusch.«

»Dann hören im Weltraum alle Leute so viel wie ich.«

»Ja. Ich finde es faszinierend, wie still es dort oben ist. Milliarden und Abermilliarden Lichtjahre weit nur Stille.«

Das finde ich auch faszinierend.

Yasmin dachte über die Stille des Weltraums nach. In der Philosophievorlesung, in der sie gestrickt hatte, waren Themen behandelt worden wie: »Wenn ein Baum umfällt, und keiner sieht es, ist es dann wirklich passiert?« Natürlich in der etwas – aber nicht viel – erwachseneren Sprache der Bündeltheorie und des subjektiven Idealismus. Nachdem Rubys Gehörlosigkeit festgestellt worden war, war daraus für Yasmin geworden: »Wenn ein Baum umfällt, und nur Ruby ist in der Nähe, macht der Baum dann ein Geräusch?« Wenn die Schallwellen des fallenden Baumes nicht gegen ein Trommelfell trafen und von dort aus als Nervenimpulse zu einem Gehirn geschickt wurden, dachte sie, dann existierten sie doch in der Waldluft, ließen den bemoosten Boden erzittern, einen nahen Baum schwanken, ein Blatt flüchtig das Gesicht ihrer Tochter streifen.

»Du bist wieder dran«, sagte sie zu Ruby.

»Okay. Wusstest du, dass in der Sprache der Iñupiat auch so was wie Gebärdensprache enthalten ist? Als wäre das was ganz Normales.«

»Nein, wusste ich nicht. Das ist toll.«

»Dad hat allen im Dorf von mir erzählt, und eine alte Frau hat gesagt, sie will mir ein paar von ihren Gebärden beibringen.«

Yasmin hatte ihr noch gar nicht gesagt, dass alle Dorfbewohner bei dem Brand umgekommen waren. Sie wusste nicht, wie sie es ihr hätte vermitteln sollen.

»Dad sagt, wenn es eiskalt ist und der Wind weht, muss man einen Schal übers Gesicht ziehen, und dann ist es schwierig, mit dem Mund Fragen zu beantworten. Also heißt es ›Ja‹, wenn man die Augenbrauen hochzieht, und wenn man kurz die Augen zusammenkneift, heißt es: ›Ich weiß es nicht.‹ Aber sie haben auch Gebärden für kompliziertere Sachen.«

Sie würde es Ruby bald sagen müssen.

»Und sie haben wahnsinnig tolle Wörter für bestimmte Sachen. Es gibt ein Wort, das bedeutet ›Gast, der was essen will‹. Dad meinte, das ist ein echt nützliches Wort, und ... Halt! Anhalten! Wir müssen anhalten!«

Mum hat angehalten, und ich springe runter aufs Eis. Da ist die Otterfamilie.

Die Jungen und die Eltern liegen in einem Haufen auf dem Eis. Die Wirklichkeit ist ganz anders als das Foto. Ich sehe ihr feuchtes Fell und ihre offenen Augen und ihre Barthaare. Ich strecke die Hand aus und streichle einen der Otter, und da sehe ich, dass ihm ein Bein fehlt.

Plötzlich sind alle möglichen Farben auf dem Eis, Rosa und Blau und Grün. Ich schaue zum Himmel, und da tanzen Lichtstreifen. Ich hasse sie. Es sieht aus wie in einem kitschigen Disneyfilm. Aber wenn es ein kitschiger Film wäre, wäre die Otterfamilie nicht tot. Und da liegt ein Husky. Er ist auch tot. Er muss dem Mann gehört haben, denn Huskys sind keine wilden Tiere. Und die Lichter tanzen immer noch, als wäre alles niedlich und nett, wie auf dem Ball am Ende von *Dornröschen,* als die Feen ihr Ballkleid abwechselnd blau und pink färben. Ich will, dass es *aufhört* und einfach wieder dunkel ist.

Tränen strömten Ruby über das unbedeckte Gesicht. Zum ersten Mal auf dieser Reise sah Yasmin ihre Tochter offen weinen.

»Warum macht jemand so was?«, schrie Ruby mit den Händen. »Warum?«

Yasmin legte den Arm um sie, denn ihre eigenen Hände waren unfähig, eine Antwort zu finden. Sie sah, dass Ruby die Tränen auf den Wangen gefroren. Der Himmel über ihnen war leuchtend grün und rosa, wehende Lichtwolken über dem Horizont. Das Eis knackte lauter als zuvor.

Sie schob Ruby eilig zum Laster zurück. Direkt neben dem Wagen bemerkte sie einen tiefen Riss im Eis. Sie hatten ihn um vielleicht dreißig Zentimeter verfehlt. Auf der anderen Seite des Lasters war im Eis ein winziges kreisrundes Loch, von dem feine Risse ausgingen. Es sah aus, als hätte jemand mit einem Bohrer hineingebohrt oder mit einer Waffe hineingeschossen. Sie fragte sich, ob derjenige, der den Wegweiser zerstört hatte, auch versucht hatte, das Eis zu beschädigen und die Route zu sabotieren. Der Laster war genau zwischen den beiden Löchern zum Stehen gekommen.

Sie kletterten wieder ins Fahrerhaus.

Die letzte Position des Fotografen lag nur zehn Kilometer von der Stelle entfernt, wo das Bild von den Ottern entstanden war.

Sie fuhr an, ganz langsam, nur so, dass der Laster ständig auf neues, stabiles Eis rollte. Wenn sie langsam genug fuhr, würde die Polizei sie mühelos finden, bevor sie ihm zu nahe kamen.

Rund um sie leuchteten die Nordlichter, hell und atemberaubend.

»Schön, nicht?«

Aber Ruby antwortete nicht.

Wenn man etwas schrecklich findet, weil es schön ist, dann ist es nicht mehr schön, oder?

»Alaska ist berühmt für seine Aurora borealis«, sagt Mum. »Aus aller Welt kommen Touristen her, um sie zu sehen.«

Ich will nicht, dass sie weiter über die Aurora borealis redet, denn wahrscheinlich ist die auch gar nicht wirklich da. Sie wird mir wieder sagen, dass sie nur ein Trick ist, wie die Paraselenae.

»Über unserem Planeten«, sagt Mum, »tobt eine Art Krieg.«

Endlich wandte Ruby sich ihr zu. Yasmin hatte erkannt: Ruby brauchte einen kosmischen Gegenpart zu den toten Tieren auf dem Eis. Für sie ging es nun um Gut gegen Böse, die kleine, überschaubare Kinderwelt war dahin.

»Wir werden von der Sonne mit Sonnenwinden bombardiert, die mit Millionen Stundenkilometern auf uns zurasen. Manchmal schleudert sie uns bei einer Sonneneruption etwa zehn Milliarden Tonnen Plasma entgegen, das ist so schwer wie hunderttausend Kriegsschiffe und bis zu fünfzig Millionen Kilometer breit. Dabei werden Sonnenwinde von Überschallgeschwindigkeit erzeugt.«

Ruby nickte und beobachtete jetzt die Nordlichter.

»Um die Erde ist ein magnetischer Schild, wie eine unsichtbare Blase. Er wird Magnetosphäre genannt. Die Sonnenwinde treffen auf diesen Schild, und genau das sehen wir jetzt. Diese Lichter sind der Schild, der unseren Planeten schützt.« Während Ruby zum Himmel blickte, dachte Yasmin an die Metalle im Erdkern, die aufgrund der Erdrotation das Magnetfeld erzeugten, das Tausende Kilometer in den Weltraum hinein wirkte und sie beschützte.

Zum ersten Mal war die Dunkelheit um sie voller Licht und Farbe.

So bedrohlich die Mails mit den Fotos der toten Tiere waren, sie hatten bewirkt, dass Yasmin Matt vertraute, und dank Rubys Blog verstand sie inzwischen, warum er zu dieser Jahreszeit in Alaska sein wollte. Aber jetzt, da sie die unvergleichliche Schönheit des Nachthimmels hier oben gesehen und sich mit Hilfe des Polarsterns bewusst gemacht hatte, dass sie genau auf der Erdachse stand, als sie den ewigen kosmischen Krieg der Aurora borealis im Himmel über sich beobachten konnte, jetzt konnte sie Matts Begeisterung für dieses Land teilen. Für all das wäre auch sie im Winter auf die andere Seite der Welt gereist. Ihr Vertrauen in ihn wurde immer tiefer.

Dann versiegten die Nordlichter, und die Dunkelheit kehrte zurück.

Im Rückspiegel sah sie zwei kleine blaue Monde. Zuerst hielt sie es für eine optische Täuschung, denn das konnte ja nicht wahr sein. Er konnte ihnen doch nicht immer noch folgen!

Die blauen Scheinwerfer waren klar und unverkennbar.

Warum nur riskierte er, dass man ihn so nahe bei ihnen entdeckte? Sicherlich hatte auch er über Funk gehört, dass die Polizei vorhatte, sie und Ruby nach dem Sturm zu holen. Ja, er hatte sich sogar ins Gespräch eingemischt, hatte selbst mit der Polizei gesprochen. Sie erinnerte sich, wie er gelogen hatte, dieser Fremde, dessen Stimme ihr so bekannt vorkam: Er sei nicht nach Norden, sondern nach Süden unterwegs, er sei vor dreißig Kilometern an ihr vorbeigekommen, und niemand fahre hinter ihr. Seine falsche Position hatte er sogar ganz präzise angegeben: MP 181. Damals hatte sie sich nicht über diese Präzision gewundert. Aber jetzt kam ihr das seltsam vor. Sie hatte Angst, dass bei genauer Betrachtung etwas Furchtbares zum Vorschein kommen würde, aber sie konnte nicht umhin, darüber nachzudenken.

Er hatte seine Position also mit MP 181 angegeben. Es war ihr nicht weiter wichtig erschienen – ein kleines Detail in einer umfassenderen Lüge. Dann hatte er gesagt, vor dreißig Kilometern habe er sie passiert. Wenn man nachrechnete – was die Polizei sicher getan hatte –, käme man für ihre Position zum Zeitpunkt des Funkgesprächs auf MP 221, schließlich musste man davon ausgehen, dass auch sie sich in der Zeit weiter fortbewegt hatte, in der der Tanklasterfahrer angeblich dreißig Kilometer in südliche Richtung gefahren war.

Sie nahm sich zehn Sekunden Zeit, um auf Adeebs Karte nachzusehen. MP 221 lag gut fünfunddreißig Kilometer südlich von dem Punkt, an dem sie sich damals tatsächlich befunden hatte. Er hatte nicht nur seine Position gefälscht, sondern auch ihre.

Sie versuchte sich zu erinnern, ob sie der Polizei gegenüber erwähnt hatte, wo sie waren. Hatte der Lieutenant nicht danach gefragt? Nein, denn er dachte, er wüsste es bereits, dank dem hilfsbereiten Tanklasterfahrer. Und sie war zu verängstigt und mit anderen Dingen beschäftigt gewesen, um klar zu denken.

Sie erinnerte sich, wie der Sattelzug im Wind geschwankt, das Schneegestöber ihr die Sicht geraubt hatte, während sie mit der Polizei gesprochen hatte. Eine Stunde später war der Sturm mit voller Macht über sie hereingebrochen. Die Polizei würde schätzen, dass sie unter diesen Bedingungen höchstens fünfzehn Kilometer weiter gekommen sein konnte. Niemals würde sie darauf kommen, dass sie den Atigun-Pass überquert hatte.

Die Polizei suchte südlich der Brooks Mountains nach ihr. Auf der Tundra im Norden vermutete sie niemand.

Der Tanklaster ist wieder hinter uns. Aber die Polizei kommt bald, dann werden sie den Fahrer festnehmen und ihn ins Gefängnis stecken, aber zuerst wird Mum sie dazu zwingen, Dad zu holen.

Jetzt, wo die Aurora borealis nicht mehr da ist, kommt es mir noch dunkler vor als vorher. Sie hat einen Schatten von sich zurückgelassen, wie eine zusätzliche Schicht Dunkelheit.

Die Flussstraße wird immer schmaler. Ich finde, es ist ein bisschen wie das Erwachsenwerden. Man kann nicht umkehren, selbst wenn man Angst hat und es ganz sehnlich will. Man kann nie wieder ein kleines Vorschulkind sein.

Draußen wird es kälter. Das Thermometer zeigt minus achtundzwanzig Grad.

Yasmin musste den Tanklasterfahrer von Ruby fernhalten. Aber je schneller sie ihm davonfuhr, desto näher kamen sie dem Menschen, der ihnen die Mails geschickt hatte.

Sie waren nicht mehr angeschnallt. Falls sie ins Eis einbrechen sollten, wusste Yasmin nicht, wie viel Zeit sie haben würden, um sich zu retten. Hingegen wusste sie von Adeeb, dass man, wenn man ins Wasser fiel, an Unterkühlung starb, lange bevor man ertrank.

Eingekesselt zwischen den Gefahren von hinten, von vorn und von unten sah sie zu den Sternen auf, aber selbst sie vermochten sie nicht zu trösten oder ihr Mut zu geben. Alles, was sie spürte, war, wie feige sie gewesen war. Nur wegen ihrer Feigheit war Ruby jetzt in solcher Gefahr.

Seit dieser Lieutenant Reeve in Fairbanks ihr gesagt hatte, Matt sei tot, hatte sie nicht gewagt, innezuhalten, hatte vorwärtsgedrängt, alles und alle um sich herum ignoriert, Rubys Wohlergehen aufs Spiel gesetzt, war weitermarschiert, um ihn zu finden. Weil sie zu feige war, stehenzubleiben und den Tatsachen ins Auge zu blicken. Es war nicht nur so, dass Matt in Lebensgefahr war und sie brauchte. Auch sie brauchte *ihn* dringend und hatte nicht den Mut, ein Leben ohne ihn zu wagen.

Während des Sturms hatte sie geglaubt, Matt sitze in einem Aputiak und sei in Sicherheit. Aber woher wollte sie das so genau wissen? Alles, was sie hatte – was sie je gehabt hatte –, war Glaube, der seinem Wesen nach nicht zu beweisen war. Glaube bestand aus Liebe, Hoffnung und Vertrauen, sonst nichts.

Als die schrecklichen Fotos gekommen waren, hatte sie beschlossen zu glauben, dass Matt am Leben war und der Absender nicht wollte, dass sie ihn fand. Jetzt fragte sie sich, worin eigentlich die Logik darin bestehen sollte.

Mum hat gesagt, ich muss meine gesamte Polarkleidung anziehen. Sie zieht sich auch alles an, und zwar während sie fährt, deshalb helfe ich ihr. Ich ziehe meine Gesichtsmaske und die Schneebrille über, aber Mum noch nicht, weil sie sonst nicht sieht, wie sie fahren muss.

Mit einem Ruck blieb der Laster stehen. Yasmin drückte das Gaspedal durch, aber nichts geschah. Irgendetwas zog sie nach hinten. Sie sah aus dem Fenster. Ein Ächzen war zu hören, der Laster neigte sich. Der Auflieger war durchs Eis gebrochen und würde unweigerlich sinken.

Ich nehme die Taschenlampe, wie Mum es mir gesagt hat, aber auch mein Notebook. Ich stecke es vorne in den Parka, dann springe ich aufs Eis hinunter. Mum wirft unser Essen in einer Tasche nach draußen, dann steigt sie selbst hinaus. Sie trägt die Signalrakete und Mr. Azizis Schlafsack.

Das Haus auf unserem Laster wird immer schräger und macht ein großes Loch ins Eis. Unsere Essenstasche versinkt darin, und das Haus versinkt jetzt auch, ganz langsam, wie in Zeitlupe. Mein Armband vibriert, also macht der Laster wahrscheinlich ein lautes Geräusch, während er sinkt. Die Scheinwerfer leuchten in den Himmel wie Suchstrahler. Dann versinken auch sie im Wasser.

Mum und ich rennen, weil das Eis um uns herum Risse bekommt. Wir springen über die Risse.

Auf einmal ist alles blau. Ich schaue mich um und sehe, dass es der Tanklaster ist, dessen Scheinwerfer alles blau färben. Der Fluss muss ziemlich tief sein, denn unser Haus und unser Laster sind überhaupt nicht mehr zu sehen.

Das blaue Licht wird schwächer, weil die Scheinwerfer

des Tanklasters kleiner werden. Wahrscheinlich fährt er rückwärts. Ich glaube, er hat Angst, dass das Eis noch mehr Risse bekommt und er auch durchbrechen könnte, dann wäre da nur noch ein riesengroßes Loch, und er würde mittendrin liegen.

Mum hält mich an der Hand, und wir rennen über das Eis, weg von dem Tanklaster. Ich habe Seitenstechen, und Mum scheint das zu merken, denn wir gehen ein Stück, immer noch Hand in Hand, dann rennen wir wieder, und dann gehen wir wieder.

Als sie aus dem sinkenden Sattelzug gesprungen waren, hatte Yasmin einen Schuss gehört, aber Ruby hatte nicht begriffen, dass der Fahrer des Tanklasters auf sie geschossen hatte. Sie zerrte Ruby über das knirschende, berstende Eis. Erst nach annähernd einem Kilometer wagte sie anzuhalten. Sie waren nun sicherlich außer Schussweite, und das Eis um sie herum war unversehrt.

Sie kniete sich aufs Eis und versuchte, Adeebs Leuchtrakete auszupacken. Ruby leuchtete ihr mit der Taschenlampe. In Handschuhen bekam sie die dünne Verpackung nicht auf, also zog sie sie aus und machte nur mit Innenhandschuhen weiter. Panik ergriff sie, als ihr klar wurde, dass sie keine Streichhölzer dabeihatten, aber dann fand sie heraus, dass der Verpackungsdeckel als Reibefläche dienen konnte. Sie brauchte sechs Versuche, bevor der Funke übersprang. Die Rakete stieg in den Himmel auf, blutrot, dahinter ein Schweif aus Licht. Hastig zog sie sich die Handschuhe wieder über.

Sie und Ruby schauten der Rakete nach, die noch lange im Nachthimmel sichtbar war, als wäre sie zum Stern geworden. Vielleicht hatte die Polizei ihren Suchradius erweitert und würde sie sehen, vielleicht waren wieder Flugzeuge unterwegs, die sie bemerken würden. Dann erlosch die Rakete. Wieder waren nur die Sterne über ihnen zu sehen.

Sie schätzte, dass der Versender der Mails nicht weit entfernt war, maximal einen Kilometer. Vermutlich hatte er die Rakete ebenfalls gesehen. Aber sie musste mit allen Mitteln versuchen, Hilfe zu holen. Ohne Unterschlupf oder Heizmöglichkeit würde Ruby nicht lange überleben. Sie hatten zwar Rubys Notebook, aber ohne Satellitenempfänger nützte es ihnen nichts.

Ruby kniete auf dem Eis, zog die dicken Handschuhe aus und öffnete das Notebook. Nur in ihren seidenen Innenhandschuhen schrieb sie:

Soll ich dir die Geschichte von dem Raben erzählen, an den die Iñupiat glauben?

Liebend gern! Warum tippst du nicht in den Spezialhandschuhen von Dad?

In denen kann ich nicht tippen. Für eine Weile kann ich nur mit Innenhandschuhen tippen, und wenn mir kalt wird, ziehe ich die dicken Handschuhe eben wieder an.
Am Anfang der Zeit erschuf Rabe mit seinen Flügelschlägen die Welt. Dann kommt ein langer Teil mit einem Sperling, aber den lasse ich aus, weil er nicht so gut ist.

Okay.

Rabe liebte all die Menschen und Tiere, die er erschaffen hatte, und wollte mehr über sie wissen.
Eines Tages, als Rabe in seinem Kajak unterwegs war, sah er einen Wal. Als der Wal gähnte, paddelte Rabe hinein.
Der Wal machte den Mund zu, und es war sehr dunkel. Rabe paddelte weiter, bis er mitten zwischen den weißen Rippen des Wals landete. Dad hat gesagt, die Rippen sahen aus wie Elfenbeinsäulen. Und in der Mitte stand ein wunderschönes Mädchen und tanzte.
Ich muss jetzt die Handschuhe anziehen.

Ruby zog die dicken Handschuhe wieder an, und sie marschierten mit schwingenden Armen im Kreis. Yasmin ließ kurz die Taschenlampe aufblitzen, um zu sehen, wohin sie traten, schaltete sie aber schnell wieder aus, denn sie musste die Batterie schonen. Sie hätte daran denken sollen, etwas zum Feuermachen mitzunehmen, sowohl als Wärme- wie als Lichtquelle. Mit der Hand bremste sie Ruby, damit die sich nicht verausgabte. Sie mussten ihren Kreislauf in Schwung halten, durften aber nicht schwitzen, weil Schweiß verdunsten und ihrem Körper Wärme entziehen würde, was die Unterkühlung beschleunigte. Schon auf der Flucht vor dem Tanklasterfahrer und dem berstenden Eis hatte sie befürchtet, sie würden ins Schwitzen kommen, daher hatte sie sich zwischendurch immer wieder zu langsamerem Gehen gezwungen.

Ab und zu sah sie zum Himmel, in der Hoffnung, den kleinen beweglichen Lichtpunkt eines Flugzeugs oder Hubschraubers zu entdecken, der ihre Rakete gesehen hatte, aber vergeblich.

Ruby ging wieder in die Hocke und schrieb nur in Innenhandschuhen weiter.

Warum ist die Polizei noch nicht da?

Die kommt sicher bald. Bestimmt hat jemand unsere Leuchtrakete gesehen. Die Geschichte ist wunderschön. Kannst du mir den Rest in Gebärden erzählen?

Damit du meine Hände siehst, brauchen wir aber die Taschenlampe, und dann geht die Batterie zu Ende. Ich schreibe lieber auf dem Notebook.
Rabe sah, dass an Arme und Beine des tanzenden Mädchens Schnüre gebunden waren. Die Schnüre führten zum Herzen des Wals.
Rabe verliebte sich in das Mädchen, nahm seinen Schnabel ab und zeigte ihr sein menschliches Gesicht.
Er wollte das wunderschöne Mädchen aus dem Wal herausholen und heiraten. Aber das Mädchen sagte, sie könne den Wal nicht verlassen, weil sie dessen Herz und Seele war.
Meine Finger sind zu kalt.

Ruby hörte auf zu tippen, zog sich wieder die dicken Handschuhe über und schloss das Notebook. Ohne den erleuchteten Bildschirm war es stockdunkel.

In der Dunkelheit erklang Rubys Stimme.

»Das wunderschöne Mädchen tanzte in dem Wal. Rabe sah, dass der Wal schnell schwamm, wenn sie schnell tanzte, und wenn sie langsam tanzte, schwamm der Wal langsam.«

Rubys Sprechstimme war leise, aber klar. Und wunderschön, fand Yasmin. Sie hörte Ruby den Mut an, den es sie kostete zu sprechen.

»Rabe vergaß, dass das Mädchen den Wal nicht verlassen konnte, schnappte sie und flog mit ihr nach draußen.«

Das mache ich überhaupt nicht gern: meinen Mund so verziehen und winzige Bewegungen mit Zunge und Zähnen und Lippen machen und hoffen, dass die Geräusche, die rauskommen, richtige Wörter sind. Aber es ist die einzige Möglichkeit, im Dunkeln zu reden. Mum hält ganz fest meine Hand. Das ist das einzig Gute am Reden mit dem Mund, dass man sich gleichzeitig an der Hand halten kann. Aber wenn Mum mir etwas antworten würde, könnte ich es nicht hören, vielleicht hält sie deshalb meine Hand.

Ich habe immer wieder mit Voice Magic und Dragon Dictate geübt, indem ich etwas gesagt und hinterher geschaut habe, wie es als Schrift erscheint. Außerdem habe ich mit einem Spiegel geübt, wie die Sprachtherapeuten es mir empfohlen haben, und die Hand an die Kehle gelegt oder mir vor den Mund gehalten, um die Vibrationen oder die kleinen Luftstöße zu spüren. Manchmal war das, was auf dem Bildschirm erschien, nur Quatsch. Aber an manchen Tagen war es besser. Allein zu üben war gut, weil ich es machen konnte, wann ich wollte, und niemand da war, der hörte, wenn ich Fehler machte. Oder wenn ich keine machte. Ich will selber entscheiden, wann ich meine Mundstimme benutze. Ich hoffe, Mum kann die Geschichte verstehen.

»Als Rabe mit dem wunderschönen Mädchen in den Himmel aufstieg, zerrissen alle Schnüre«, sage ich mit meiner Mundstimme. »Der Wal im Meer wurde langsamer und langsamer.«

So viele Jahre hatte Yasmin darauf gewartet, endlich Rubys wahre Stimme zu hören. In Wirklichkeit war Rubys Stimme da gewesen, seit sie gelernt hatte zu gebärden, nur hatte Yasmin nicht zugehört.

»Der Wal starb, und das Mädchen in Rabes Armen wurde kleiner und kleiner, bis es verschwand«, sagte Ruby. »Da wusste Rabe, dass alles, was lebt, ein Herz und eine Seele hat.«

Als Ruby endete, schien die Stille so laut zu sein, dass Yasmin zusammenzuckte.

Sie lauschte mit aller Macht, aber der Schnee verschluckte jedes Geräusch. Sie spähte in die Finsternis, doch alles Licht, jede Farbe war ihr zum Opfer gefallen. Sie durften nicht weitergehen, weil vor ihnen der Mann war, der die Mails geschickt hatte. Zurück konnten sie auch nicht, weil sie dann möglicherweise wieder in Schussweite des Tanklasterfahrers kamen. Sie und Ruby waren innerhalb dieser schrecklichen Grenzen gefangen, und jenseits davon war die unpassierbare Barriere der Brooks Mountains und des Arktischen Ozeans: ein Käfig in einem Käfig.

Solange sie auf der Suche nach ihm gewesen war, hatte sie daran glauben können, dass Matt lebte, hatte die Tatsachen ignorieren können. Doch jetzt konnte sie nicht mehr vor ihnen davonlaufen. Als hätten sie sie von Lieutenant Reeves Büro in Fairbanks bis hierher verfolgt und umzingelten sie nun.

Ja, Matt hatte ihr die Wahrheit über seinen Ehering und die Tiere erzählt und auch über Corazon, aber das musste nicht heißen, dass er lebte.

Auch dass sie ihn liebte, bedeutete nicht, dass er lebte.

Sie hatte keine Möglichkeit, noch näher an ihn heranzukommen, und auch ihrer Angst konnte sie nicht länger entfliehen.

Ihre Unbeweglichkeit war überschattet von der eisigen Reglosigkeit der flachen Tundra, eine erzwungene Stille innerhalb einer viel größeren.

Die Sterne über ihr waren unerreichbare Lichtjahre weit entfernt.

In der Dunkelheit und Stille musste sie sich endlich der Wahrheit stellen.

Er war tot.

Er war am Montagnachmittag gestorben, während sie und Ruby noch in London waren.

Sie schrie ihre Qual heraus, ihre Stimme zerschmetterte die Stille. Sicherlich spürte Ruby, wie er auf ihrer Haut vibrierte, dieser unheimliche Laut.

Da kam ihr Name aus der Finsternis zurück.

Sie wusste, es war unmöglich.

Aber Matt rief noch einmal ihren Namen.

19

Mum rennt los und zieht mich an der Hand mit sich, und ich muss superschnell rennen, um mithalten zu können, aber es ist eisig und glatt, also sorgt sie gleichzeitig auch dafür, dass ich nicht hinfalle. In der anderen Hand hält sie Mr. Azizis Taschenlampe. Das Licht hüpft, während wir rennen.

Von vorn leuchtet uns ein Lichtstrahl an. Ich habe Angst, dass es der Mann ist, der die Tiere umgebracht hat. Das Licht wird schnell größer, er rennt uns wohl entgegen.

Der Lichtkegel richtet sich auf mein Gesicht, und ich sehe nichts mehr. Der Mann zieht mich an sich und nimmt mich in die Arme, und ich bin in dem warmen Luftkissen in seiner Fellkapuze und sehe sein Gesicht. Ich werfe mich ihm entgegen, als könnte ich in ihm verschwinden.

Daddy hält mich ganz fest und schaut dabei Mum an.

»Wie kommt es, dass ihr hier seid?«, fragt er sie. »Wie in aller Welt ist das möglich?«

Sie musste ihn berühren, um glauben zu können, dass er lebte. Mit Ruby an der Hand kam er auf sie zu. Yasmin zerrte sich die Gesichtsmaske herunter, wollte seine Haut auf ihrer spüren. Sie streckte ihm ihr Gesicht entgegen, küsste ihn, spürte seine Wärme, schmeckte seinen Atem und seine Lippen, roch seinen Körper und wünschte, Gerüche und Geschmack wären stärker, damit sie mit allen Sinnen glauben konnte, dass sie ihn gefunden hatte.

Dieses Land der Kälte und Dunkelheit war ihre persönliche Hölle gewesen. Sie hatten eine Art Pakt geschlossen: Wenn sie ihre Angst überwand, wenn sie alles riskierte, was sie besaß, würde sie ihn von den Toten zurückbringen können. Sie schlang die Arme um ihn, während er sie küsste, hielt sich an ihm fest, als könnte er ihr wieder entrissen werden.

Matt sah ihr ins Gesicht und begriff, was es sie gekostet hatte, ihn zu finden – die wunden blutenden Stellen auf ihrer Haut, die Erschöpfung in den Schatten unter ihren Augen; so strahlend und unendlich mutig. Er zog einen Handschuh aus, zeichnete ihre Wange nach und wagte endlich zu glauben, dass sie hier bei ihm war und er sie wieder im Arm halten durfte.

Er spürte, wie Ruby sich noch näher an ihn und Yasmin drückte, und ihm wurde klar, dass er die beiden ins Warme bringen musste.

Mum und Dad schauen sich an, als wäre der andere ein Zaubertrick, nur noch viel besser, oder als wäre das Gesicht des anderen ein unglaubliches, supercooles Wunder.

Das Glück in mir fühlt sich an wie ein riesiger Ballon. Wenn ich nach draußen gehen würde, würde alles in strahlenden Farben leuchten, es könnte gar nicht kalt und dunkel bleiben. Aber ich will nicht nach draußen gehen. Ich will hier drin bei Dad und Mum bleiben.

Dads Aputiak ist der gemütlichste Ort, den man sich denken kann. Mum und Dad und ich sind alle drei drin, und es gibt ein Qulliq, deshalb ist es hell und warm. Als

Eingang hat es einen total langen Tunnel mit einer Karibuhaut als Vorhang, und im Dach ist ein kleines Loch für den Rauch, der vom Qulliq aufsteigt.

Mum will, dass ich in den Schlafsack aus Mr. Azizis Laster krieche. Mir ist zwar warm, aber sie sagt, ich soll es trotzdem tun, »für alle Fälle«. Hier ist unendlich viel Platz zum Ausstrecken. Daddy sagt, er hat es so groß gebaut, damit die Huskys darin Platz haben und er sie im Blick behalten kann, aber ich glaube, sie sind draußen, um sich abzukühlen. Huskys finden es selbst bei Minustemperaturen noch zu heiß. Dad sagt, seine Vorräte sind gestern zu Ende gegangen, und das Qulliq wird nur noch wenige Stunden brennen. Ich glaube, das ist es, was Mum mit dem Ausdruck »für alle Fälle« gemeint hat. Draußen in der Nähe des Aputiak brennt ein großes Feuer, aber Dad sagt, in einer Stunde oder so wird es ausgehen. Als er das sagt, sieht er ziemlich besorgt aus, aber ich bin überhaupt nicht besorgt. Jetzt nicht mehr.

Dad hat einen Bart, der ganz gefroren ist, aber das Eis darin schmilzt schon wieder, wegen dem Qulliq. Er sagt, er hat unsere rote Leuchtrakete gesehen und ist hingerannt, um zu sehen, wer das ist. Er hätte nie gedacht, dass wir es sind, aber dann hat er Mums Rufen gehört.

Dad kann gar nicht begreifen, wie wir hierhergekommen sind. Weil Mum angefangen hat zu zittern und zu weinen, erzähle ich ihm, dass wir in dem Laster mitfahren durften, dass Mr. Azizi krank wurde und dass Mum deshalb selber weiterfahren musste. »Durch ganz Nordalaska?«, fragt Dad, als könne er es nicht glauben. Ich sage ja, und ich kann sehen, wie stolz er auf sie ist – meine superbe Mum!

»In dem großen Sturm wart ihr auch da draußen?«, fragt er. Ich nicke.

»Da hast du sicher Angst gehabt«, sagt er.

»Mir war kalt.«

»Das glaube ich!«

»Mum und ich haben getanzt, um uns warm zu halten.«

Ich erzähle ihm auch von dem Mann im Tanklaster, aber ich sage, dass wir uns vor dem nicht mehr fürchten müssen, weil er aufgehört hat, uns zu jagen, als unser Laster durch das Eis gebrochen ist.

Während ich Dad alles erzähle, nimmt er Mums Hand. Ich glaube, damit er sicher sein kann, dass sie wirklich da ist und es ihr gut geht.

»Und die Mails kamen von dir?«, frage ich Dad.

»Ja. Aber ich hätte nie gedacht ...« Seine Finger hören auf, sich zu bewegen, als wüsste er nicht, was er sagen soll. »Ich dachte, ihr seid in Sicherheit in Fairbanks oder schon wieder zurück in London. Ich hätte mir nie träumen lassen ...« Wieder fehlen seinen Fingern die Worte. Er sieht so müde und mitgenommen aus. Das hatte ich noch gar nicht bemerkt. Der Glücksballon war einfach zu groß. Aber seine Lippen sind aufgesprungen und bluten.

»Sind alle tot?«, fragt Mum ihn.

»Ja.«

Er meint das ganze Dorf. Alle seine Freunde. Die alte Frau, die mir Iñupiat-Gebärden beibringen wollte. Alle. Nur Daddy ist nicht gestorben.

»Corazon auch?«, fragt Mum mit traurigem Blick.

Er nickt, und sie reden nur mit den Augen, und ich glaube, das ist eine Sprache, die keiner außer ihnen verstehen kann.

Seine Hände bewegen sich, ganz langsam, als täten die Worte weh. »Und Kaiyuk, ihr Zwillingsbruder. Alle. Ich hätte dort sein sollen.«

Er will noch etwas sagen, aber da hält er inne. Mein Armband vibriert. Draußen leuchtet ein helles Licht auf, und die Schneewände des Aputiak verwandeln sich in bleiches eisiges Gold. Mum und Dad ziehen ihre Schneebrillen über und laufen nach draußen. Ich winde mich aus dem Schlafsack und renne ihnen nach.

Sofort werde ich zurückgeworfen, als würde ein Wirbelsturm die Luft unter mir einsaugen, und das Licht scheint so hell, als würde man in die Sonne schauen, und ein Geräusch bringt meine Zähne zum Klappern.

Plötzlich erlischt das grelle Licht, und das Klappern hört auf. Ich blinzle ein paarmal, weil ich noch geblendet bin, dann kehrt die Dunkelheit zurück. Mum leuchtet mit einer Taschenlampe, und ich sehe, dass auf dem Schnee ein Hubschrauber steht, der aussieht wie eine riesige schwarze Libelle. Seine Flügel drehen sich immer langsamer und stehen dann still. Auf der Seite steht »Alaska State Troopers«. Ein Mann steigt aus. Über dem Gesicht hat er eine schwarze Gummimaske und eine Schneebrille. Er sieht auch wie ein Insekt aus. Auf seinem Ärmel hat er ein Abzeichen mit der Aufschrift »State Trooper Alaska«. Er dreht sich um, weil er die Tür hinter sich schließen will, und ich glaube, er knallt sie zu, denn mein Armband vibriert wieder. Jetzt kommt er auf uns zu.

Captain Grayling sah die drei im Schnee stehen, die Eltern und das kleine Mädchen. Eine ganze Familie hier draußen mitten in der Wildnis bei minus dreißig Grad. Die Erleichterung ließ ihn beinahe in die Knie gehen.

»Gott sei Dank, ach, Gott sei Dank. Geht es Ihnen gut? Und dem Mädchen auch?«

»Ja«, sagte Yasmin Alfredson.

Er bückte sich, um auf einer Höhe mit dem kleinen Mädchen zu sein. Sie wich vor ihm zurück. Er zog seine Gesichtsmaske herunter. »Tut mir leid, das Ding sieht scheußlich aus.«

Aber sie kam trotzdem nicht näher. Schlechtes Gewissen nagte an ihm. Seinetwegen war ihre Mutter mit ihr in die arktische Wildnis gefahren. Er hatte ihnen gegenüber als polizeilicher Freund und Helfer versagt. Kein Wunder, dass die Kleine nichts mit ihm zu tun haben wollte. Er bewunderte ihre Courage.

Dann nahm er Matthew Alfredson am Arm, eher eine Umarmung als ein Handschlag. »Wie entschuldigt man sich bei einem Menschen dafür, dass man ihn für tot gehalten hat?«

Captain Grayling wirkte älter, als Yasmin ihn sich vorgestellt hatte, seine Züge waren feiner und von mehr Sorgenfalten durchzogen. Er kroch mit ihnen durch den Eingangstunnel ins Aputiak.

»Haben Sie den Tanklaster gesehen?«, fragte sie.

»Ja. Der Fahrer sitzt bei mir im Hubschrauber. War nicht besonders gut im Wenden.«

»Wissen Sie, wer er ist?«

»Momentan sagt er kein Wort, aber ich kriege die Wahrheit schon noch aus ihm raus.« Er hielt inne, und Yasmin sah ihm das schlechte Gewissen an. »Sobald ich erfuhr, dass Sie auf dem Highway sind, hab ich angefangen, nach Ihnen zu suchen. Aber während des Sturms konnten wir nicht fliegen. Als der Wind halbwegs abgeflaut war, bin ich wieder gestartet. Ich habe jede Meile des Dalton Highway südlich des Atigun-Passes abgekämmt, und als da nichts war, bin ich nach Norden weitergeflogen.«

Also hatte er dem Tanklastfahrer die Positionsangabe abgenommen. Dass er sie auf der Tundra gesucht hatte, war ein allerletzter Versuch gewesen, mehr von Hoffnung geleitet als von realistischen Erwartungen.

»Der Sturm war vorbei und die Sicht gut. Da habe ich Ihre Rakete gesehen und bin hergeflogen. Zuerst fand ich den Tanklaster. Dann hab ich weiter nach Ihnen gesucht. Ich hab's gerade noch hierher geschafft – im Sturm ist ein Rotorblatt beschädigt worden. Weiterzufliegen wäre hochriskant. Ich habe per Funk um Unterstützung gebeten, damit jemand uns alle aufsammelt.«

»Wie lange wird das dauern?«, fragte Matt.

»Eine Stunde, vielleicht ein bisschen länger. Selbst mit dem Hubschrauber ist es nicht gerade um die Ecke.«

Erst als Captain Grayling sah, wie Yasmin sich mit dem Mädchen in Gebärdensprache unterhielt, begriff er, dass die Kleine gehörlos war. Die Tatsache, dass sie so hilfsbedürftig war, bedeutete für ihn einen zusätzlichen Schock.

»Du bist mir böse, nicht wahr?«, sagte er zu ihr. »Ich bin mir auch böse.«

Yasmin übersetzte seine Worte in Gebärden, aber die Kleine blieb abweisend.

»Ich hätte deiner Mutter glauben sollen«, sagte er. »Es ist meine Schuld, dass ihr diese schreckliche Fahrt unternehmen musstet. Ich hätte selbst nach deinem Dad suchen sollen.«

Yasmin übersetzte. Diesmal nickte das Mädchen und wirkte nicht mehr ganz so abweisend. Sie sagte etwas in Gebärdensprache.

»Wissen Sie, wie es Adeeb Azizi geht?«, übersetzte Yasmin.

Er nickte, lächelte und machte die »Okay«-Gebärde, die einzige, die er kannte.

»Nach Ihnen habe ich auch gesucht«, sagte er zu Matt. »Bin kreuz und quer über Anaktue und die nähere Umgebung geflogen, Gott weiß wie oft.«

»Wann war das?«, fragte Matt.

»Am Montagnachmittag.«

»Da war ich schon über fünfzig Kilometer entfernt.«

Dad redet mit dem Mund mit dem State Trooper und in Gebärden mit mir. Das macht er immer, wenn er mit mir und jemandem zusammen ist, der nicht gebärden kann. Das ist ganz schön schwer, weil in Gebärdensprache die Grammatik anders ist und man auch den Gesichtsausdruck dazu braucht. Und Daddy sieht so müde aus.

»Ich habe Anaktue zweimal verlassen«, sagt er. »Zum ersten Mal letzten Mittwoch. Das ist mindestens eine Woche her, oder?«

Captain Grayling nickt, aber ich habe keine Ahnung, was für ein Tag heute ist. Es kommt mir so vor, als wären wir eine einzige lange Nacht gefahren, weil die Nacht die Tage verschluckt hat.

Yasmin hätte Matt so viele Fragen stellen mögen, aber sie wusste, dass sie erst hören musste, was ihm in den letzten Tagen widerfahren war, all die Details und Facetten. Auch er würde ihr zuhören müssen, wenn sie ihm ihren Teil erzählte. Denn dies waren Tage gewesen, die sie vernichtet und neu erschaffen hatten, und zwar in anderer Gestalt als zuvor.

»Sie sagten, Sie hätten Anaktue letzten Mittwoch verlassen?«, fragte Captain Grayling.

20

An jenem Morgen war Matt früh aufgewacht. Angesichts des bevorstehenden Aufbruchs hatte er eine schlaflose Nacht auf einem Feldbett verbracht. Corazon schlief noch in ihrem Zimmer, aber ihr Zwillingsbruder Kaiyuk war schon draußen und versorgte die Huskys. In der frühmorgendlichen Stille hörte Matt ihr Gebell und dazwischen Kaiyuks Stimme. Am Vorabend hatte er sich lange mit ihm unterhalten, und Matt vermutete, dass Kaiyuk gar nicht erst schlafen gegangen war.

Über seinen traditionellen mit Fell gefütterten Atigi-Parka zog er das Atikluk, eine Art Tunika, und ging nach draußen. Wie jeden Morgen fand er es desorientierend, Sterne und Mond immer noch am Himmel zu sehen, als hätten sie den Abgang verpasst. Die kalte Luft, die ihm entgegenschlug, wischte das letzte bisschen Schläfrigkeit beiseite.

Unter dem Summen aus dem Generatorhäuschen ging er zwischen den Holzhäusern und Hütten hindurch zu den Zwingern. Von hier aus sah man, dass zwei der Häuser schief standen – man hatte ihre Fundamente in den Permafrostboden gelegt, der in den letzten Jahren zu tauen begonnen hatte.

Kaiyuk hatte die Hunde schon für ihn angeschirrt, paarweise an der Zentralleine mit je einer eigenen Zugleine. Matt würde erst zum zweiten Mal allein mit einem Huskyteam draußen sein, und diesmal sogar für längere Zeit. Kaiyuk gab ihm noch ein paar letzte Ratschläge, schärfte ihm ein, dass er der Musher, also der Schlittenführer, war und dafür sorgen musste, dass die Hunde das nie vergaßen. Dann überreichte er Matt eine halbmondförmige Schale aus Stein – sein eigenes Qulliq. »Wo du doch so auf Traditionen stehst …«, hatte er gesagt und Matt angegrinst. Dann hatten sich die beiden Männer umarmt, und Matt hatte die tiefe Freundschaft gespürt, die sie verband. Sonst hatte er niemanden geweckt, um sich zu verabschieden. Es war ihm nicht nötig erschienen.

Er sah zu Yasmin und Ruby, die sich im Aputiak an ihn kuschelten, dann zu Captain Grayling. Er wusste nicht genau, wie lange er geschwiegen hatte, aber es konnten nur wenige Sekunden gewesen sein. Erinnerungen dehnten sich, genau wie Träume, wenn man sie noch einmal durchlebte, auch wenn sie objektiv gesehen nur wenige Augenblicke dauerten.

»Ich bin früh aufgebrochen, gegen sechs«, fuhr er fort. »Fast alle schliefen noch. Am Abend zuvor hatten wir eine Willkommensparty für Akiak veranstaltet.«

»Akiak Iqua?«, fragte Grayling nach.

»Ja.«

»Laut unseren Akten arbeitet er bei den Ölbohrungen in Prudhoe.«

»Er hatte sich nicht offiziell abgemeldet.«

Akiak hatte gehen wollen, bevor ihm von Soagil Energy gekündigt wurde – diese Genugtuung hatte er ihnen nicht gönnen wollen.

»Als Akiak auf der Party hörte, dass mein Notebook kaputt war, hat er mir seines gegeben. Er sagte, es sei ein

Geschenk von Soagil Energy gewesen, damals, als sie es mit Bestechung probiert hatten. Jetzt, da sie zu Drohgebärden übergegangen waren, wollte er nichts mehr mit ihren Geschenken zu tun haben.«

Matt hatte das MacBook Air genommen, aber da es keine Frostschutzhülle besaß, hatte er befürchtet, es werde in der Kälte nicht funktionieren. Aber er hatte das Beste gehofft, seine eigene Hülle darüber gezogen, die nicht richtig passte, und es in seinen Rucksack gesteckt.

»Waren Sie mit dem Schneemobil unterwegs?«, fragte Captain Grayling. Yasmin ahnte, dass er gerade all seine Hypothesen neu überdenken musste.

»Nein, mit dem Hundeschlitten.«

Kaiyuk hielt seine Hunde hauptsächlich für Schlittenhunderennen. Wie alle anderen Dorfbewohner hatte auch er Matt für etwas verrückt gehalten, weil der seinen Ausflug nicht mit dem Schneemobil unternehmen wollte. Trotzdem hatte er ihm sein Team überlassen. Matt hatte seine Entscheidung damit begründet, dass er die Schneeeule, die er zu filmen hoffte, nicht durch ein Schneemobil verscheuchen wollte, und die Dorfbewohner waren so taktvoll gewesen, ihn nicht darauf hinzuweisen, dass acht Huskys eine Schneeeule mindestens so schnell verscheuchen würden wie ein Schneemobil.

Als er das Dorf verließ, hatten ihm Kaiyuk und Akiak nachgeschaut, beide noch leicht angeheitert von der Party, und ihm zugewinkt. Über das Surren des alten Generators hinweg hörte er die Stimmen von Kindern, die schon im Schnee spielten.

Vier Stunden lang hatte sich Matt einzig auf die Hunde und darauf konzentriert, dass er nicht vom Schlitten fiel.

Er hatte den Eindruck, dass ihm die intelligente Leithündin Puqik nur aus Großzügigkeit die Rolle des Rudelführers überließ.

Angekommen war er in Anaktue in Outdoorkleidung von einem Spezialausrüster im Internet. Jetzt trug er ein Atikluk, darunter das mit Karibufell gefütterte Atigi und Mukluks statt Polarstiefeln. Für *diesen* Traditionalismus war er keineswegs geneckt worden.

Über ihm standen die Sterne und der Mond am Himmel, genau wie in der Nacht, vor einigen Stunden, als er zu Bett ging. Manchmal kam es ihm so vor, als lebte er hier draußen in einem einzigen endlosen Augenblick, als dehnte sich so weit im Norden selbst die Zeit unendlich aus. Er dachte an die zartflügelige Polarmotte, die bis zu vierzehn Winter als eingesponnene Raupe überlebt, dann schlüpft und im Erwachsenenstadium nach wenigen Tagen eingeht. Für sie musste jede Stunde jener Sommertage Jahre dauern.

Seine Stirnlampe beschien nichts als den weißen Schnee vor ihm und die pelzigen Rücken der Schlittenhunde. Die einzigen Geräusche, die er wahrnahm, waren das Knirschen des Schlittens und das Hecheln des Hundeteams. Wäre es tausend Jahre früher gewesen – er hätte die gleiche Landschaft vor sich gesehen, die gleiche Kleidung getragen, wäre auf die gleiche Art gereist. Der Gedanke rückte alles in eine andere Perspektive, vor allem ihn selbst. Und das war dringend nötig, denn er wusste, dass er sich viel zu lange als Starstürmer seines Lebens gesehen hatte, was nicht nur egozentrisch war, sondern auch nicht im Einklang mit der übrigen Welt stand. In der arktischen Tundra war es unmöglich, sich wichtig zu fühlen. Man erkannte sich als Teil von etwas, was sich mit Zeit oder Raum nur ungenügend umschreiben ließ.

Irgendwann fiel er mit den Hunden und dem Schlitten in einen natürlichen, eher gefühlten als bewussten Rhythmus und konnte ungehindert über Corazon nachdenken. Er wusste, dass die Nähe zu ihr verstärkt wurde durch die Vertrautheit mit Kaiyuk, ihrem Zwillingsbruder, und dass es nicht Liebe war, sondern innige Freundschaft, die ihn an beide band. Vielleicht sehnte er sich unbewusst danach, ein bisschen von der Liebe zu teilen, die die beiden füreinander empfanden, aber diese Liebe war etwas Exklusives, etwas, was allein ihnen vorbehalten war. Corazon hatte seinen Kuss aus Freundschaft erwidert, dachte er, als hätte sie seine Sehnsucht gespürt und einen kurzen Augenblick versucht, sie zu erfüllen. Weiter hatte sie nicht gehen wollen. Er hoffte, andernfalls hätte er das Ganze von sich aus beendet. Ein Kuss war genug des Verrats.

Vermutlich war er deshalb allein hier draußen. Der wahre Grund für diesen Ausflug war, dass er sich damit auseinandersetzen musste, seine Frau betrogen zu haben.

Er blickte hinaus in die weite, von der Kälte kahl geschliffene Tundra und ließ die frostige Stille auf sich wirken. Er stellte fest, dass es ihm an einem solchen Ort leichter fiel, sich in aller Ruhe seinen großen Fragen zu stellen. Über ihm spannte sich der unendliche, von Sternen übersäte Himmel auf.

Vier Tage waren vergangen, seit er Corazon geküsst hatte, zwei seit dem Telefongespräch mit Yasmin. Aber nicht dieses Gespräch war ihm in der winterlichen Stille präsent, stattdessen erinnerte er sich an den Klang der Brandung, Kies unter den Sohlen, an seine vom Meerwasser durchweichten Turnschuhe. Er hatte durch ihr Teleskop in den Nachthimmel an der Küste geblickt, und sie hatte ihm ganze Galaxien gezeigt. In Wahrheit hatte seine Aufmerksamkeit weniger dem Himmel gegolten als ihr – einem wunderschönen Mädchen, das sich nicht auf ihr Aussehen verließ, sich im Gegenteil fast darüber ärgerte, und um Aufmerksamkeit für ihren Intellekt kämpfte. Sie strickte heimlich Schals für Leitplanken und sah in die Sterne – begabt, leidenschaftlich, witzig, verletzlich, atemberaubend und unmöglich.

Er war immer noch in sie verliebt, ja, er liebte sie hier, in der arktischen Tundra, nicht weniger als in jener Nacht, als sie am Strand von Cley in seinen Armen lag. Aber ihm schien, als wäre er verliebt in ein Mädchen, das es nicht mehr gab, wie die toten Sterne, von denen sie ihm erzählt hatte, deren Licht wir noch sehen, nicht, weil wir in der Zukunft des Sterns leben, sondern weil unser Blick seine Vergangenheit erfasst.

Ich habe sie geküsst, weil ich dich vermisste.

Ihm war bewusst, wie feige es war, in Corazon einen Ersatz zu suchen, und dass niemand die Leere in ihm würde füllen können, die Yasmin hinterlassen hatte.

Aber er hatte der Frau gegenüber, zu der Yasmin geworden war, und seiner Tochter Ruby gegenüber die Pflicht, das Beste aus ihrem Leben zu dritt zu machen, sich nicht davor zu drücken. So verlockend und eindrucksvoll er Alaska fand, er musste zu ihnen zurückkehren. Er würde drei Tage allein in der Wildnis verbringen, dann würde er in Anaktue seine Sachen packen und nach Hause fliegen.

Eigentlich hatte er vorgehabt, noch acht Wochen hier zu verbringen, die Vögel und Tiere zu filmen, die im Winter nicht nach Süden flüchteten, sondern blieben und der Kälte standhielten. Die Kamera, das Satellitenterminal und Akiaks Notebook hatte er mitgenommen, weil er seiner Produktionsfirma ein paar Fotos mailen wollte, aber er ließ alles im Rucksack stecken, es hatte keinen Sinn mehr.

Er fütterte die Huskys, stellte sein Zelt auf und entzündete die Qulliq-Lampe mit einem Stück Polarbaumwolle als Docht, wie Kaiyuk es ihm gezeigt hatte. Die Hitze überraschte ihn, und er befürchtete, sein Zelt werde verbrennen, deshalb löschte er sie wieder.

Er blickte in die scheinbar so unzugängliche und gewaltige Wildnis hinaus. Ihm war bewusst, dass die Tundra unter dem Schnee aus unzähligen winzigen Pflanzen bestand – ein fragiles Ökosystem, das leicht zu beschädigen und unmöglich wiederherzustellen war. In der russischen Tundra existierten noch immer Reifenspuren aus dem Zweiten Weltkrieg.

Von hier aus wirkte London hektisch, die Straßen und Häuser schrill und voller Dinge, die nach Aufmerksamkeit schrien. Vor einem solchen Hintergrund konnte niemand sich abheben. In Alaska waren Menschen klarer definiert. Aber in letzter Zeit war auch Anaktue lauter geworden, weniger in sich ruhend. Die Dorfbewohner diskutierten darüber, wie man verhindern könnte, dass Soagil Energy mit dem Fracking anfing. Corazon koordinierte den Widerstand gegen das Unternehmen, sie hatte das Dorf hinter sich vereint. Manchmal benutzte sie sein Satellitenterminal, um im Internet zu recherchieren. Wenn er nach England zurückkehrte, würde er es ihr dalassen.

Ohne die Kameralinse zwischen sich und dem Land sah er es klarer und spürte noch stärker die magnetische Anziehungskraft, die es auf ihn ausübte. Dieses vom Menschen unberührte Land hatte seine eigene Identität, eine Seele, ein Bewusstsein, und er verstand, warum die Iñupiat glaubten, allen Dingen wohne ein Geist inne.

Am nächsten Morgen hatte die Schneelandschaft Augen, die ihn wachsam und intensiv musterten. Erst als der Schnee sich bewegte, wurde ihm klar, dass ein Teil davon aus den Federn eines Alpenschneehuhns bestand, das nur einen Schritt von ihm entfernt sein Nest hatte.

Im Sommer hatte er hier hellbraune Alpenschneehühner, braunpelzige Hasen, graubraune Füchse und gestreifte Wölfe gesehen – nun waren Federn und Pelze so weiß, als wären sie aus Schnee gewoben. An seinem letzten Abend sah er eine Schneeeule im Flug. Die weißen Schwingen hatten eine Spannweite von einem Meter fünfzig, und der Vogel sah aus, als wäre er aus dem Himmel ausgeschnitten worden.

Die Reinheit und die immense Einsamkeit des Landes, die wohlbalancierten Details, die nur Teil eines größeren Ganzen waren – all dies erinnerte ihn eher an ein lebendes Gedicht als an einen Ort.

In jener letzten Nacht war der Himmel wolkenlos, die Schneelandschaft erstrahlte im irisierenden bläulichen Licht des Vollmonds. Er erinnerte sich, wie Yasmin ihm erzählt hatte, Mondlicht bestehe hauptsächlich aus reflektiertem Sonnenlicht, dazu etwas Sternenlicht und Erdlicht. In Wirklichkeit sei es gar nicht bläulich, hatte sie erklärt, das liege nur am Purkinje-Effekt, einem Fehler in der Konstruktion des menschlichen Auges, der es so erscheinen ließe. Und Matt hatte sich der Gedanke aufgedrängt, dass alles, was wir wissen, durch unsere Konstruktionsfehler gefiltert wird und darum manchmal schöner erscheint, als es ist.

Jetzt sah er im Licht des Qulliq Yasmin an und erkannte, dass das Mädchen, das er einst so geliebt hatte, wiedergekehrt war. Gleichzeitig war da die erschöpfte, unvergleichliche Frau, zu der sie geworden war. Ihre Liebe zu ihm hatte ihr solchen Mut verliehen. Er umschloss ihr Gesicht mit den Händen.

Captain Grayling sah zu, wie Matt etwas in der Gebärdensprache zu Yasmin sagte. Ihn überraschte, welch klare, tiefe Liebe die beiden verband. Als er den Ehering in den verkohlten Überresten von Anaktue gefunden hatte, war er davon ausgegangen, dass die Ehe, die der Ring symbolisierte, zerrüttet sei. Die Nähe der beiden bewegte und schmerzte ihn. Seine Frau und er hatten sich still und verzweifelt ein Jahr, nachdem ihr Sohn gestorben war, getrennt. Er sah, dass das kleine Mädchen sich von den Händen ihres Vaters abgewandt hatte, um den beiden einen Moment der Intimität zu gewähren. Aber er musste den Rest von Matts Geschichte erfahren.

»Und dann?«, fragte er.

Matt wandte sich ihm wieder zu. »Am Freitagmorgen gab es einen Eissturm. Ich habe ihn abgewartet und mich dann zurück nach Anaktue aufgemacht.«

Der Regen hatte alles mit Eis überzogen: das Geschirr der Hunde, die Zügel, sein Zelt. Er hatte das Eis abgeschlagen, dann war er losgefahren. Er freute sich darauf, seine Freunde wiederzusehen, beim Abendessen mit ihnen zu reden und zu lachen. Er würde ihnen von seinem Entschluss berichten, nach England zurückzukehren, aber er war sich ziemlich sicher, dass die meisten sowieso erstaunt gewesen waren, dass er in den Wintermonaten hierhergekommen war. Und er freute sich darauf, Kaiyuk von den Huskys zu erzählen und ein bisschen damit zu prahlen, wie gut er mit ihnen zurechtgekommen war.

Noch vor seinem Ausflug waren Corazon und er umstandslos auf die Ebene der engen Freundschaft von zuvor zurückgekehrt. Sie hatte ihm für seinen verrückten Schlittenausflug ein Schneemesser geschenkt, kein antikes, sondern ein modernes – so modern wie sie selbst, hatte sie gesagt. Er würde zugeben müssen, dass er es gar nicht benutzt hatte und so bequem gewesen war, in Zelt und Polarschlafsack zu übernachten. Letztlich war er doch kein wildniserfahrener Iñupiat-Jäger. Wahrscheinlich würde sie darüber lachen.

»Gegen Mittag bin ich in Anaktue angekommen«, fuhr Matt fort.

Während er sich dem Dorf näherte, hatte einer der Hunde versucht auszuscheren, und er hatte ein wenig Zwang anwenden müssen, um ihn wieder in die Reihe zu bekommen.

»Da waren weder Licht noch Geräusche. Ich dachte, meine Uhr sei vielleicht kaputt, und es sei mitten in der Nacht.«

Über ihm funkelten die Sterne, es war dunkel, aber das war Tag wie Nacht so. Die Zeit hier war wie die schneebedeckte, baumlose Tundra, ohne irgendwelche Merkmale, an denen man sich hätte orientieren können.

Trotzdem, Mittag konnte es nicht sein, denn dann würde Licht brennen, man würde Stimmen aus den Häusern hören, das Öffnen und Schließen von Türen, das Klappern von Töpfen.

Er lauschte angestrengt. Nichts. Normalerweise war es hier nie still. Selbst in der Nacht summte und ratterte der Dieselgenerator. Schaltete er sich einmal ab, wurde das schnell bemerkt – Ende November wurde es ohne Heizung sofort eiskalt – und jemand ging und schaltete ihn wieder ein.

Anaktue glänzte im Strahl seiner Taschenlampe. Auch das Dorf war vom Eissturm getroffen und vollständig mit Eis überzogen worden. Die Häuser und Hütten sahen aus wie glasiert. Sogar der Schnee am Boden hatte eine Eisschicht. Aber irgendjemand musste hier doch schon gegangen sein, dachte er, und eine Tür oder ein Fenster geöffnet haben, wodurch das Eis zersplittert war. Das Dorf sah aus, als stünde es unter einem Zauber oder Fluch.

Er brach die erste eisversiegelte Tür auf, die des Häuschens seines Freundes Hiti und seiner Familie. Trotz der beißenden Kälte roch es drinnen nach Exkrementen und ein bisschen nach Knoblauch. Er ließ den Strahl der Taschenlampe durch die Hütte gleiten.

Hiti lag auf dem Küchenboden, die Arme um seinen zwölfjährigen Sohn geschlungen. Seine Hände hatten blaue Flecken, als hätte er sie in Tinte getaucht. Das Gesicht des Kindes war mit einem Laken bedeckt. Nicht weit davon lag seine Frau, ihr jüngeres Kind im Arm, dessen Gesicht ebenfalls mit einem Laken bedeckt war. Die Kinder mussten zuerst gestorben sein, die Erwachsenen hatten es noch geschafft, sie einzuwickeln. Da hörte er ein Geräusch und schrak zusammen. Im Häuschen flatterte ein großer Vogel herum. Er musste Matt ins Innere gefolgt sein. Mit seinen panischen Flügelschlägen war er nur ein Schatten aus Schwärze. Im nächsten Moment sauste er an ihm vorbei zurück nach draußen.

Eilig suchte er ein Haus nach dem anderen ab. Überall derselbe Geruch. Niemand lebte mehr. Nur Kaiyuk und Akiak waren nicht zu finden. Beide waren jung und gesund.

Matt hoffte, dass es ihnen gelungen war, dieser Katastrophe zu entkommen. Dann fand er sie fünfzig Meter außerhalb des Dorfes. Sie mussten versucht haben, Hilfe von außen zu rufen.

Corazon lag in der Hütte ihres alten Nachbarn. Sie hatte ihm wohl helfen wollen. Wie bei den anderen waren ihre Hände blau verfärbt, und auf dem Boden gab es Flecken von Durchfall.

Er war voller Adrenalin, jeder Muskel angespannt, rannte verzweifelt durch die Häuser, seine Gedanken rasten. Dann fiel der Strahl seiner Lampe auf einen schwarzen Vogel auf dem weißen Schnee. Ein Rabe, ebenfalls tot. Abrupt blieb er stehen.

Hätten sie noch gelebt, dann wäre Eile geboten gewesen. Jetzt konnte er nichts mehr für sie tun. Es gab nichts, was er je wieder für sie würde tun können. Das Gefühl, dass die Zeit sich hier zu einem endlosen Augenblick dehnte, galt in erschreckender Weise auch für Tod und Reue.

Er kehrte in Hitis Häuschen zurück und zog das Laken sorgsam wieder über das Gesicht des Sohnes. An der Wand hing das gefeierte Karibufell des Jungen, sein Anjungaun: die erste Beute eines jungen Jägers.

Der Junge hatte das Karibu im September mit Hiti zusammen geschossen. Er hatte Matt anvertraut, dass er danach geweint hatte, denn er war sich wie ein Monster vorgekommen. Aber dann hatten sein Vater und er die Luftröhre des Tiers durchschnitten, um den innewohnenden Geist zu befreien, und es gemeinsam geschlachtet. Seine Mutter hatte das Fleisch in Portionen geschnitten und eingefroren, damit sie den ganzen langen Winter zu essen haben würden. Das Fett würde als Brennstoff für das Qulliq dienen und das Fell als

Schlafunterlage oder Kleidung. Aber weil es sein Anjungaun war, hatten sie es zunächst als Trophäe an die Wand gehängt. Im Sommer würde er auf eine größere, mehrtägige Jagd gehen dürfen, dann würde er es mitnehmen und in sein Aputiak legen. Sein Vater hatte gesagt, eines Tages werde er bestimmt ein Isiqsuruk sein, ein starker, ausdauernder Jäger. Der Junge sagte, er sei stolz auf seine erste Beute, weil sie den Geist des Tiers freigelassen und kein einziges Stück davon verschwendet hatten.

Matt nahm das Karibufell von der Wand, drückte es an sich und weinte.

21

In dem stillen Aputiak erinnerte Matt sich daran, wie Kaiyuks Hunde den schwarzen sternlosen Himmel angeheult hatten, ein wildes, wahnsinniges Heulen.

Yasmin umklammerte seine Hand so fest, als wäre sie mit ihm durch die Häuser gegangen. Ruby hatte er die Einzelheiten nicht gebärdet, er wollte nicht, dass sie diese Bilder in den Kopf bekam, und er wollte nicht, dass sie wusste, worin seine große Schuld lag.

»Sie konnten nicht um Hilfe rufen«, sagte er. »Ich hatte das Satellitenterminal bei mir. Und ich hab's nicht mal benutzt.«

»Es war nicht deine Schuld«, sagte Yasmin. »Matt, bitte, hör mir zu. Es war nicht deine Schuld. Du konntest das nicht wissen.«

Captain Graylings Miene war ausdruckslos vor Entsetzen. »Glauben Sie, dass sie gelitten haben?«, fragte er.

Matt war überrascht von dem mitfühlenden Ton des State Troopers. »Ja. Aber das wusste ich zu dem Zeitpunkt noch nicht.«

»Sie haben sie am Freitag gefunden?«

»Ja.«

»Die Polizei dachte, alle wären bei einem Brand ums Leben gekommen«, erklärte ihm Yasmin.

»Wie das?«

»Das Dorf ist abgebrannt«, sagte Captain Grayling. »Restlos. Es war unmöglich zu erkennen, dass die Menschen schon vorher tot waren.«

Matt war entsetzt. »Jemand hat das Dorf angezündet?«

»Vielleicht war es ein Unfall«, sagte Grayling, als wollte er es sich selbst einreden. »Vielleicht lief eine Heizung noch oder ein Kocher, und irgendwann brach Feuer aus.«

Yasmin erinnerte sich, dass Captain Grayling die Suche nach Überlebenden geleitet hatte. Es musste ein grauenhafter Anblick gewesen sein. Sie verstand, warum er sich wünschte, das Feuer wäre nicht absichtlich gelegt worden – sonst wäre es so, als hätte man die Menschen zweimal getötet.

»Ich war mir sicher, dass man sie finden würde«, sagte Matt. »Vielleicht erst nach ein paar Tagen, aber ich war mir sicher, dass man sie finden würde.«

Die Dorfbewohner hatten Freunde und Verwandte außerhalb. Anaktue lag abgeschieden, aber nicht komplett von der Welt abgeschnitten. Immer wieder kam Besuch, oder die Bewohner machten per Taxiflieger selbst Besuche. Er hatte angenommen, jemand würde sie finden und die Polizei benachrichtigen. Eigentlich hatte er das selbst tun wollen und sich zur Landebahn aufgemacht.

Yasmin wandte sich an Captain Grayling. »Wenn Sie die Toten vor dem Brand gefunden hätten, dann hätten Sie gewusst, dass Matt lebt. Weil kein Europäer darunter gewesen wäre.«

Captain Grayling nickte. Er brauchte ein paar Momente, als müsse er sich erst wieder fassen. »Das mit dem Brand finden wir heraus«, sagte er zu Matt. »Aber ich muss wissen, was vor dem Brand passiert ist, und ich glaube, Sie können mir helfen.«

Dad hat seine Stiefel ausgezogen. Seine Füße bluten, und manche seiner Zehen sind schwarz, als hätte er sie mit Schuhcreme beschmiert.

Ich sage zu ihm, dass ich auch wissen will, was passiert ist, aber dass ich es von seinen Lippen lesen werde. Ich will nicht, dass er gebärdet, weil er so müde aussieht. Ich sage, wenn etwas zu schrecklich ist, schaue ich weg. Ich breite meinen Schlafsack über seine armen Füße, damit sie vielleicht warm werden, und da lächelt er mich an, genau wie er früher gelächelt hat.

»Draußen vor den Häusern habe ich wieder den toten Raben gesehen«, sagt Dad, mit dem Mund und auch in Gebärden, obwohl ich doch gesagt habe, das braucht er nicht.

Hatte er ihnen von dem Raben schon erzählt? Oder erinnerte er sich nur so lebhaft an ihn, dass er glaubte, er müsse es getan haben?

Es hatte angefangen zu schneien, die Flocken fielen auf den schwarzen Vogel.

»Ich habe ihn fotografiert.«

Nicht als Beweis oder Indiz, sondern weil der tote Rabe wie ein Grabspruch für die toten Dorfbewohner wirkte, der etwas ausdrückte, was er selbst niemals in Worte fassen könnte.

»Dann habe ich das Dorf zum zweiten Mal verlassen.«

Er hatte vorgehabt, zur Landebahn zu gehen, denn er dachte, in den nächsten Tagen würde bestimmt ein Flugzeug vorbeikommen. Er hatte sein Zelt, den Schlitten und genug Vorräte für sich und die Huskys. Kaiyuk hatte dafür gesorgt, dass er von allem überreichlich mitgenommen hatte, für den Fall eines Sturms. Er konnte auf ein Flugzeug warten.

Die Hunde hatten nicht gehen wollen. Er hatte all seine Autorität und Kraft gebraucht, um sie zum Mitkommen zu bewegen. Nur die Leithündin Puqik schien schließlich verstanden zu haben, dass sie wegmussten, und irgendwann waren die anderen ihr gefolgt.

Während sie sich von Anaktue entfernten, nahm der Schneefall an Stärke zu. Das Dorf hinter ihm versank in Schnee und Finsternis. Er hatte das Gefühl, es im Stich zu lassen. Die Hunde zogen, das Schneetreiben wurde dichter, bis er nicht mehr zwischen vorn und hinten, oben und unten unterscheiden konnte. Das Weiß war so eindimensional, dass es ihm vorkam, als hätte er ebenso gut über den Himmel wie über Land fahren können.

Zwölf Kilometer von Anaktue entfernt ließ der Schneefall nach, und die Welt nahm wieder Gestalt an. Im Licht seiner Stirnlampe bemerkte er dunkle Umrisse auf dem Schnee.

Beim Näherkommen schlug ihm der Geruch entgegen – der gleiche wie in den Häusern von Anaktue, selbst hier in der eisigen Luft war er widerlich. Er fand eine Herde toter Moschusochsen, die kleineren schon halb unter dem frisch gefallenen Schnee begraben. Ein großer Bulle war angefressen worden – erst nach dem Tod, denn auf dem Schnee war kein Blut zu sehen.

Im Strahl seiner Taschenlampe glitzerte etwas. Nicht weit entfernt war im Schnee ein Loch, in dem fließendes Wasser das Licht reflektierte. Ein Fluss, zugefroren und schneebedeckt. Vermutlich hatten die Moschusochsen das Loch mit den Hufen in die dünnste Stelle des Eises geschlagen, um an Wasser zu kommen.

Er blickte hinein. Der Fluss hatte eine starke Strömung. An einem Eisbrocken am Rand des Lochs hatte sich ein großer Lengdorsch verfangen. Seine Kiemen waren halb aufgelöst.

Er konnte nicht glauben, was er da sah. Er verschloss sich vor der Erkenntnis, dass dieses reine, zerbrechliche Land, das Gedicht aus Einsamkeit, in dem er noch gestern gelebt hatte, bis ins Mark vergiftet war.

Es widerstrebte ihm auch, sich einzugestehen, dass der Geruch der Moschusochsen sie mit den Dorfbewohnern verband. Es war ein zu groteskes, erniedrigendes Detail, das der Schönheit der Menschen und auch der Tiere nicht gerecht wurde.

Einen Kilometer entfernt fand er ein totes Wolfsrudel. Die meisten Tiere waren unter einer Schneewehe begraben. Sie mussten von den Moschusochsen gefressen oder wie sie aus dem Fluss getrunken haben.

Die Dorfbewohner holten jeden zweiten Tag Wasser aus dem Fluss und füllten es in Vorratstanks. Das Schleppen war die Aufgabe der kräftigsten Männer und Frauen. Als Matt zu seinem Filmausflug aufgebrochen war, hatten Akiak und Kaiyuk vorgehabt, Wasser zu holen. Akiak war dazu eigentlich gar nicht eingeteilt gewesen, da er erst so unerwartet zurückgekehrt war – es war ein Freundschaftsdienst an Kaiyuk.

Aber die Dorfbewohner kochten das Wasser immer ab, bevor sie es tranken.

Und noch immer fiel Schnee und begrub sanft die Tiere unter sich.

Matt erzählte, wie er den Moschusochsen und die Wölfe fotografiert hatte, dank des Satellitenterminals stets mit den genauen Koordinaten. Die Verbindung hatte sich nie so weit stabilisiert, dass er sein Notebook hätte anschließen können, aber Länge und Breite seiner Position wurden ihm übermittelt. Er hatte die Zahlen mit Bleistift auf einen Zettel geschrieben – sein Kugelschreiber war eingefroren.

»Du hast Dezimalkoordinaten genommen«, sagte Yasmin.

»Die gingen schneller zu schreiben. Ich dachte, es wäre kein Problem, später die Dezimalpunkte einzufügen.«

Yasmin konnte sich vorstellen, was für eine körperliche und geistige Disziplin es ihm bei minus dreißig Grad abverlangt hatte: erst zu fotografieren, dann das Satellitenterminal zu bedienen und schließlich zu schreiben. Sie begriff, warum er das Schreiben aufs Nötigste reduziert hatte. Zum Schreiben musste er die Überhandschuhe ausziehen, und er hatte keine Erfrierungen riskieren wollen, sonst hätte er sich nicht mehr mit Ruby unterhalten können.

»Statt nach Osten zur Landebahn habe ich mich nach Südwesten aufgemacht, flussaufwärts. Überall am Ufer lagen tote Tiere. Ich wollte die Ursache erfahren.«

Yasmin war klar, dass Matt das Gefühl gehabt hatte, es den Dorfbewohnern schuldig zu sein, den Grund für diese Katastrophe herauszufinden, aber er hätte doch zur Landebahn gehen und auf einen Taxiflieger warten können. Später hätte jemand anders diese Aufgabe übernehmen können, die Polizei zum Beispiel.

Offenbar hatte er ihre Frage erahnt. »Die Moschusochsen und Wölfe waren schon halb im Schnee vergraben. Noch ein solcher Schneefall, und kein Tier wäre mehr zu sehen gewesen. Dann hätte man der Spur nicht mehr folgen können.«

Sie nickte. Er musste darauf gesetzt haben, dass die Polizei die toten Dorfbewohner entdecken und sich auf die Suche nach ihm machen würde. Von dem Brand und davon, dass man ihn für tot hielt, konnte er nichts wissen. Er hatte sicher nicht damit gerechnet, so lange ganz auf sich gestellt zu sein.

Kaiyuks Huskys waren Matts einzige lebende Verbindung zu Anaktue. Über das Sausen des Winds hinweg rief er sie einen nach dem anderen bei ihren Namen, die Kaiyuk ihn gelehrt hatte. Die Leithündin war Puqik, was »schlau« bedeutete, dann kamen Umialik, der »König«, Qaukliq, der »Häuptling«, und Nuturuk, »Fester Schnee«. Es folgten Siku, was »Eis« bedeutete, Koko, die »Schokolade«, Qannik, die »Schneeflocke«, und zuletzt Pamiuqilavuq, was laut Kaiyuk »Wedelt mit dem Schwanz« bedeutete, aber Matt war sich nicht sicher, ob das ein Scherz gewesen war.

»Puqik fand am Fluss ein Stück Aas und fraß es, bevor ich sie daran hindern konnte.«

Er war bei Puqik geblieben, bis sie starb. Zum ersten Mal in seinem Berufsleben wünschte er sich, er hätte eine Waffe. Es war qualvoll gewesen, eine Freundin sterben zu sehen.

Ohne Puqik als Anführerin waren die anderen Hunde schwierig zu lenken, und er hatte oft Mühe mit ihnen. Das einzige Licht, das er besaß, war eine per Kurbel aufladbare Taschenlampe. Er hatte sie immer fast ausgehen lassen, ehe er sie wieder aufgeladen hatte, weil er das in Innenhandschuhen machen musste.

Manchmal befürchtete er, vom Fluss abgekommen zu sein, bis er irgendwo am Rand einen dunklen Punkt liegen sah und wusste, dass es wieder ein vergiftetes Tier war. Er fotografierte es, holte sich die Koordinaten und schrieb sie auf, dann fuhr er weiter durch das finstere, vergiftete Land, um die Spur der Zerstörung zu dokumentieren.

»Das ist also auch mit deinen Freunden passiert, Dad?«, fragte Ruby. »Sie wurden vergiftet? Und sind gar nicht verbrannt?«

Matt nickte. Er wünschte, Ruby müsste all das nicht erfahren, aber er gebärdete es ihr, weil sie wissen wollte, was passiert war. Er und Yasmin waren übereingekommen, dass sie aus Rubys Gehörlosigkeit nie irgendeinen Vorteil schlagen würden. Nicht einmal, um sie zu beschützen.

»In der zweiten Nacht ging der Treibstoff für meinen Primuskocher aus«, sagte er. »Um das Qulliq anzuzünden, war es zu windig. Futter für die Hunde hatte ich, aber keine Möglichkeit, Schnee zu schmelzen, um ihnen Wasser zu geben.«

Die nächsten beiden Tage hatte er immer, wenn der Wind es erlaubte, das Qulliq entfacht und Schnee für sich und die Hunde geschmolzen.

»Am Samstagabend war ich vierzig Kilometer weit gekommen. Die Hunde waren hungrig, als ich sie abends vor dem Zelt anband. Ich hatte ihre Rationen halbiert, damit die Vorräte länger reichten. Am nächsten Morgen fehlten zwei Hunde.«

»Welche?«, fragte Ruby.

Nach der ersten Schlittenfahrt mit Kaiyuk hatte er ihr alle Namen gemailt.

»Pamiuqilavuq und Nuturuk. Nuturuk habe ich neben einem toten Polarhasen gefunden. Er hatte sich daran vergiftet und war auch krank geworden.«

Es hatte so ausgesehen, als läge der Hund auf festem

Boden, aber als Matt zu ihm ging, hatte der Grund unter seinen Sohlen nachgegeben.

»Dad? Was ist dann passiert?«

»Er lag auf dem dünnen Eis des Flusses und ist durchgebrochen. Er ist in dem kalten Wasser gestorben.«

»Aber Huskys haben doch ein ganz dickes Fell, Dad. Das hast du mir erzählt. Dass ihnen warm wird, selbst wenn es bitterkalt ist.«

»Er war so krank, dass ihm sehr schnell zu kalt wurde.«

Dort, wo Matt und der Hund einbrachen, war der Fluss nicht tief, aber die Strömung war stark. Matt hatte nicht versucht, ihn zu retten. Es war immer noch gnädiger, an Unterkühlung zu sterben als an der Vergiftung.

»Und Pamiuqilavuq?«, fragte Ruby. Sie gebärdete den Namen als sehr schnell wedelnden Schwanz.

»Den konnte ich nicht finden. Er ist wahrscheinlich auch ins Wasser gefallen. Dann geht es ganz schnell, Puggle.«

»Ja.«

»Wir sind dann noch sechs Kilometer weiter gekommen.«

Als er in den Fluss einbrach, wurden seine Füße und Überhosen nass. Wie die Iñupiaq-Jäger trug er drei Schichten Kleidung, aber die Kälte sickerte durch. Wie Elektroschocks kribbelten die Erfrierungen an seinen Füßen und Waden. Seine Beine wurden schwächer, seine Füße taub, es fiel ihm immer schwerer, auf dem Schlitten das Gleichgewicht zu halten. Über den Wind hinweg rief er unablässig die Namen der Hunde, aber allmählich konnte er sich kaum mehr erinnern, wie sie hießen. Er wusste, er litt an Unterkühlung und würde sterben, wenn er nicht bald ins Warme kam.

Er zügelte die Huskys. Seine nasse Kleidung raubte ihm die Körperwärme, und er hatte keine Möglichkeit, sie zu trocknen. Nichts, womit er ein Feuer machen konnte, kein Baum, kein Zweig. Der Wind fegte wie Macheten übers Land, ohne dass sich ihm ein Widerstand geboten hätte. In diesem Wind würde er das Qulliq nicht entzünden, geschweige denn in Gang halten können. Er hatte keine Wärmequelle.

Dad sagt, er hat gemerkt, dass ein Sturm aufzog, weil es so windig und kalt wurde. Er hat versucht, das Zelt aufzustellen, aber der Boden war zu hart, um die Heringe einzuschlagen. Und dann kam dieser Windstoß. Dad sagt, er hat das Zelt einfach weggepustet wie ein Spitzentaschentuch, das von Nähnadeln gehalten wird. Er hat probiert hinterherzurennen, aber es war zu schnell.

Dann wollte er die Huskys anbinden, damit sie nicht wegliefen und sich vergifteten, aber es war fast unmöglich, die Pflöcke einzuhämmern, hat er erzählt. Es ist eine schreckliche Vorstellung, Dad da ganz allein auf dem steinharten Boden.

»Warum hast du uns keine Mail geschickt?«, frage ich. »Dann hätten wir gewusst, dass du Hilfe brauchst!«

»Ich wollte ja, Puggle, aber das Notebook hatte sich in den Winterschlaf verabschiedet.« Er versucht zu lächeln.

Auch ich verziehe den Mund zu einem Smiley-Lächeln, dabei ist mir eigentlich traurig zumute.

»Es ließ sich nicht einmal mehr einschalten«, sagt Dad. »Meine Schutzhülle war eben doch ein bisschen zu klein dafür, und es war wohl zu kalt, um noch zu funktionieren. Auch der Bildschirm hatte kleine Risse.«

Er schaut Mum mit diesem neuen Gesichtsausdruck an,

den er für sie hat, und ich weiß, er will ihr etwas sagen, wahrscheinlich in Gebärden, weil das privater ist, aber da unterbricht ihn der State Trooper, und Mum übersetzt seine Worte für mich in Gebärdensprache.

»Das muss am Montag gewesen sein«, sagt er. »Als wir Sie in dem heftigen Sturm gesucht haben. Aber Sie haben sich das Iglu hier gebaut.«

»Nicht dieses Aputiak. Ich musste erst mal üben.« Jetzt lächelt Dad mir richtig zu. »Ich war ziemlich unfähig, Puggle. Ich hatte noch nie selbst eines gemacht, sondern nur Corazon und Kaiyuk dabei zugeschaut. Sie brauchten zwanzig Minuten, um ein Aputiak zu bauen. Ich habe Stunden gebraucht. Und selbst dann war es eine ziemliche Bruchbude.«

Er hatte zu sehr wie ein Londoner gedacht. Wenn er überleben wollte, musste er überlegen, was ein Iñupiaq tun würde. Er nahm Corazons Schneemesser und schnitt mit Händen, die sich kaum noch koordinieren ließen, Blöcke aus einer Schneebank. Manche fielen in sich zusammen, und er musste von vorn anfangen. Als er glaubte, genug Blöcke beisammen zu haben, begann er ein Aputiak zu bauen.

Die ganze Zeit gingen heftige Kälteschauer durch seinen Körper, und seine Füße stachen. Er dachte an Yasmin und Ruby, sah im Dunkeln ihre Gesichter wie am Ende eines Tunnels, das er erreichen konnte, wenn er nur das Aputiak baute. Durch den Wind hindurch hörte er Kaiyuks geduldige Erklärung: *Nicht eine Reihe über die andere, sondern in Form einer Spirale. Und dann werden die Lücken mit Schnee gefüllt.* Die Stimme war lebendiger als eine Erinnerung – als stünde Kaiyuk bei ihm im Schnee. Er fürchtete, dass er vor Unterkühlung schon halluzinierte, trotzdem war Kaiyuks Stimme tröstlich.

Als das Aputiak fertig war, kroch er hinein. Ihm war unsagbar kalt. Er brauchte zehn Versuche, um das Qulliq zu entzünden. Mit Erstaunen spürte er, wie warm es wurde. Er verschloss den Eingang mit Schnee und zog sich die feuchte Kleidung aus, um sie zu trocknen. Aus Akiaks Notebook entfernte er den Akku und legte beides neben das Qulliq in der Hoffnung, die Wärme werde das Gerät wieder funktionstüchtig machen. Dann schlief er ein, kam zwischendurch kurz zu Bewusstsein und dämmerte dann wieder weg, während das Licht des Qulliq an den Schneewänden spielte.

Als er aufwachte, stand er kurz vor dem Ersticken. Das Aputiak war voller Rauch vom Qulliq. Er musste das Messer nehmen und als Abzug ein Loch in die Wand bohren. Aber er zitterte nicht mehr so heftig.

Am nächsten Morgen waren seine erfrorenen Füße rot und voller Blasen. Zwei der Huskys, Umialik und Qaukliq, hatten sich von ihren Leinen losgerissen und waren fort. Am Vorabend hatte er ihnen die letzte magere Ration gegeben, vermutlich hatte der Hunger sie fortgetrieben. Jetzt waren nur noch Koko, Qannik und Siku übrig. Er hatte ein schlechtes Gewissen, weil er zunächst erleichtert darüber war, sich an ihre Namen zu erinnern, und erst dann Schmerz über ihren Verlust empfand. Das nächste Aputiak, das er baute, würde so groß werden, dass auch die Hunde darin Platz fanden.

Er setzte den Akku wieder in das Notebook ein. Etwa fünf Sekunden lang schien das Gerät hochzufahren, aber dann streikte es wieder. Matt sah, dass sich im Bildschirm Kondenswasser gesammelt hatte. Er wickelte das Notebook in ein extra leichtes Campinghandtuch, in der Hoffnung, das Wasser werde verdunsten. Dann packte er es in seinen Rucksack.

Er verließ sein stümperhaftes Aputiak und marschierte fünf Kilometer am Fluss entlang. Seine Füße waren blutig und schwarz vor Frostbeulen. Die drei verbliebenen Hunde zogen nur das Gepäck auf dem Schlitten. Der Strahl seiner Taschenlampe war winzig in der gewaltigen schwarzen Landschaft. Es kam ihm so vor, als wäre er der einzige lebende Mensch auf einem Planeten aus Finsternis und Eis.

Da erfasste sein Licht einen Leitpfosten. Die erste Spur menschlichen Lebens seit fast vier Tagen. Er ahnte, dass die Quelle des Gifts nicht mehr fern war. Noch mehr Leitpfosten kamen in Sicht, die den Fluss als Straße markierten.

Gut zwei Kilometer humpelte er über die Flussstraße, dann hörte er von dort, wo seine Huskys den Schlitten über das Eis gezogen hatten, ein leises Knacken.

Er leuchtete die Stelle an und entdeckte ein Loch im Eis, von dem aus feine Risse in die Richtung verliefen, wo der Schlitten entlanggefahren war. Er vergrößerte das Loch mit dem Messer. Darunter lagen Felsen, die dem Fluss etwas von seiner schnellen Strömung nahmen. Eine Armlänge unter dem Eis traf sein Lichtstrahl auf tote Fische und Frösche, die sich teilweise schon aufgelöst hatten.

Er ging ein paar Schritte weiter, da gab etwas Weiches unter seinen Füßen nach. Im Schein der Taschenlampe erkannte er mehrere tote Flussotter.

Er schoss ein Foto. Die Kamera ließ sich immer schwerer bedienen, und er befürchtete, dass Schnee hineingeraten war. Er wünschte sich verzweifelt, die Fotos ins Netz einspeisen zu können, wo sie vor den Unbilden des Wetters sicher waren, befürchtete aber, dass Akiaks Notebook nicht wieder einsatzfähig werden würde. Seltsamerweise fiel es ihm leichter, über die Probleme mit Kamera und Notebook nachzudenken, als über die toten Flussotter. Qannik schnüffelte an den Kadavern.

Dad sah die toten Flussotter und hat sie fotografiert. Er dachte, er würde bald zur Quelle des Gifts kommen.

Ich habe ihm erzählt, dass ich beim Anblick der toten Otterfamilie geweint habe, und er nickt, weil er mich verstehen kann. Es ist, als würden unsere Geschichten aufeinander zulaufen, die von Dad und die von Mum und mir, bis wir wieder eine einzige Geschichte sind.

Als ich den Husky neben den Ottern sah, dachte ich, der böse Mann hätte ihn sterben lassen, aber jetzt weiß ich, dass Dad sich um ihn gekümmert hat. Qannik heißt Schneeflocke, aber auch wenn er weich und sanft aussah, war er sehr stark und wild.

Dad ging weiter die Flussstraße entlang, genau wie wir. Als er hierherkam, wusste er, dass er das Gift gefunden hatte. Er sagt, er hat noch weiter flussaufwärts geschaut, und da gab es keine toten Tiere und Fische. Er sagt, hier fängt das Gift an.

Alle ziehen sich ihre dicke Kleidung an, und wir gehen nach draußen. Dad sagt, ich soll drinnen im Warmen bleiben, aber ich lasse ihn nicht mehr aus den Augen, keine Sekunde.

Das große Feuer in der Nähe des Aputiaks ist superhell, sodass ich Mums und Dads Hände gut sehen kann. Die

Flammen sehen aus wie Feuergeister, die versuchen, in die Finsternis zu entkommen.

»Es hat schon gebrannt, als ich ankam«, sagt Dad zu dem State Trooper. »Ich weiß nicht, was da vernichtet werden sollte. Ich habe es in Gang gehalten, in der Hoffnung, ein Flugzeug würde es sehen.«

Der Polizist sagt etwas, und Mum übersetzt: »Hier verläuft keine reguläre Flugroute. Und wir kommen nie hierher, außer wir haben einen Grund.«

Damit meint er, dass er nach Mum und mir gesucht hat. Nur deshalb hat er unsere Rakete gesehen. Und eine Rakete steigt viel höher auf als das Licht von einem Feuer. Unsere Rakete sah aus wie ein roter Stern. Nach Dad hat überhaupt niemand mehr gesucht. Außer Mum und mir.

Dad wirft eine Art Brett ins Feuer, und es entstehen noch viel mehr Flammen. Die Dunkelheit wird ganz orange von den Feuergeistern.

Ganz in der Nähe steht ein riesiges Metallmonster, das bis in den orange leuchtenden Himmel reicht.

»Das ist eine Fracking-Anlage«, sagt Dad.

Er war auf den Feuerschein zugegangen und hatte im Licht die vierzig Meter hohe Vorrichtung aufragen sehen wie ein mittelalterliches Katapult aus Metall, bereit, den Boden zu attackieren. Der Lichtkegel seiner Taschenlampe hatte einen riesigen Kompressor, Lagertanks, Bohrlochmündungen und Fracking-Pumpen erfasst. Es gab einen halb abgebauten Generatorschuppen, und es lagen einige Flutlichtscheinwerfer herum. Im Umkreis von zwei Kilometern um die Anlage fand er zweiundzwanzig Bohrungen, außerdem riesige Gruben, die ihn an Mondkrater erinnerten und Schlackesammelbecken sein mussten.

Selbst in der Kälte stieg ihm der Geruch der giftigen Chemikalien ätzend in Nase und Kehle. Die Flüssigkeit in den Gruben war trotz der Minustemperaturen nicht gefroren. Hier wurde der Schein der Lampe nicht reflektiert, sondern verlor sich in der dicken trüben Brühe.

Tausende von Kilometern rundum lag die uralte Tundra unter ihrer dichten, weißen Schneedecke, ihr fragiles Ökosystem darunter unversehrt. Aber hier fraßen sich Metall und Krater hinein, und unter seinen Füßen verliefen die Bohrlöcher bis zu drei Kilometer tief, verzweigten sich wie Adern und brachten das Gestein zum Bersten.

Die Dorfbewohner hatten befürchtet, dass eine Fracking-Anlage in ihrer Nähe ihr Land und ihr Wasser vergiften, ihre Lebensgrundlagen vernichten, sie krank machen würde. Matt hatte gemeinsam mit Corazon gründlich recherchiert, welche gesundheitlichen Gefahren das Fracking barg. Welch grausame Ironie, dass nun nicht eine Anlage gleich neben dem Dorf sie das Leben gekostet hatte, sondern Bohrungen einer ganz anderen Firma, die über sechzig Kilometer entfernt lagen.

»Wissen Sie, wie der Fluss vergiftet wurde?«, fragte Captain Grayling.

»Da gibt es viele Möglichkeiten. Vielleicht ist eine Leitung in einem Bohrloch gebrochen, und die Fracking-Flüssigkeit ist ausgetreten. Oder es gab einen natürlichen Einschluss schädlicher Stoffe im Felsen, der beim Fracken freigesetzt wurde. Oder jemand hat einfach giftige Schlacke ins Wasser entsorgt.«

Der State Trooper hat seine Maske abgenommen, und ich sehe seinem Gesicht an, dass er diesen Ort hier auch schlimm findet. Vielleicht hat er die Maske abgenommen, weil er gemerkt hat, dass ich sie ein bisschen unheimlich finde. Oder ganz einfach, weil es hier am Feuer so warm ist.

»Und das total gute Aputiak hier hast du gebaut?«, frage ich Dad, mit unserer speziellen Gebärde dafür.

»Ja.«

»Mit einem Loch für den Rauch und einer Tür aus Fell.«

»Genau. Ich hab einiges auf die harte Tour lernen müssen, Puggle.«

Nachdem er es geschafft hatte, das Aputiak zu bauen, hatte er das Qulliq entzündet und Akiaks Notebook danebengelegt, das noch immer vom Campinghandtuch umhüllt war. Nach vier Stunden hatte der Bildschirm aufgeleuchtet, und er hatte sich nicht mehr ganz so allein gefühlt. Er war nicht dabei gewesen, als die Dorfbewohner gestorben waren, hatte ihnen nicht helfen können, aber wenigstens konnte er jetzt bezeugen, was geschehen war. Er steckte das Kabel seiner Kamera in Akiaks MacBook, und sofort öffnete sich das Fotoprogramm. Er drückte die Option »Alle importieren«, und seine Fotos wurden auf das Notebook kopiert.

Er öffnete das erste Foto und wollte die Koordinaten ins Beschreibungsfeld eintippen. Doch der Bildschirm begann zu flackern, und Matt befürchtete, es werde nicht lange dauern, bis das Gerät sich wieder ganz abschaltete. So schnell er konnte, tippte er unter jedes Foto die Ziffern, die er sich mit Bleistift notiert hatte – sonst nichts. Unter das Foto mit dem Raben setzte er die Koordinaten von Anaktue, die er schon lange kannte.

Er hatte auch Fotos von den Fracking-Löchern und von den Schlackeseen gemacht – ziemlich körnig im Licht des großen Feuers – und die Koordinaten aufgeschrieben, aber diese Fotos enthielten keine Hinweise auf das Gift. Davon zeugten nur die Tierbilder.

Er musste die Fotos ins Internet einspeisen, wo sie vor den Widrigkeiten von Schnee, Eis und extremer Kälte geschützt waren. Aber zuerst musste er Yasmin mailen, seine Liebe zu ihr irgendwie in konkrete Gedanken und Worte fassen.

Gerade als er ihre Adresse eintippte, flackerte der Bildschirm wieder und erlosch dann völlig. Er wickelte das Notebook ins Handtuch und legte es neben das Qulliq. Eine Stunde später kehrte schwaches Leben in den Bildschirm zurück. Aber die Tastatur funktionierte nicht mehr, nur das Touchpad. Er probierte einen Buchstaben nach dem anderen aus. Nichts. Ihm war, als wäre er plötzlich stumm. Er musste an Ruby denken, wie es für sie sein musste, wenn Leute ihre Gebärden nicht als Wörter erkannten, und wie tapfer sie war.

Vielleicht würde er wenigstens die Fotos und Koordinaten senden können. Yasmins Adresse hatte er ja bereits eingegeben, und das Touchpad funktionierte. Er ging nach draußen.

»Von dort aus konnte ich die Fotos senden.« Dad zeigt auf einen Hügel, der sich wie ein riesiger schwarzer Schattenriss vor dem Schein des Feuers abhebt. »Ich brauchte ja eine direkte Satellitenverbindung.«

»Da müssen deine Füße aber weh getan haben«, sage ich. Im Aputiak hatte ich seine armen schwarzen Zehen gesehen.

»Nicht sehr. An den Füßen sind Erfrierungen nicht so tragisch. Im schlimmsten Fall verliere ich ein, zwei Zehen, aber man kommt auch mit ein paar Zehen weniger klar.«

Das sagt er nur mit den Händen, nur zu mir. Ich nehme seine Hände in meine und schaue mir seine Finger an, ganz genau. Er lächelt und gebärdet mir, dass es seinen Fingern total super geht.

Mit erfrorenen Füßen war der Aufstieg nicht leicht, der Boden war uneben und eisglatt. Auf dem Gipfel versuchte er, die Taschenlampe in den Schnee zu stecken, um die Hände für das Anschließen von Notebook und Satellitenterminal frei zu haben, aber sie fiel immer wieder um und grub sich in den Schnee. Wäre der Bildschirm heller gewesen, hätte das vieles erleichtert, aber er war nun mal fast schwarz, hatte einen Sprung und spendete kaum Licht.

Er zog die Überhandschuhe aus und tastete mit den Innenhandschuhen nach den Anschlussbuchsen. Schließlich schaffte er es, Terminal und Notebook zu verkabeln. Mit dem Touchpad öffnete er das Fotoprogramm und klickte das Bild des Moschusochsen an, dann drückte er »Teilen« und das E-Mail-Symbol. Mit Hilfe des Touchpads versicherte er sich, dass die Koordinaten automatisch mitgeschickt wurden. Yasmins Mailadresse war noch vorhanden, und er konnte sie per Touchpad mit Copy und Paste in die Empfängerzeile einsetzen. Als Betreff erschien automatisch die Fotonummer der Digitalkamera. Ehe er auf Senden drückte, versuchte er es nochmals mit der Tastatur, wünschte sich verzweifelt, er könnte Yasmin etwas schreiben. Doch sie war nach wie vor gefroren.

Als schließlich eine Satellitenverbindung zustande kam, schickte er das Moschusochsen-Foto ab, aber beim nächsten Foto brach die Verbindung zusammen, und er musste von vorn anfangen. Er wusste, er würde nur eine kleine Auswahl der Bilder senden können. Alle paar Minuten steckte er die Hände in die dicken Handschuhe, bis sie wieder warm waren. Nach einer halben Stunde erlosch der Bildschirm. Er musste ins Aputiak zurückkehren und abwarten, bis wieder Leben hineinkam, dann würde er den ganzen Weg zurück auf den Hügel gehen. Seine Glieder wurden schwer, seine Gedanken trüber, er verlor jedes Zeitgefühl. Immer noch hoffte er, dass die Tastatur wieder auftauen würde, und sei es nur, um seine Initialen zu schreiben, damit Yasmin wusste, dass die Mail von ihm war.

Mittlerweile regten sich die Vorboten des Sturms: der Wind wurde schärfer, der Schnee fiel dichter und raubte Matt zunehmend die Sicht. Als er das letzte Mal vom Hügel zurückkehrte, musste er kriechen. Um ihn herum peitschte der eiskalte Wind, der ihm jede Wärme raubte. Die Kälte war allumfassend, gleichgültig, gnadenlos.

Er wusste nicht mehr, welcher Tag es war. Hier draußen, dachte er, gab es keine Tage, keine Erdrotation, die das Land irgendwann ins Sonnenlicht führte, nur eine dunkle Nacht der Seele, in der wilde Stürme die Zeit in Stücke rissen.

Als er am Aputiak ankam, brannte das Qulliq auf wundersame Weise noch. Im Schutz seines Lagers dachte er an Corazon und Kaiyuk und wie unschätzbar all das war, was sie ihn gelehrt hatten.

Daddy hat gar nichts mehr von Koko und Siku gesagt, den letzten beiden Huskys, die er noch hatte.

»Waren in dem Megasturm Koko und Siku bei dir im Aputiak?«, frage ich.

Sein Blick ist traurig, und ich weiß, es muss etwas Schlimmes passiert sein. Er erzählt, dass sie nicht mehr beim Aputiak waren, als er vom Mailverschicken zurückkam. Er sagt, nachdem sie ihren eigentlichen Musher und ihre Leithündin verloren hatten, waren sie wild und halb verrückt geworden. Sie waren in den Sturm hinausgerannt, und er konnte nicht nach ihnen suchen.

Ich will nicht, dass er weiter an die Hunde denkt und traurig ist. »Nach dem Sturm«, frage ich ihn deshalb, »hast du da den Sternenhimmel gesehen?«

»Der war wunderschön, nicht wahr?«, sagt er.

Unsere Unterhaltung findet in Gebärden statt, nur wir verstehen sie.

»Du hast Mum ein Foto davon geschickt«, sage ich.

»Ich wusste ja nicht, dass sie die Sterne auch in echt sieht.« Er lächelt mich an. »Seit wann bist du so erwachsen?« Ich glaube, er hat gemerkt, dass ich ihn aufheitern wollte.

»Du hast deine Hände warm gehalten«, sage ich.

»Ich hatte meine kuscheligen Handschuhe und das Qulliq.«

»Hast du geglaubt, dass jemand kommen und dich retten wird?«

»Ganz ehrlich?«

»Ganz ehrlich.«

»Na ja, anfangs dachte ich, vielleicht schon. Aber mit der Zeit habe ich immer weniger Hoffnung gehabt.«

Ich glaube, er war davon überzeugt, dass ihn keiner retten würde.

»Obwohl du deine Koordinaten verschickt hattest?« Denn die zeigten ja nicht nur an, wo die Tiere lagen, sondern auch, wo Dad gewesen war.

»Ich dachte, sie wären ein bisschen zu kryptisch«, sagt er. Ich weiß, was »kryptisch« bedeutet: wie ein ganz schweres Rätsel. »Und niemand wusste ja, dass ich der Absender war.«

»Ich schon«, sage ich. »Die meiste Zeit jedenfalls.«

Dad nimmt meine Hand, deshalb kann ich eine Weile nicht reden.

Dann sage ich: »Du hattest nichts mehr zu essen.«

»Nicht viel.«

»Und du hast vorhin gesagt, das Qulliq würde nicht mehr lange brennen, und das Feuer würde auch bald ausgehen.«

»Dann wäre es ziemlich dunkel geworden«, sagt er.

Es wäre so schrecklich, ganz allein hier in der Kälte und Dunkelheit sitzen zu müssen.

»Aber Mum hat die Koordinaten rausbekommen«, sage ich.

»Und das, während sie quer durch ganz Alaska gefahren ist««, sagt Dad mit einem Gesicht wie ein Ausrufezeichen.

»Und du hast unsere Rakete gesehen«, sage ich.

»Und ich hab gehört, wie deine Mum einen Riesenlärm veranstaltet hat.«

»Und da hast du auch einen Riesenlärm gemacht?«

»Ja. Und dann habe ich dich und Mum auf mich zurennen sehen. Ihr beiden seid die unglaublichsten Leute, die mir in meinem ganzen Leben ...«

Mein Armband vibriert, und Dads Hände hören auf, Worte zu formen.

Eine Sirene jaulte durch die Dunkelheit. Sie kam aus dem Hubschrauber, der zweihundert Meter hinter ihnen stand, stellte Yasmin fest.

»Haben Sie ihn nicht in Handschellen gelegt?«, fragte Matt.

»Nein. Weil er sowieso nirgendwohin gehen kann«, antwortete Captain Grayling. »Vor dem brauchen Sie sich jetzt nicht mehr zu fürchten, darauf haben Sie mein Wort. Warten Sie, ich gehe und schalte diesen Höllenlärm aus.«

Während Matts Erzählung war Yasmin viel zu sehr von den Gefahren seiner Tour in Anspruch genommen gewesen, um über ihre eigene Reise nachzudenken, und hatte den Gedanken an den Tanklasterfahrer beiseitegeschoben. Ihr Blick war nur ab und an zu dem sacht schimmernden Aputiak vor ihnen gewandert, nicht zum Hubschrauber. Jetzt spürte sie ihn wieder hinter sich, bedrängend nahe. Sie konnte ihn sich nicht als Menschen mit einem Gesicht vorstellen. Nur als blaues Licht, das sie verfolgte, und seine Stimme als Sirene.

Der State Trooper ist zum Hubschrauber gegangen, um das Geräusch abzuschalten. Nur noch Mum und Dad und ich stehen bei dem großen Feuer. Wenn sie jetzt reden, werden sie wie immer gebärden oder mich von ihren Lippen lesen lassen, aber ich denke, vielleicht möchten sie allein sein.

»Ich gehe ins Aputiak«, sage ich. »Mir ist ein bisschen kalt. Und ich bin müde.«

Das stimmt zumindest teilweise. Die Schneewände des Aputiak glühen warm und golden, eine gemütliche Höhle.

»Ich bringe dich hin«, sagt Dad.

»Es ist doch gleich da vorn, Dad. Ich bin groß genug, um die paar Schritte allein zu gehen.«

»Da hast du recht«, sagt er und gibt mir seine Taschenlampe.

Allmählich ließ die Hitze des Feuers nach. Yasmin zog sich die Maske wieder übers Gesicht.

»Das Foto von den Sternen …«, sagte sie.

»Es sollte eine Art Abschied sein«, sagte Matt.

Nach dem schrecklichen Sturm war der Himmel so hell und voller funkelnder Sterne gewesen, und er hatte an Yasmin gedacht und das Foto gemacht. Er erinnerte sich, wie er sich auf die rein praktische Tätigkeit konzentriert hatte: das Foto zu schießen, das Kabel der Kamera ins Notebook einzustöpseln, mit Hilfe des Touchpads die Koordinaten der Fracking-Anlage einzusetzen. Die Wahrscheinlichkeit, dass sie begriff, dass das Foto von ihm stammte und die Zahlen Koordinaten waren, war verschwindend gering. Er wusste, das war nicht der wahre Grund, warum er es abschickte.

»Das war aber ein bisschen pessimistisch«, sagte sie, und selbst unter der Gesichtsmaske sah er, dass sie lächelte.

»Ein bisschen«, gab er zu. »War ja nicht das erste Mal, dass ich dachte, bald ist Sense.«

»Sense?«

»Ich versuche zu untertreiben.«

»Machst du ziemlich gut. In dem ersten Sturm auch schon, oder?«

»Genau. Das war, als mir das Zelt über die Tundra davonwehte und mein Notebook eingefroren war und mir das mit dem Aputiak noch nicht eingefallen war. Ich konnte überhaupt nicht klar denken.«

»Du warst unterkühlt, erschöpft und hattest Erfrierungen. Kein Wunder, dass du nicht klar denken konntest.«

Die Sirene verstummte. Captain Grayling hatte offenbar den Hubschrauber erreicht.

»Aber an dich konnte ich noch denken«, sagte er.

Sie küsste ihn.

»Ich sollte nachschauen, wer in dem Hubschrauber ist, oder?«, sagte sie.

»Musst du nicht.«

»Deshalb hast du Ruby allein ins Aputiak gehen lassen?«

»Nein. Aber ich habe mir gedacht, dass wir darüber reden würden.«

Sie wusste, wie brennend er sie beschützen wollte, und liebte ihn dafür, dass er das hier nicht zu seiner Sache machte, nicht zum Hubschrauber marschierte und schwor, den Kerl umzubringen – dass er ihre Angst nicht in seiner Aggression erstickte.

»Irgendwann muss ich ihn ja doch sehen«, sagte sie.

»In einem Gerichtssaal. Wenn er zwischen zwei großen starken Wachen sitzt.«

»Ja.«

Aber er war so lange hinter ihr her gewesen, hatte jeden ihrer Schritte mitverfolgt. Sie musste sich umdrehen und sich ihm stellen.

Ich gehe zu Dads Aputiak, da fällt der Strahl meiner Taschenlampe auf ein Stück braunes Fell im Schnee. Ich weiß, das muss Siku sein. Er ist der einzige der Huskys, der einen braunen Streifen auf dem Rücken hat. Ich glaube, er wollte zum Sterben zurück zu Dad kommen.

Ich versuche ihn aufzuheben, aber er ist echt schwer, deshalb zerre ich ihn über den Schnee. Ich lasse ihn nicht allein. Ich weiß, er kann nichts mehr spüren, aber ich will trotzdem nicht, dass er ganz allein im Schnee liegt.

Ich schaffe es, ihn ins Aputiak zu ziehen. Und dann weine ich ein bisschen wegen all dem, was Dad mir erzählt hat.

Fünfzig Meter vor dem Hubschrauber kam ihnen Captain Grayling entgegen.

»Wissen Sie, wer er ist?«, fragte Yasmin. »Haben Sie es schon herausgefunden?«

»Er heißt Jack Deering. Er ist Eigentümer und Geschäftsführer von Am-Fuels. Das ist eine Fracking-Firma.«

»Das hier sind also seine Bohrungen?«, fragte Matt.

»Ja.«

Yasmin überlegte, wo ihr der Name Am-Fuels schon begegnet war. An der Raststätte, wo Adeeb krank geworden war – dort hatten drei Am-Fuels-Sattelzüge mit Fertighäuschen gestanden. Sie waren auf dem Weg zurück nach Fairbanks gewesen. Und als Adeeb mit ihnen beiden in Fairbanks aufgebrochen war, hatten sie lange in der Ausfahrt des Parkplatzes gestanden, ehe sie abbiegen konnten, weil sie Laster von Am-Fuels hereinlassen mussten.

»Ich will ihn sehen«, sagte sie.

Sie war sich ziemlich sicher, wer er war. Unbeirrt ging sie auf den Hubschrauber zu.

Das Licht in der Kabine brannte. Sie ging näher heran und sah durchs Fenster sein Gesicht. Er hingegen hatte sie noch nicht bemerkt.

Sie fühlte sich auf den hektischen Flughafen zurückversetzt und in ihre große Verzweiflung, weil Matt nicht gekommen war. Nun verschmolz beides miteinander, bis auch ihre Verzweiflung ihr hektisch und laut erschien.

Er hatte sich nicht Jack Deering genannt, sondern Jack Williams. Er hatte behauptet, der letzte Flug des Tages sei schon weg, und ihr seine Hilfe angeboten. Er hatte so freundlich gewirkt und seine Tochter dabeigehabt. Allerdings hatte sie ihn überhaupt nicht mit dem jungen Mädchen in der Schlange reden sehen, er hatte wohl nur eine

Ausrede gebraucht, warum er sich überhaupt dort befand. Wahrscheinlich war er ihnen gefolgt, seit sie aus ihrem Flugzeug gestiegen waren.

Sie erinnerte sich, dass die meisten der Männer in der kleinen Abflughalle FBF-Mützen getragen hatten, bis auf wenige, darunter auch Jack, die Mützen von Am-Fuels aufhatten. Und Silesian Stennet hatte gesagt, FBF sei von Am-Fuels übernommen worden. Wer Jack war, hatte niemand gewusst – wie oft mischte sich ein Geschäftsführer schon unter die Arbeiter? Dass die Landebahn in Deadhorse durch herausgefallene Ladung unbenutzbar sei, war vermutlich nur in ihrer Abflughalle durchgesagt worden.

Jack Deerings Hass auf den Umweltaktivisten Silesian Stennet war echt gewesen. Allerdings hatte er keineswegs Yasmin und Ruby vor ihm schützen wollen. Er war ihnen nur nachgeeilt, weil er verhindern wollte, dass Silesian Stennet ihnen noch mehr erzählte. Weil Stennet auf der richtigen Spur gewesen war. Nur dass es nicht giftige Dämpfe von den Am-Fuels-Bohrungen gewesen waren, die sechzig Kilometer weit nach Anaktue gelangt waren und die Dorfbewohner getötet hatten, sondern Gift im Fluss.

Jack Deering hatte sich mit Leichtigkeit einen Tanklaster besorgen können – vermutlich besaß er eine ganze Flotte davon.

In diesem Moment drehte sich Deering im Hubschrauber um und blickte sie an. Das war er also. Auch nur ein Mensch. Er sah als Erster weg.

»Er kommt ins Gefängnis«, sagte Matt. »In Amerika. Tausende Kilometer von dir und Ruby entfernt.«

»Ja.«

Sie gingen zurück zum Feuer, von wo aus man das

warme Glühen des Aputiak sah, in dem Ruby sicher und gemütlich saß. Grayling war zurück in den Hubschrauber gestiegen, um in Erfahrung zu bringen, wie lange der Ersatzhubschrauber noch brauchen würde.

In der Stille fielen langsam, ohne Eile, ein paar Schneeflocken zu Boden.

Ich streichle Siku und *hasse* den Mann, der ihm das angetan hat. Ich weiß, es ist der Mann im Hubschrauber. Ich will, dass er weiß, was er Siku und all den anderen Tieren getan hat. Ich will ihm sagen, dass ich keine Angst vor ihm habe und dass er uns nicht daran hindern konnte, Dad zu finden. Ich will so mutig sein wie Mum und Dad. Ich sage Siku auf Wiedersehen und gehe hinaus. Es schneit ein bisschen, die Flocken brennen wie Funken auf der Haut, und ich muss die Maske übers Gesicht ziehen. Ich gehe weit um das große Feuer herum, damit Mum und Dad mich nicht sehen. Sie stehen eng aneinandergedrückt, wie zwei gefaltete Hände. Mums Gesicht ist in der großen Kapuze von Dads Parka verschwunden. Ich bin mir sicher, dass sie sich küssen, also ist es gut, dass ich sie allein gelassen habe.

Ich komme dem Hubschrauber immer näher. Mum und Dad und das Feuer sind weit hinter mir. Mum hat mir erzählt, dass sie früher ganz große Angst vor der Dunkelheit hatte, aber eines Nachts hat sie sich gezwungen, die Läden ihres Schlafzimmerfensters aufzuziehen und in die Dunkelheit hinauszuschauen, und da hat sie statt Dunkelheit Millionen von Sternen gesehen.

Ich kann jetzt durch das Fenster des Hubschraubers sehen. Drinnen ist es hell. Ein Mann dreht sich in meine Richtung um, und ich schalte schnell meine Taschenlampe aus.

Ich dachte, es wäre der Mann mit den fischigen Händen, aber es ist der Grinsemann mit der superteuren Uhr, die er an ganz normalen Tagen trägt.

Noch jemand sitzt im Hubschrauber. Es ist der State Trooper. Ich gehe etwas näher. Jetzt kann ich die Gesichter von beiden sehen, aber ich glaube nicht, dass sie mich im Dunkeln draußen bemerken. Der State Trooper hat seine Maske abgelegt. Der Grinsemann sieht verärgert aus und sagt: »Mein Gott, David …« Dann etwas, was ich nicht sehen kann, und dann sagt der Grinsemann: »Wir haben ihn gefunden …« und noch viele andere Dinge, aber ich kann sie nicht gut genug lesen, um sicher zu sein.

Der State Trooper steigt aus dem Hubschrauber. Er sieht wütend aus, dann zieht er sich die Maske über.

Ich renne zu Mum und Dad. Aber ich habe die Taschenlampe nicht angeschaltet und falle hin. Der State Trooper geht an mir vorbei – er sieht mich nicht mal.

Jetzt steht er mit Mum und Dad am Feuer. Die schwarze Gummimaske vor seinem Gesicht glänzt in den Flammen.

Ich stelle mich ein Stück hinter ihn, ein bisschen seitlich, sodass er mich nicht sehen kann, aber ich hoffe, Mum oder Dad bemerken mich. Da sieht mich Mum. Ich lege die Finger an die Lippen – *pssst*. Mum sieht erstaunt aus, aber sie sagt nichts zu dem State Trooper. Ich gebärde ihr: »Der böse Mann hat den State Trooper mit David angesprochen«, wobei ich »State Trooper« und »David« buchstabiere. »Und dann hat er gesagt: ›Wir haben ihn gefunden.‹«

Mum schaut den State Trooper an, als wäre es total spannend, was er erzählt, damit er nicht bemerkt, dass sie mir mit den Händen neben ihrer Hüfte gebärdet: »Geh ins Aputiak, so schnell du kannst.« Ich will Mum und Dad nicht allein lassen, aber ich werde tun, was sie sagt. Sie hat meine und Dads Gebärde für Aputiak gemacht – jetzt ist es auch ihre.

Matt sah, wie Yasmin ihm etwas gebärdete. Er dachte, es sei etwas Intimes, was sie nicht vor Captain Grayling sagen wolle, und auch dieser schien das zu denken, denn er lächelte ein bisschen väterlich.

»Hast du versucht, mich anzurufen?«, fragte sie ihn. Und dann eilig: »Sag's mir in Gebärden.«

»Ja. Während des ersten Sturms. Als mein Zelt weggeweht wurde und ich nicht mehr klar denken konnte. Ich wollte deine Stimme hören.«

Sein Satellitentelefon hatte unten in seinem Rucksack gelegen. Schon seit dem Filmausflug war der Akku leer gewesen, deshalb hatte er gar nicht mehr daran gedacht. Erst in jenem ersten Sturm, unterkühlt, halb erfroren und verzweifelt, hatte er sich an etwas erinnert, was er zuvor als unbelegten Mythos abgetan hatte.

»Ich habe das Handy unter meine Kleidung gesteckt, direkt auf die Haut«, gebärdete er. »Ich hoffte, die Körperwärme würde den Akku wieder zum Laufen bringen, das letzte bisschen Saft darin aktivieren. Da war ein Hügel. Ich stieg so schnell ich konnte hinauf. Ich rannte. Und dann hab ich dich angerufen.«

Im Grunde hatte er wenig Hoffnung gehabt, aber dort oben, mitten in der Finsternis und umgeben vom heulenden Wind, hatte er ein paar Sekunden lang Verbindung zu ihr gehabt, über Kontinente und Ozeane hinweg. »Bevor ich etwas sagen konnte, war die Verbindung wieder weg.«

Yasmin versuchte sich ihre Unruhe nicht anmerken zu lassen. »Er hat mir erzählt, er hätte dein Handy im Dorf gefunden.«

Sie dachte daran, wie wenig gefehlt hatte, dass Matt schon vorhin davon erzählt hätte, und sie fragte sich, ob es ihnen Zeit oder einen Vorteil erkauft hätte. Sie bezweifelte es. Sie waren mitten in der Wildnis, ohne eine Möglichkeit zu fliehen, sich zu verstecken oder zu überleben.

»Wo ist Ruby?«, gebärdete Matt.

»Im Aputiak.«

Sie war sich bewusst, dass Captain Grayling sie beobachtete, jetzt nicht mehr mit diesem väterlichen Blick. Sie war leicht vor ihm zurückgewichen – vielleicht war das der Augenblick, in dem er erriet, worüber sie und Matt kommunizierten.

»Es ist nicht so, wie Sie denken«, sagte er. »Ich versuche nur, das Richtige zu tun.«

Nicht weit von ihnen befand sich ein riesiges Schlackebecken. Selbst in der eisigen Luft trieb der stechende, giftige Gestank zu ihnen herüber.

»Ich wollte Sie nie in Gefahr bringen«, fuhr er fort. »Glauben Sie mir. Wir wollten Ihnen nur alles erklären, damit Sie begreifen, warum dieser Unfall niemals an die Öffentlichkeit gelangen darf. Sonst wird das Fracking womöglich auch dort verboten, wo es in den USA momentan noch erlaubt ist. Dann werden die Kriege im Nahen Osten immer weitergehen. Das kann ich nicht zulassen.«

»Woher kennen Sie Jack Deering?«, fragte Matt.

»Wir sind Cousins. Er ist bereit, Ihnen eine beträchtliche Geldsumme zu bieten.«

»Sie glauben, man kann so etwas mit Geld aufwiegen?«, fragte Matt.

»Nein.«

Yasmin spürte abgrundtiefe Wut auf ihn in sich aufsteigen. »Sie haben gesagt, Sie hätten nach Matt gesucht.«

»Habe ich auch. Damals glaubte ich wirklich, es hätte nur einen verheerenden Brand gegeben und dass vielleicht jemand entkommen sei. Ich habe erst aufgegeben, als wir vierundzwanzig Leichen gefunden hatten, eine mehr als die uns bekannte Anzahl von Bewohnern. Und den Visaeinträgen war zu entnehmen, dass sich ein Matthew Alfredson in Anaktue aufhielt, und ich hatte auch den Ehering mit seinen Initialen gefunden.«

Er musste einmal ein ehrlicher Mensch gewesen sein, Yasmin glaubte, in seiner Stimme noch etwas davon zu hören.

»Erst später an jenem Abend hat Jack mich angerufen«, fuhr Grayling fort. »Er erzählte mir, in einer seiner Fracking-Anlagen sei ein schlimmer Unfall passiert, und um ihn zu vertuschen, habe er einen seiner Männer bezahlt, um das Dorf in Brand zu setzen.«

Ein Stück lackiertes Holz am Rand des Feuers flammte auf und ließ Funken in den schwarzen Himmel sprühen. Asche schwebte auf Yasmins Gesichtsmaske nieder.

»Die Menschen in Anaktue waren sowieso tot«, sagte Grayling. »Es war ein entsetzlicher Unfall. Aber daran war nichts mehr zu ändern. Ich hielt es für richtig, zu verhindern, dass es in der Folge zu einem noch größeren Desaster kam.« Er verstummte. Es war nichts zu hören außer dem Zischen der Flammen, wenn Schneeflocken im Feuer landeten. »Jack sagte mir, die Sicherheitssysteme hätten nur aufgrund einer Verkettung singulärer Umstände versagt. Ich musste ihm zustimmen, dass es tragisch wäre, wenn wegen eines Unfalls, dessen Risiko bei eins zu einer Million lag, das Fracking in den gesamten USA gestoppt würde, höchstwahrscheinlich für immer. Es war nur sinnvoll, an die Konsequenzen zu denken.«

Vielleicht glaubte er das tatsächlich, dachte Yasmin. Vielleicht konnte er sich wirklich einreden, dass er anständig handelte.

»Sie haben mir gesagt, Sie hätten Matts Handy gefunden.« Sie meinte zu sehen, wie er vor dem Zorn in ihrem Ton zusammenzuckte.

»Ich war mir sicher, dass er tot war. Ich dachte, wenn Sie diesen Anruf weiterhin als Beweis dafür sehen würden, dass er noch lebte, würde das nur Ihr Leid verlängern.«

»Sie haben aus Nettigkeit gelogen?«

»Um zu verhindern, dass Sie ihr ganzes Leben darüber nachgrübeln. Als Hilfsmittel, damit Sie in der Lage wären, ihn gehen zu lassen.«

Sie hatte das Gefühl, als würde sie im Dunkeln von etwas Widerwärtigem umschlossen. »Geben Sie doch zu, dass es Selbstschutz war. Weil Sie sich an einer Vertuschungsaktion beteiligt hatten.«

»Nein. Ich wusste zwar nicht, wer Sie da angerufen hatte, aber ich war überzeugt, dass es auf keinen Fall Ihr Mann gewesen war.«

»Haben Sie eigentlich eine Ahnung, was Sie da getan haben?« Sie wollte seinen ach so vernünftigen Ton erschüttern, damit er endlich so klang, wie er wirklich war.

»Dafür trage auch ich eine gewisse Verantwortung«, sagte Jack Deering. Er kam auf sie zu, fast unsichtbar in seiner schwarzen Polarkleidung. Nur die Spiegelung der Flammen in seinen Brillengläsern verriet ihn.

Er trat zu Yasmin und sagte ganz ruhig: »Sie haben ihm Angst eingejagt mit Ihrer Geschichte, Ihr Mann habe noch versucht, Sie zu erreichen. Er hat mich sofort angerufen.«

Seine Stimme klang jetzt ganz anders. Am Flughafen und im CB-Funk hatte er sie erfolgreich verstellt.

»Ich habe ihm erzählt, der Mann, den ich mit dem Verbrennen beauftragt hatte, hätte einen Europäer unter den Toten gesehen. Wenn ich das nicht gesagt hätte, dann hätte er alles aufgefahren, was ihm zur Verfügung stand, und nach Ihrem Mann gesucht. Der große General hätte seine Spielzeugarmee mit Tatütata und Blaulicht ausgepackt und dabei das große Ganze völlig aus dem Blick verloren.«

Sie gebärdete Matt, dass sie es für möglich hielt, dass Grayling ihnen vielleicht doch helfen würde, dass er doch nicht ganz skrupellos war. Deering packte mit festem Griff ihre Hände und brachte sie so zum Schweigen.

»Und dann haben Sie über Funk gemeldet, Sie würden verfolgt«, sagte er. »Davey hat's gehört. Und hat ziemlich schnell die richtigen Schlüsse gezogen und mich per Satellitenhandy angerufen. Ich musste ihm gestehen, dass ich nicht ganz ehrlich mit ihm gewesen war. Da warst du nicht gerade erfreut, was, Davey? Du hast gedacht, du könntest mir wie in alten Zeiten die Leviten lesen.«

Yasmin entriss ihm ihre Hände, aber der Schein des Feuers war ohnehin so schwach geworden, dass es nutzlos war zu gebärden.

»Als ich ihn so weit beruhigt hatte, dass er mir zuhörte«, fuhr Deering fort, »konnte ich ihm endlich erklären, dass ich Sie nicht jagte, sondern Ihnen nur folgte. Ich habe ihm klargemacht, dass Matthew Alfredson vermutlich die Wahrheit über den Unfall kannte. Und dass er seine Frau vielleicht noch mal anrufen würde. Wenn Sie uns zu ihm führen könnten, hätten wir die Möglichkeit, mit Ihnen beiden zu reden und Ihnen zu erklären, was auf dem Spiel steht, ohne dass uns dabei eine Horde State Troopers stört.«

Yasmin spürte, welche Genugtuung ihm seine Macht bereitete – nicht die Macht über sie beide, sondern die über Grayling.

»Aber wenn Matt mich noch mal angerufen hätte«, sagte sie zu Grayling, »hätte ich gewusst, dass Sie gelogen haben.«

»Nicht Davey«, sagte Deering. »Die State Troopers. Die Polizei. Sie hätten nicht mehr gewusst, wem sie trauen können. Ich habe darin einen Vorteil für uns gesehen. Und es wäre gar nicht so weit hergeholt gewesen. Das Fracking hat Befürworter in den höchsten Kreisen.«

Matt wandte sich an Grayling. »Warum in aller Welt haben Sie sich darauf eingelassen?« Auch er hatte den State Trooper eigentlich für einen anständigen Mann gehalten. Nun fiel es ihm schwer, seinen persönlichen Eindruck mit dem zusammenzubringen, was sie soeben erfahren hatten.

»Ich wollte die Gelegenheit haben, es Ihnen zu erklären. Damit Sie das große Ganze erkennen. Dass all das einem guten Zweck dient.«

»Ein Sturm ist aufgekommen«, sagte Yasmin. »Und wir sind mitten hineingeraten, und zwar deshalb, weil er uns nicht umkehren ließ.«

»Ich habe ihm gesagt, ich würde mich auf der Strecke um Sie kümmern«, sagte Deering. »Dafür sorgen, dass Ihnen nichts passiert.«

Es klang nicht, als wolle er Grayling entschuldigen, eher wie eine weitere Machtdemonstration.

»Und das haben Sie ihm geglaubt?«, fragte Yasmin Grayling.

Der schwieg.

»Weil es Ihnen entgegenkam. Weil Sie sonst bloßgestellt gewesen wären.«

»Ich habe nach Ihnen gesucht«, sagte Grayling. »Bis es nicht mehr ging. Sobald der Sturm es wieder erlaubte, habe ich weitergesucht. Ich schwöre Ihnen, ich habe alles getan, um zu verhindern, dass jemand zu Schaden kommt. Und das wird auch jetzt nicht passieren.«

»Ist Ihr Hubschrauber nun kaputt oder nicht?«, fragte Matt.

Grayling zögerte. »Wie gesagt, ich wollte etwas Zeit mit Ihnen haben, um Ihnen alles zu erklären ...«

Matt unterbrach ihn. »Haben Sie einen Funkspruch abgesetzt? Ist irgendjemand auf dem Weg hierher?«

Grayling antwortete nicht. Asche wirbelte zwischen den tanzenden Schneeflocken empor.

»Ich gehe zu unserer Tochter«, sagte Matt und marschierte davon in Richtung Aputiak. Deering und Grayling ließen ihn nur deshalb gehen, dachte Yasmin, weil Matt und sie nirgendwohin fliehen oder Hilfe holen konnten.

»Was glaubt die Polizei, wo wir sind?«, fragte Yasmin Grayling.

Er antwortete nicht.

»Südlich des Atigun-Passes, wie Deering behauptet hat?«

Wieder Schweigen. Er ekelte Yasmin an.

»Ich wollte Sie nicht jagen«, sagte Deering mit sanfter Stimme in der Dunkelheit. »Ich brauchte Sie nur, damit Sie mich zu Ihrem Mann führen.«

Aber sie hatte schon begriffen, warum er sie nicht hatte umkehren lassen. Sobald sie auf die Flussstraße abgebogen war, musste ihm klar gewesen sein, dass sie hier, an diesem giftigen Ort, landen würde. Erst dann hatte er auf sie und Ruby geschossen.

Sie wandte sich ab und ging Matt nach.

Während sie durch die schwarze, eisige Landschaft auf das Aputiak zuging, dachte sie nicht an Deering oder Grayling oder was jetzt geschehen würde, sondern an das Sternenfoto, das Matt ihr geschickt hatte, und daran, wie er halb erfroren losgelaufen war, mit dem Handy am Körper, nur um ihre Stimme hören zu können.

Matt kam aus dem Aputiak. An der Art, wie er stehen blieb, und an seiner Miene erkannte sie, dass etwas ganz und gar nicht in Ordnung war.

Ich hab mein Notebook aufgeklappt, damit es mir den Weg leuchtet. Die Taschenlampe habe ich Mum und Dad dagelassen. Im Schein des Bildschirms sehen der Schnee und das Eis grünlich aus, und ich schaue nur auf den grünen Schnee, nicht in die Dunkelheit. Ich habe Dads Rucksack mit dem Terminal aufgesetzt, damit es geschützt ist. Über mein Notebook habe ich Dads Spezialhülle gezogen. Der Teil für den Bildschirm besteht aus durchsichtigem Plastik. Es schneit, aber nur ein bisschen. Eine fette Flocke ist mitten auf dem Bildschirm gelandet. Ich habe sie mit dem Handschuh weggewischt.

Ich bin schon ziemlich hoch oben. Wenn ich zurückschaue, kann ich nur das Feuer sehen, einen orangen Punkt, und nicht weit davon das Aputiak, das ist ein kleines gelbes Glühen. Wenn der orange Punkt und das gelbe Glühen immer hinter mir sind und ich nach oben klettere und nicht nach unten, komme ich zum Gipfel.

Rings um sie war unendliche Finsternis, und irgendwo darin war Ruby. Zehn Jahre alt. Minus dreißig Grad. Sie hatte das Notebook und das Terminal mitgenommen. Wer wusste, was Deering und Grayling ihr antun würden, wenn sie das mitbekamen. Stumm vor Angst standen sie da, verbunden durch etwas, was größer war als Liebe.

Wenn sie Ruby suchen gingen, würden Deering und Grayling merken, dass sie weg war. Aber wie konnten sie nicht nach ihr suchen?

Vor Grauen musste Yasmin würgen. Ruby würde sich unterkühlen, sich Erfrierungen holen. Und wenn sie sie nicht fanden? Dann würde sie einsam und allein im Dunkeln sterben.

Zwei Gestalten kamen auf sie zu. Jack Deering ging voraus, er hielt eine Waffe in der Hand. Grayling folgte ihm.

Matt dachte an Siku im Aputiak. Nur ein Kind würde so etwas tun, dachte er: einen toten Hund retten und nach drinnen bringen, damit er es warm hatte. Und nur ein Kind würde auf die Idee kommen, einen Schlafsack über den toten Husky zu ziehen, damit es aussah, als liege dort ein schlafendes Kind. Als ob die Erwachsenen sich dadurch täuschen lassen würden. Wie schrecklich unschuldig sie war im Vergleich zu diesen Männern.

»Wo ist Ihr Notebook mit den Fotos?«, fragte Deering Yasmin.

»Mit dem Laster untergegangen.«

»Sie lügen nicht besonders gut.« Er wandte sich an Matt. »Und Ihr Terminal? Ist das auch im Iglu?«

»Es hat irgendwann nicht mehr funktioniert. Da habe ich es zurückgelassen.«

Jack ging auf das Aputiak zu. Yasmin stellte sich ihm in den Weg.

»Unsere Tochter muss schlafen. Sie hat schreckliche Angst ausgestanden und ist völlig erschöpft.«

Sollte sie ihm die Wahrheit sagen, damit sie sich auf die

Suche machen konnten? Was für eine Bedrohung war Ruby schon für sie? Sie war zehn und ein zierliches kleines Mädchen. Selbst wenn es ihr gelingen sollte, Notebook und Terminal funktionstüchtig zu machen – und das würde ihr nicht gelingen, nicht im Dunkeln bei minus dreißig Grad –, wem würde sie mailen? Wen konnte sie um Hilfe bitten? Kannte sie überhaupt irgendwelche Mailadressen auswendig?

»Ich will jetzt hören, was Sie dazu zu sagen haben«, sagte Matt zu Grayling. »Sie sagen doch die ganze Zeit, Sie wollen es uns erklären, also los, ich würde es gern wissen.«

Die einzige Überlebenschance für Ruby, dachte er, war, diese Männer daran zu hindern, sie zu verfolgen, sie in ein Gespräch zu verwickeln. Yasmin wusste, dass er recht hatte. Selbst wenn Ruby keine Bedrohung war, würden die Männer sie auf jeden Fall für ein potenzielles Risiko halten.

»Okay«, sagte Grayling. »Lassen wir das Kind schlafen, gehen wir zurück zum Feuer.« Als wollte er mit dieser kleinen freundlichen Geste die ganze Grausamkeit wettmachen. Er wandte sich an Deering. »Das war doch die ganze Zeit unsere Absicht. Es ihnen zu erklären.«

Sie gingen zum Feuer zurück, auf dem die letzten Müllreste verbrannten.

»Also, was genau ist hier passiert?«, fragte Matt.

»Eine der Bohrleitungen muss einen Haarriss gehabt haben«, sagte Deering. »Durch das Fracken ist sie geplatzt. Die Rückstoßmasse wurde kontaminiert. Wahrscheinlich mit Arsen. Sie wurde als Wolke den Fluss hinuntergeschwemmt.« Er sprach nüchtern, es klang fast überheblich. »Zuerst wurde mein Vorarbeiter hysterisch. All die toten Tiere und Fische. In der Nähe von Fracking-Anlagen sterben immer wieder Viecher, aber das hier war etwas anderes. Ich wusste, dass flussabwärts Eskimos wohnen, und habe einen meiner Männer hingeschickt. Hab ihm gesagt, was er tun muss.«

Matt glaubte in der Dunkelheit eine Gestalt zu sehen und strengte seine Augen an. Aber es war nur ein zuckender Schatten von den letzten Flammen des Feuers.

»Die Leute in Anaktue haben ihr Trinkwasser immer abgekocht«, sagte er.

»Durch Abkochen konzentriert sich Arsen nur noch mehr«, sagte Deering, weiterhin in diesem nüchternen Ton.

»Waren noch andere Menschen ...«

Deering fiel ihm ins Wort. »Nur dieses eine Eskimodorf, von dem kein Mensch je gehört hat.«

»Ich dachte, jede Fracking-Bohrung würde genau geprüft ...«

»Das wurde sie auch. Und durchgewinkt.«

»Aber Sie sagten, die Leitung hätte einen Riss gehabt.«

»Einen Haarriss. In fast zwei Kilometern Tiefe. Und der Prüfer war ein Frischling, der so schnell wie möglich wieder die Kurve kratzen wollte. Er hat sich in seinem dünnen Parka den Arsch abgefroren, während er im Dunkeln die Kamera runtergelassen hat. Danach hatte er noch fünfzehn weitere Löcher zu erledigen.«

»Verstehe. Und nach dem Unfall haben Sie zugesehen, dass Sie schleunigst alle Beweise vernichten.«

»Ich habe bloß einem Mann gesagt, er soll ein Feuerchen anzünden. Den Rest hat der Schnee erledigt.«

»Und hier?«

»Mein Vorarbeiter hat Panik bekommen, der Idiot, und hat angefangen, alles auseinanderzunehmen. Der hat auch den Scheiterhaufen hier aufgeschichtet.«

»Und das wäre nicht nötig gewesen?«

»Es wäre nie rausgekommen, dass überhaupt je was passiert war. Der Fluss fließt schnell, zehn, fünfzehn Stundenkilometer, die Arsenwolke hätte irgendwann den Arktischen Ozean erreicht, man hätte nichts mehr im Wasser gefunden. Aber wie gesagt, der Kerl hat Panik bekommen und alle Leute heimgeschickt. Selbst die verdammte Straße hat er zerstört.«

Yasmin suchte die Dunkelheit nach Ruby ab. Sie wusste, dass Matt sich bezähmen musste, nicht dasselbe zu tun, sondern Deering anzusehen.

»Die Schlackegruben sind alle randvoll«, sagte Matt zu Deering. »Waren sie schon vor dem Arsenleck voll?«

»Manchmal sind die Leute ein bisschen schludrig, was die Sicherheitsvorkehrungen angeht.«

»Also wurde der kontaminierte Rückstoß einfach in den Fluss entsorgt?«

»Wie gesagt, manchmal sind die Leute in dieser Hinsicht ein bisschen schludrig. Manche sind schlichtweg faul. Und der Frischling in seinem dünnen Parka kommt bestimmt nicht noch mal vorbei und schaut nach.«

»Wenn der Fluss mit fünfzehn Stundenkilometern fließt«, sagte Matt, »hätte die Arsenwolke das Dorf erst nach vier Stunden erreicht.«

»Niemandem ist rechtzeitig eingefallen, sie zu warnen«, sagte Grayling. Yasmin glaubte aus seinem Ton ehrliches Bedauern herauszuhören. Sie versuchte ihm in die Augen zu sehen, in der Hoffnung, dort einen Funken Mitgefühl zu finden, aber das schwindende Licht des Feuers brach sich auf seinen Brillengläsern, und dahinter war nichts zu erkennen.

Inzwischen glühte das Feuer nur noch. Die Fracking-Anlage und die Schlackegruben waren nicht mehr zu sehen. Yasmin befürchtete, dass Ruby bald keine Orientierungspunkte für den Rückweg mehr haben würde. Aber wenn diese Männer ihr folgten, wäre es noch schlimmer.

»Sie sagten, es gebe einen guten Grund, die Sache hier zu vertuschen«, wandte sich Matt an Grayling. »Den hab ich immer noch nicht gehört.«

Es war Deering, der ihm antwortete. »Das Problem, das wir haben, ist, dass das Leck hier nicht einfach nur irgendeinen Brunnen vergiftet hat, wie bei den meisten Fracking-Unfällen. Und Energiepolitik wird nicht von Hinterwäldlern gemacht, die ihr verdammtes Wasser noch am Brunnen holen.«

»Im Gegensatz zu einem Brunnen«, fügte Grayling hinzu, »ist ein Fluss in Bewegung. Wenn ein Fluss vergiftet wird, sind alle flussabwärts davon betroffen. Ein großer Anteil unseres Trinkwassers kommt aus Flüssen und Bächen. Wenn dieser Unfall bekannt würde, bekämen die Leute Angst, dass irgendwann aus ihren Wasserhähnen Gift kommt. Und die Verantwortlichen für die Energiepolitik bekämen auch Angst. Diejenigen, die dem Fracking skeptisch gegenüberstehen, würden sich womöglich ganz und gar dagegen entscheiden. Und diejenigen, die jetzt schon dagegen sind, würden den Unfall in jeder Hinsicht für ihre Zwecke ausschlachten.«

»Und Sie finden nicht, dass diese Angst berechtigt wäre?«

»Nein. Das hier war ein tragischer Einzelfall. Es sind eine Menge Dinge passiert, die nicht hätten passieren dürfen, und es war ein schrecklicher Zufall, dass die Sicherungssysteme nicht funktioniert haben.«

Während sie ihm zuhörte, wünschte sich Yasmin, es

gäbe eine winzige Chance, dass er nicht gelogen hatte und sie gehen lassen würde, sobald er ihnen alles erklärt hatte. Dann könnten sie sich endlich auf die Suche nach Ruby begeben.

»Jede Energie hat ihren Preis«, sagte Grayling. »Wir müssen uns für diejenige entscheiden, deren Preis am geringsten ist. Durch Fracking wird Energie genau hier gewonnen, unter unserem Land. Niemand kann sie uns streitig machen. Wir müssen keine Kriege darum führen.«

»Wissen Sie«, ergänzte Deering, »Alaska hat schon immer den Rest der USA beschützt. Erst gegen die Kommunisten und jetzt gegen die Araber, und zwar, indem wir Amerika Energie liefern – zunächst nur aus gewöhnlichen Ölbohrungen und mittlerweile auch durch Fracking. Im Landesinnern von Alaska liegen gewaltige Lagerstätten unter Gebieten, die sonst zu nichts gut sind. Dreihundert Millionen Tonnen förderbares Öl, über zwei Trillionen Kubikmeter Erdgas. Das schießen wir doch nicht wegen ein paar Eskimos in den Wind.«

Matt hörte ihm die Aggressivität, die Unversöhnlichkeit an. Deering war jemand, der vor keinem Streit oder Kampf zurückschreckte. Vielleicht konnte er sich das zunutze machen, um ihn von Ruby fernzuhalten.

Deering wandte sich ab und begann in Richtung des Aputiak zu gehen.

»Mit ›wir‹ meinen Sie nur die USA?«, rief Matt.

»Andere Länder sind nicht mein Problem.«

»Sie halten sich also für patriotisch?«

Deering blieb stehen. »Es herrscht doch wohl kein Zweifel, dass das Fracking unser Land aus der Wirtschaftskrise geholt hat. Es hat uns stark gemacht. Unabhängig. Wir können doch nicht die Führungsnation der freien

Welt sein, wenn wir uns unsere Energie im Ausland holen müssen.« Er setzte sich wieder in Bewegung.

»Als die ersten Astronauten ins All flogen«, sagte Yasmin, »machten sie Fotos von der Erde. Da konnten alle sehen, dass sie eine große Einheit war – ein wunderschöner blauer Planet in der Finsternis des Alls.«

»Tiere und Vögel wissen nichts von Staaten und Politik«, ergänzte Matt. »Manche wandern über Tausende von Kilometern, um die halbe Erde. Für sie ist die Erde ein großes Ganzes.«

»Kommen Sie mir bloß nicht mit diesem Ökoscheiß«, sagte Deering, aber er war stehengeblieben.

»Ich will damit nur sagen, dass es ein noch größeres Ganzes gibt als Ihres«, sagte Matt. Er drehte sich zu Grayling um. »Und Sie haben mich immer noch nicht überzeugt.«

»Aber wir Menschen haben Territorien, das ist doch unsere tägliche Realität«, sagte Grayling. »Und die Völker führen Krieg um Öl. Und wir schicken unsere Jungs in den Tod.«

»Glauben Sie etwa, das Fracking wird für Weltfrieden sorgen?«

Er hörte ein Geräusch hinter sich und wirbelte herum, um Ruby zu packen, sich zwischen sie und diese Männer zu werfen, aber es war nur der stärker werdende Wind, der einen Stapel Müllcontainer hinter ihm zum Wackeln brachte.

Ich bin jetzt ganz oben, denn als ich eben weiterwollte, ging es wieder abwärts, also bin ich umgekehrt.

Der Wind klatscht mir ins Gesicht. Flapp! Flapp!

Man sieht keine Sterne, nur Dunkelheit, und der Schnee fällt und fällt, wie sanfte weiße Blüten.

Ganz weit oben, noch weiter als dort, wo die Schneeblüten herkommen, sind die Satelliten.

Ich weiß noch genau, wie Dad mir in Schottland erklärt hat, was man machen muss. Ich nehme Dads Terminal aus dem Rucksack und stelle das Notebook so hell ein, wie es geht, aber es ist immer noch schwierig, zu sehen, wo man das Kabel einstecken muss. Ich versuche mit den Handschuhen nach den Löchern zu tasten, aber das geht überhaupt nicht. Da ziehe ich die dicken Handschuhe aus und mache es in Innenhandschuhen.

Jetzt ist das Terminal angeschlossen. Meine Tastatur ist nicht eingefroren, wegen der Spezialhülle.

Das Terminal sucht oben im Weltraum nach einem Satelliten.

Ich öffne Dads und meinen Blog mit den Fotos und den Koordinaten, die anzeigen, wo die Tiere entlang des Flusses gestorben sind. Sobald das Terminal einen Satelliten findet, werde ich ihn veröffentlichen, auch die blöden Stellen, wo ich mit Daddy rede, weil ich keine Zeit habe, um irgendwas zu löschen. Ich hoffe, Daddy hat nichts dagegen, es ist ja ein Notfall.

Jetzt sind meine Finger echt kalt.

Auf dem Bildschirm steht immer noch »Searching …«.

Mum sagt, viele Satelliten zusammen nennt man eine Konstellation, genau wie Sterne. Aber ich glaube, über mir sind höchstens einer oder zwei.

Aus dem großen Feuer leckten keine Flammen mehr, nur an manchen Stellen glühte noch die Asche, wie Pockennarben. Yasmins Magen verkrampfte sich vor Sehnsucht, bei ihrer Tochter zu sein, sie spürte, wie ihre Finger nach dem Kind tasteten, das nicht da war.

Matt diskutierte mit Deering und Grayling, versuchte deren Aufmerksamkeit an sich zu binden, erklärte ihnen, dass die nächsten Kriege um sauberes Wasser ausgefochten werden würden. Deerings Patriotismus war in Yasmins Augen eine lächerliche dünne Eierschale, unter der knallharte Gier und Anspruchsdenken regierten. Jeden Moment konnte er die Geduld mit ihnen verlieren und zum Aputiak marschieren, um festzustellen, dass Ruby nicht darin war. Deering würde sie alle drei ohne Mitleid oder Skrupel töten, dachte Yasmin. Aber vielleicht bestand die Chance, dass Grayling ihn daran hinderte.

»Wissen Sie, wie viel Wasser man für eine einzige Fracking-Bohrung braucht?«, fragte Matt. »Zwanzigtausend Kubikmeter. Die werden ganz legal mit Chemikalien vergiftet, um sie zu Fracking-Flüssigkeit zu machen. Keiner weiß, wie man sie entsorgen soll. Hinzu kommen all diese Lecks, durch die die Grundwasserschichten, die Flüsse und sonstige Wasserreservoirs vergiftet werden.«

Er sprach voller Überzeugung – dank der Kampagne der Dorfbewohner wusste er einiges zum Thema Fracking. Aber seine Aufmerksamkeit richtete sich weiter auf die Dunkelheit, als könnte er einen Blick auf Ruby erhaschen, wenn er nur intensiv genug Ausschau hielt.

»Eines Tages wird Trinkwasser genauso viel wert sein wie Brennstoffe«, fuhr er fort. »Nein, sogar wertvoller – denn den Energiebedarf kann man reduzieren. Im schlimmsten Fall kann man wie früher ohne Elektrizität und Autos auskommen. Wie die Iñupiat. Aber Wasser ist unentbehrlich für alles Leben, und zwar auf der ganzen Welt. Bei den Kriegen um Wasser wird es nicht um Macht gehen wie jetzt, sondern ums Überleben.«

»Mir reicht's«, sagte Jack Deering und drehte sich zu

Grayling um. »Ich starte den Hubschrauber. Du holst das Terminal und das Notebook.«

Grayling bewegte sich nicht. Deering würde mit dem Hubschrauber davonfliegen, dachte Yasmin, aber sie war sich noch nicht sicher, ob Grayling dann neben ihm sitzen würde.

»Wir können sie nicht hierlassen«, sagte Grayling. »Sie haben doch keinen Unterschlupf. Nichts, um sich warm zu halten.«

»Du wirst sie hier zurücklassen, Davey. Schließlich hast du auch deinen Kumpels während des Sturms nicht verraten, wo sie sind.«

»Ich dachte, ich würde sie selber finden und ...«

»Du hast es deinen Kumpels immer noch nicht gesagt, nicht?«

Grayling schwieg.

Deering machte sich wieder auf den Weg zum Aputiak. »Davey ist der Älteste von elf Cousins«, sagte er. »Und er mag's, wenn Leute zu ihm aufschauen. Schon als Junge musste man ihn bewundern. Der gute Junge, der brave Kerl, der State Trooper. Selbst sein Sohn starb fürs Vaterland. So denken sie doch alle von dir, nicht, Davey?«

Grayling schwieg weiter beharrlich. Sie erreichten das Aputiak, in dem immer noch das Qulliq, brannte. Blassgoldenes Licht schimmerte heraus.

Dann funkelte Metall in dem Licht auf. Jack Deering richtete seine Waffe auf das Aputiak, in dem er und Grayling immer noch Ruby vermuten mussten.

»Ich hatte nie vor, es so zu regeln«, sagte er zornig. »Aber Sie lassen mir keine Wahl, verdammt.«

Durch den fallenden Schnee fielen Schüsse. Metall durchschlug die Schneewände. Yasmin schrie auf.

»Ist gnädiger, es schnell zu erledigen«, sagte Deering. Er schien tatsächlich zu glauben, sein Verbrechen wiege weniger schwer, wenn er die Zeit des Sterbens reduzierte, dachte Matt.

Deering feuerte noch einmal auf das Aputiak. Yasmin wünschte sich, die Schallwellen würden durch die dunkle Luft vibrieren und Ruby warnen, dass der Mann bewaffnet war und sie sich verstecken musste.

Noch ein Schuss. Sie dachte an den fallenden Baum, das Geräusch wurde zu einem Zittern im Moos, einem Blatt, das Rubys Wange streifte. Sie versuchte, für Ruby an ruhige, sanfte Dinge zu denken. Als könnte ihr das helfen.

Zischend erlosch das Qulliq unter dem herabfallenden Schnee und Eis der Wände.

Deering schaltete seine Taschenlampe an. Ihr Licht fing das Abzeichen auf Graylings Schulter ein, dann huschte es über dessen Gesicht. Grayling hatte kaum reagiert.

Dann trat Deering in das halb zerstörte Aputiak, wo ihn kein Kind erwartete, sondern ein von Kugeln durchsiebter toter Husky. Matt konnte sehen, wie der Anblick ihn in Rage brachte.

Es dauert so lange. Ich denke an die farbbekleckste Heide in Schottland und Dads lustiges Superman-T-Shirt und an Wärme, aber es ist stockdunkel und so wahnsinnig kalt. Ich denke an Dad, wie er ganz allein hier oben war. Ich muss auch tapfer sein.

Da erscheint ein Bild von einem blinkenden Satelliten!

Jetzt wird unser Blog ins Netz eingespeist. All die Bilder und Koordinaten und alles!

Aber unser Blog hat keine Follower. Keinen einzigen.

Niemand weiß überhaupt davon. Niemand wird ihn sehen und uns zu Hilfe kommen.

Ich sehe den orangen Punkt von dem Feuer und das gelbe Glühen des Aputiak nicht mehr. Ich weiß nicht, wie ich zu Mum und Dad zurückkommen soll.

Deering zwang Matt und Yasmin, Jacken, Gesichtsmasken und Brillen auszuziehen. Während er ihre Schutzkleidung im Hubschrauber einschloss, rannten sie auf den Hügel zu, denn nur dorthin konnte Ruby gegangen sein, an den Ort, von wo aus Matt seine Mails verschickt hatte. Ohne die Polarkleidung verloren sie schnell an Körperwärme, ihre Muskeln wurden schwächer, das Laufen fiel ihnen zunehmend schwerer.

In die Dunkelheit bohrte sich der Suchscheinwerfer des Hubschraubers. Deering suchte nach Ruby. Er lenkte den Strahl auf den Hügel. Ganz oben war gegen den weißen Schnee die dunkle Silhouette eines Kindes zu sehen.

Von unten leuchtet ein total helles Licht zu mir hoch. Ich würde gern glauben, dass das Dad oder Mum sind, die mich suchen, aber eigentlich denke ich das nicht.

Ich öffne Twitter. Ich muss jetzt ganz sorgfältig sein, denn wenn ich die Adresse des Blogs falsch eintippe, kann uns niemand zu Hilfe kommen. Meine Finger tun so weh, als wären sie in Stacheldraht gefangen, aber in den dicken Handschuhen kann ich nicht tippen.

@Words_No_Sounds
653 *followers*
helft uns, geht auf einewocheinalaskablog.com. In anaktue waren alle schon vor dem feuer tot. lange

zahlen sind längengrad und breitengrad bitte noch dezimalpunkte und minus zufügen es eilt!

Ich weiß nicht, ob hier oder zu Hause Nacht oder Tag ist, aber irgendwo auf der Erde ist jetzt Tag, dort, wo sie von der Schnur gerade in Richtung Sonne gehalten wird. Und da wird jemand wach sein und meinen Tweet lesen, und ein Erwachsener wird in der Nähe sein und wissen, was man tun muss.

Das helle Licht geht aus, jetzt ist es ganz dunkel.

Yasmin hielt die Taschenlampe, Matt lief neben ihr her. Sie hörte Grayling nach ihnen rufen, aber sie blieb nicht stehen, sondern stolperte weiter über das Eis und den Schnee. Jack Deering rannte an ihr vorbei, in den Händen Taschenlampe und Waffe. In der Kälte verlor sie allmählich die Kontrolle über ihre Glieder, sie spürte, wie ihr Geist sich um den scharfen Splitter herum verdunkelte, der darin bestand, Ruby zu beschützen. Dann packte Grayling sie – und drückte ihr die Jacken und Gesichtsmasken und Schneebrillen in die Hand. Hastig zogen sie sich alles über. Grayling rannte ihnen voraus.

Meine Finger fühlen sich so komisch an, als würden sie gleichzeitig weh tun und taub sein.

Wo wir jetzt sind, steht nicht in unserem Blog, weil das die letzte Mail von Dad war, die mit den Sternen, und die hab ich nicht hochgeladen. Ich gehe in Mums Mails. Ich kopiere die Zahlen unter dem Sternenfoto. Dad weiß also, wie sehr sie die Sterne liebt. Dann öffne ich Twitter und kopiere die Zahlen hinein, und die Dezimalpunkte und das Minus setze ich auch dazwischen, genau wie Mum es gemacht hat. Aber ich mache ständig Tippfehler, weil meine Finger nicht das tun, was sie sollen.

Dank seiner Polarkleidung war Grayling nun weit vor den Eltern des Mädchens. Er hatte den Suchstrahl des Hubschraubers ausgeschaltet, um Jacks Suche nach dem Mädchen zu verzögern. Im Licht seiner Taschenlampe sah er Jack etwa hundert Meter vor sich. Grayling sprintete über Schnee und Eis, seine Brust brannte von der gefrorenen Luft tief in seinen Lungen. Als Yasmin gesagt hatte, das kleine Mädchen sei im Aputiak und schlafe, hatte er gespürt, dass sie log. Er hatte die Gesichter der Eltern gesehen, das Entsetzen darin. Genauso hatte er sich gefühlt, als Timothy im Irak kämpfte und er sich täglich, stündlich fragen musste, ob sein Sohn noch lebte. Er hatte gewusst, dass ihre Tochter nicht dort drin war und dass sie nicht wussten, wo sie war. Er hatte Erfahrung als Polizist und durchschaute rasch, dass die Eltern ihn und Jack in Diskussionen verwickeln wollten, um zu verhindern, dass sie sich auf die Suche nach dem Mädchen machten.

Er holte auf. Jack war ihm nur noch zwanzig Meter voraus.

Grayling war in dieser Sache von Anfang an unaufrichtig zu sich selbst gewesen. Er hatte den Kopf in den Sand gesteckt, hatte beschlossen zu glauben, dass Jack dieser kleinen Familie nichts antun würde, nicht weil er an Jacks Anstand glaubte, sondern weil sonst er selbst an einem üblen Verbrechen beteiligt gewesen wäre.

Dann hatte Jack auf das Aputiak geschossen, in dem er das kleine Mädchen vermutete, und Grayling konnte unmöglich weiter die Augen vor Jacks Unmenschlichkeit und seiner eigenen Schuld verschließen. Als Grayling die Kugeln in das Aputiak einschlagen sah, hatte er erkannt, wie nichtig Jacks Gerede vom großen Ganzen war. Diese Bösartigkeit war unvergleichlich, und sie ließ sich durch keinen noch so guten Zweck rechtfertigen.

Ihm war, als wäre etwas in ihm erneut zum Leben erwacht.

Ein paar Meter vor ihm hielt Jack an. Er leuchtete das Mädchen, das noch zweihundert Meter entfernt war, mit der Taschenlampe an und zielte.

Grayling warf sich vor ihn, um das Kind zu schützen.

Mein Armband vibriert. Ich würde es gern abnehmen. Ich will Stille hören. Ich kauere mich hin, damit der böse Mann mich nicht so leicht sieht. Meine Finger tun nicht, was sie sollen, aber ich habe jetzt endlich den Tweet getippt.

@Words_No_Sounds
653 *followers*
69.602132, – 147.680371 sind auf hügel bei fracking-anlage helft uns ich glaub er hat eine waffe

Grayling lag im Schnee. Er verspürte keinen Schmerz; stattdessen war ihm seltsam warm. Schneeflocken schwebten auf sein Gesicht herab. Unter sich und um seinen Körper herum konnte er das Land spüren. Yasmin hatte recht gehabt mit ihrer Beschuldigung, dass er aus Selbstschutz handle, aus Eigennutz. Denn kurioserweise hatte er geglaubt, wenn er sich nur genug dafür einsetzte, den Krieg um Öl zu verhindern, über alle Gesetze und Regeln hinweg, dann hätte sich vor einem Jahrzehnt irgendjemand – ein Vater wie er – ebenso dafür eingesetzt. Der

Krieg wäre früher zu Ende gegangen, und Timothy wäre noch am Leben, lachte über einen Witz, den er seinem Vater gleich erklären würde, statt in einem anonymen Sarg an einem unbekannten Ort begraben zu liegen. Natürlich funktionierte das nicht so, das war ihm klar – die Gesetze der Realität beugten sich nicht derartig irrationalen, emotionalen Wünschen. Vielleicht hatte er einfach nicht gewollt, dass andere Eltern einen solch vermeidbaren Schmerz erleiden mussten, der wie Batteriesäure in Kehle, Magen und Augenlidern brannte, wenn man nachts keinen Schlaf fand. Er hatte nicht gewollt, dass jemals ein anderes menschliches Wesen dieses Leid erfuhr. So hatte er beschlossen, Jack zu glauben, den Blick auf das große Ganze zu richten und nicht auf all das Dreckige, was zu dessen Erhaltung nötig war. Timothys wunderschönes Gesicht. Jack hatte seine Liebe zu seinem Sohn und seinem Land ausgenutzt, jene beiden Arten von Liebe, die ihn zu dem machten, der er war. Nun waren sie entstellt worden. Er spürte das verwundete Land um sich, das Gift, das ihm entströmte wie Blut.

Ich warte noch immer darauf, dass meine Tweets endlich abgeschickt werden. Irgendwo über mir im Weltraum ist ein Satellit, und Dads kleines Kästchen ist ein Wunder wie die atemberaubend faszinierende Tudormuschel, und es wird eine Verbindung kommen, und alles wird gut. Weil das Internet wie die Magnetosphäre die ganze Welt umspannt.

Matt und Yasmin sahen das Licht von Deerings Taschenlampe den steilen Hang hinaufhuschen. Sie würden es niemals vor ihm zu Ruby schaffen. Yasmin wusste: Niemand würde ihnen zu Hilfe kommen. Niemand würde es je erfahren. Es konnten Jahre, Jahrzehnte, sogar Jahrhunderte vergehen, bis jemand wieder an diese Stelle kam.

Meine Tweets sind hochgeladen! Ich versuche die »Hurra«-Gebärde zu machen, aber ich kann meine Hände überhaupt nicht spüren. Sie tun nicht mal weh. Ich wünschte, sie würden weh tun.

Eine Taschenlampe kommt auf mich zu. Ich hoffe, das sind Mum und Dad, aber eigentlich glaube ich es nicht.

Vor meinem Notebookbildschirm sitzt plötzlich ein Tier – ein Polarhase! Seine Augen leuchten ganz hell, als fände er das Notebook spannend.

Und jemand hat mir schon zurückgetwittert! Und noch jemand! Und noch jemand! Supercool und hammerschnell! Atemberaubend! Echt superb!

Der Hase wird ganz starr, und ich weiß, er hat Angst. Vielleicht machen die Tweets ein Geräusch, ein Ping oder so, das ihn erschreckt, aber Dad hat den Ton an meinem Notebook doch ausgeschaltet.

Die Taschenlampe ist jetzt ganz nahe.

Ich weiß nicht, wohin ich rennen soll.

Er ist hier. Ich halte ihm meinen Notebookbildschirm entgegen, damit ich ihn sehen kann. Er hat eine Waffe. Er nimmt mir das Notebook ab.

Jetzt hält er in der einen Hand das Notebook und in der anderen seine Pistole. Er liest die Tweets. Das Licht vom Bildschirm spiegelt sich in seiner Schneebrille. Ich hoffe, es kommen noch viel mehr Tweets, dann liest er vielleicht weiter und schießt nicht auf mich, und Mum und Dad können mich vielleicht retten.

Er wirft mein Notebook in den Schnee. Ich will die

Tweets lesen, aber er schießt ganz oft aufs Notebook, und mein Armband vibriert und vibriert und vibriert, bis mein Arm kribbelt wie eingeschlafen und mein Notebook nur noch aus tausend winzigen Splittern wie Sommersprossen im Schnee besteht.

Ich glaube, jetzt erschießt er mich.

Aber er wendet sich von mir ab.

Das Licht seiner Taschenlampe wird kleiner und kleiner. Es ist nur noch ein winziger Punkt, und jetzt ist es gar nicht mehr da.

Er ist weg!

Ich glaube, er hat gesehen, dass die Tweets wie die Federn eines Gerüchts sind und er sie niemals alle wieder einsammeln kann.

Jetzt hab ich nicht einmal mehr das Licht von meinem Notebook.

Schwarze, schwarze Finsternis.

Ich denke daran, wie die Nacht alle Tage verschluckt, und das gefällt mir, weil das so ähnlich ist wie der Wal, der Rabe verschluckt, und mittendrin in dem dunklen Wal bestehen Herz und Seele des riesigen Tiers aus einem tanzenden Mädchen.

Ein Licht kommt auf mich zu, es hüpft auf und ab, weil derjenige, der es trägt, rennt. Es sind Mum und Dad.

Dad beugt sich zu mir runter und nimmt mich in den Arm, und Mum zieht sich ihre großen Handschuhe aus und schiebt sie mir über die Hände. Hinter ihrer Schneebrille sind gefrorene Tränen. Sie bläst ihren Atem in die Handschuhe an meinen Händen.

Ich will ihnen sagen, dass meine Worte stärker waren als seine Schüsse.

Und ich will ihnen sagen, dass die zwitschernden Dreilappglockenvogelküken dafür sorgen, dass die ganze Welt von den armen Leuten in Anaktue und den Tieren erfährt und uns Hilfe schickt.

Im Licht von Dads Taschenlampe fallen weiße Schneeflocken vom Himmel, und ich denke, dass das, was die Leute mir schreiben, überhaupt nicht wie Federn ist, sondern wie Schneeflocken, und sie haben uns schon gefunden und sind überall um uns herum.

Schnee macht kein Geräusch, wenn er fällt.

Wir warten hier, wir drei, ganz dicht beieinander, Ewigkeiten lang. Über uns sind Sterne, und ich denke an die kleinen Vogelbabys, die die Sterne anschauen, damit sie später nach Hause finden. Am Himmel ist ein kleines neues Licht aufgetaucht, wie eine langsame Sternschnuppe, die sich auf uns zubewegt. Aber ich weiß, so was wie Sternschnuppen gibt es gar nicht!

Mum bläst immer noch ihren Atem in meine Handschuhe, lebendig und warm.

Ein Schneeball bewegt sich, dann noch einer und noch einer. Es sind Schneehasen, die über den Schnee in die Dunkelheit davonhüpfen.

Ich spüre meine Finger. Ich habe wieder eine Stimme.

In dieser Not, diesem Übel wird uns
Die letzte Reinheit der Kenntnis des Guten zuteil.

Wallace Stevens

Danksagung

Folgenden Menschen möchte ich dafür danken, dass sie ihre Fachkenntnisse so großzügig mit mir geteilt haben. Sollten sich Fehler eingeschlichen haben, sind sie allein mir zuzuschreiben:

Jacob Tompkins, Spezialist für Hydrologie, Geschäftsführer der Nonprofit-Organisation Waterwise und ebenso leidenschaftlicher wie brillanter Verfechter der Unabdingbarkeit von sauberem Wasser.

Jimmy Stotts, Präsident der US-Niederlassung des Inuit Circumpolar Council.

Dr. Sebastian Hendricks, Facharzt für Phoniatrie und Pädaudiologie (Spezialist für Sprach-, Stimm- und kindliche Hörstörungen).

Dr. Amir Sam, außerordentlicher Professor am Imperial College und Spezialist für Endokrinologie.

Dr. Rob Scott, Physiker, derzeit tätig bei der UK Space Agency sowie in der Abteilung Erd- und Atmosphärenforschung des Rutherford Appleton Laboratory.

Gerry Gillespie, Luftfahrtingenieur und ein unerschöpflicher Quell faszinierender Geschichten über Maschinen.

Jean Straus, Journalistin und Rezensentin für Action On Hearing Loss.

Der Farnham Astronomical Society.

Für ihre kreative Hilfe bei diesem Roman danke ich folgenden Personen:

Zuallererst Felicity Blunt von der Literaturagentur Curtis Brown, die stets eine treibende Kraft für dieses Projekt war. Ohne ihre Intelligenz, ihre einfallsreiche Kritik und ihr Verständnis für die Sache hätte ich dieses Buch nicht schreiben können.

Weiter möchte ich Emma Beswetherick und David Shelley vom Verlag Little, Brown für ihr Engagement und ihre Kreativität danken – die Zusammenarbeit mit ihnen ist eine wahre Freude.

Lindsay Sagnette von Crown Publishing danke ich für ihre wunderbare Redaktion des Textes.

Mein besonderer Dank gilt der bemerkenswerten Alice Lutyens, meiner Audio-Agentin und langjährigen Leserin.

Danke an Susan de Soissons bei Little, Brown für ihre vielfältige Hilfe dabei, diesen Roman in die Welt hinauszubringen, an Ceara Elliot für ihre phantasievolle Umschlaggestaltung, ich danke auch Kate Doran, Felice Howden, Joanna Kramer, Clara Diaz und Poppy Stimpson sowie Sandra Ferguson, Amber Burlinson und Rebecca Lee.

Ein herzlicher Dank geht an Deborah Schneider von Schneider Literary Agents Inc., Vivienne Schuster und Kate Cooper von Curtis Brown, nicht nur weil sie so wunderbare Literaturagentinnen sind, sondern auch für ihre wertvolle Resonanz auf einen frühen Entwurf meines Romans. Ich danke auch Emma Herdman für ihre ruhige Intelligenz und ihren nie versiegenden Humor.

Danke an Jennifer Wilson, Sara Talbot, Fabia Ma, Rachael Hum, Jenni McCann und alle anderen aus dem

Team für ihre Energie und Begeisterung. Ein besonderer Dank geht an Ben Goddard und Sarah Shrubb.

Ich danke auch Grace Menary-Winefield, Dominic Wakeford, Alex Silcox, Eva Papastratis und Ugonna Hosten.

Ein Dankeschön geht an meine Freunde Nina Calabresi und Bob Oldshue, die mich im wunderschönen Maine in die Lyrik von Wallace Stevens einführten.

Und nicht zuletzt danke ich Karin Lewiston, Anne-Marie Casey, Lynne Gagliano, Claire Merryweather, Claire Fuller, Maerisna Hole und meinen Eltern Kit und Jane Orde-Powlett für ihre Unterstützung und dafür, dass sie mich dazu überredet haben, ab und zu das Schreiben zu unterbrechen, um mit ihnen zusammen zu sein und frische Luft zu schnappen.

Danke an euch, Cosmo und Joe – ihr wart für mich eine Quelle der Inspiration für Rubys Freundlichkeit, Großzügigkeit und Intelligenz. Zu guter Letzt danke ich meinem unerschrockenen und wunderbaren Ehemann Martin, der nicht nur das Abenteuer Alaska mit mir geteilt hat, sondern mich auch auf der langen Reise bis zur Fertigstellung dieses Romans begleitet hat.

Viele Bücher, Artikel, Fotos, Videofilme und Internetseiten waren mir bei diesem Roman behilflich, insbesondere die folgenden:

Alaska Native Villages Annual Report 2012. United States Environmental Protection Agency.

Maureen Clark, »State considers checkpoints, restrictions on Dalton Highway traffic in response to attacks«. In: *Peninsula Clarion*, 2001.

Compendium of Scientific, Medical and Media Findings Demonstrating Risks and Harms of Fracking (unconventional gas and oil extraction). Concerned Health Professionals of NY, 2014.

Debby Dahl Edwardson, *My Name Is Not Easy.* Skyscape, 2012.

Pat Forgey, »›Fracking‹ for oil likely to grow in Alaska«. In: JuneauEmpire.com, 2012.

Bernd Heinrich, *The Homing Instinct: Meaning and Mystery in Animal Migration*. London: HarperCollins, 2014.

William L. Iġġiaġruk Hensley, *Fifty Miles from Tomorrow: A Memoir of Alaska and the Real People.* New York: Sarah Crichton Books, 2009.

Margaret Kriz Hobson, »Shale Oil: Geologist's Alaska Gamble Could Turn into America's Next Big Shale Play«. In: *Energy Wire.* Washington: E & E Publishing, 2013.

Kyle Hopkins, »Frozen Landslide Threatens to Devour Dalton Highway«. In: *Alaska Dispatch News,* 2012.

Nick Jans, *The Last Light Breaking: Living Among Alaska's Inupiat Eskimos*. Oregon: Alaska Northwest Books, 1993.

Doug O'Harra, »On the Dalton Highway – Just How Bad Can It Get?«. In: *Anchorage Daily News,* 2001.

Dan O'Neill, *The Firecracker Boys: H-bombs, Inupiat Eskimos and the Roots of the Environmental Movement.* New York: BasicBooks, London: Perseus Running, 2008.

Sara Wheeler, *The Magnetic North: Notes from the Arctic Circle.* London: Jonathan Cape, 2009.

Auch den folgenden Websites bin ich zu Dank verpflichtet:

www.inupiatheritage.org
www.iccalaska.org
www.alaskacenters.gov
www.inuitcircumpolar.com
www.adfg.alaska.gov
dec.alaska.gov
www.nationalgeographic.com
www.worldwildlife.org
www.ecowatch.com
www.handspeak.com
www.british-sign.co.uk
www.actiononhearingloss.org.uk
www.ndcs.org.uk

Gasland von Josh Fox war die erste Dokumentation über hydraulische Frakturierung, die ich gesehen habe. Seither bin ich dem Thema Fracking in zahlreichen Artikeln, Reportagen, Reden und Blogs begegnet, aber *Gasland* überragt für mich noch immer alles andere. Auf Vimeo und YouTube ist die Dokumentation *The Sky Is Pink* von Josh Fox und dem *Gasland*-Team zu sehen.

Auf Google Earth und YouTube kann man Fotomaterial von fast jedem Kilometer des Dalton Highway einsehen.

Auch Reiseblogs von Berufsfahrern, Touristen und Motorradfahrern, die auf dem Dalton Highway unterwegs waren, gibt es zuhauf. Ich danke allen Fotografen und Bloggern für die Einblicke und Ansichten.

Folgende Apps waren mir von großem Nutzen:

British Sign Language Reference Dictionary App

British Sign Language Finger-Spelling App

Iñupiat Dictionary App
Schon die vielen Wörter für Schnee vermitteln eine Vorstellung von dem Land, wo diese Sprache gesprochen wird. Von *apiqammiaq* für Neuschnee bis hin zu *uupkaagnaq* begegnen einem durchs gesamte Alphabet hindurch zahlreiche Begriffe für verschiedene Arten von Schnee. Die Iñupiat Dictionary App schlägt täglich ein »Wort des Tages« vor. An dem Abend, da ich dies schreibe, ist es *qailliaqsruk*: Es bedeutet »Kräuseln auf dem Wasser«, aber auch »in Unruhe versetzt werden«.